BELLE DE JOUR

DE INTIEME AVONTUREN VAN EEN CALL GIRL IN LONDEN

Belle de Jour

De intieme avonturen van
een call girl in Londen

the house of books

Oorspronkelijke titel
The intimate adventures of a London Call Girl
Uitgave
Weidenfeld & Nicolson, London
First published in Great Britain in 2004 by Weidenfeld & Nicolson, an imprint of the
Orion Publishing Group
Copyright © 2004 by Bizrealm Limited
Copyright voor het Nederlandse taalgebied © 2005 by The House of Books,
Vianen/Antwerpen

Vertaling
Mariëtte van Gelder
Omslagontwerp
Marlies Visser
Omslagdia
The Image Bank
Opmaak binnenwerk
ZetSpiegel, Best

ISBN 90 443 1229 4
D/2005/8899/42
NUR 302

Ik draag dit boek op aan F en N

Dit boek was er niet gekomen zonder de steun en het geduld van Patrick Walsh en Helen Garnons-Williams, en hun medewerkers en associés, aan wie ik veel dank verschuldigd ben.

Het eerste wat je moet weten, is dat ik een hoer ben.

Ik bedoel het niet overdrachtelijk. Ik gebruik het woord niet om aan te geven dat ik een kantoorbaan heb of erop los zwoeg in de nieuwe media. Ik heb veel vrienden die je kunnen vertellen dat een jaar als uitzendkracht werken of in de verkoop terechtkomen gelijkstaat aan prostitutie. Dat is niet waar. Ik kan het weten, want ik ben uitzendkracht geweest en heb voor geld geneukt, en er is geen enkele overeenkomst tussen die twee. Niet eens in planeet. Het zijn totaal verschillende zonnestelsels.

Het tweede is dat ik in Londen woon. Dit zou al of geen verband kunnen houden met het eerste. Het is geen goedkope stad. Zoals bijna al mijn vrienden ben ik hier na mijn studie naartoe verhuisd in de hoop een baan te vinden. Zo geen goed betalende, dan toch in elk geval een boeiende, of een in een omgeving met uitsluitend knappe, huwbare mannen. Zulke banen zijn echter dun gezaaid. Vrijwel iedereen leert nu voor accountant, ook mijn vrienden A2 en A3, die respect genieten in hun academische kringen. Mijn god, je kunt nóg beter dood zijn. Accountants zijn nóg minder sexy dan wetenschappers.

Prostitutie is gestaag, maar geen veeleisend werk. Ik ontmoet veel mensen. Toegegeven, het zijn bijna allemaal mannen en de meesten zie ik maar één keer, en ik moet met ze neuken, ook al zitten ze vol harige wratten, hebben ze in totaal maar drie tanden of willen ze dat ik een fantasie verwezenlijk waarin hun geschiedenisjuf uit de zesde klas een rol speelt. Toch is het altijd beter dan in een troosteloze kantoortuin naar de klok te kijken tot de volgende ingeroosterde theepauze begint. Als mijn vrienden dus weer eens met de afgesleten analogie van het kantoorleven-als-prostitutie komen, knik ik begrijpend en leef met ze mee, en dan slaan we cocktails achterover en vragen ons af waar al die jeugdige belofte van ons is gebleven.

Die van hen waarschijnlijk op de snelweg naar de slaapstad. De mijne spreidt op regelmatige basis haar benen voor geld.

Dat gezegd hebbende: de overstap naar de echte prostitutie ging niet van de ene dag op de andere.

Zoals duizenden andere net afgestudeerden kwam ik in Londen terecht. Ik had maar een kleine studielening en ik had wat gespaard, dus dacht ik wel een paar maanden goed te zitten, maar mijn reserves werden snel opgesoupeerd door de huur en tientallen losse uitgaven. Mijn dagelijkse routine bestond uit het bestuderen van vacatures, het schrijven van enthousiaste, kruiperige sollicitatiebrieven terwijl ik wist dat ze me nooit zouden oproepen en elke avond voor het slapengaan hevig masturberen.

Het masturberen was destijds veruit het grootste lichtpunt van de dag. Ik stelde me voor dat ik als testingenieur bij een fabrikant van kantoorartikelen werkte, wat inhield dat ik met mijn binnendijen vol papierklemmen energiek door iemand werd genomen. Of dat ik de persoonlijk assistente van een machtige meesteres was en vastgeketend aan haar bureau werd gebeft door een van haar andere slavinnen, die op haar beurt aan een dildo was gespietst. Of dat ik in een floating tank dreef en onzichtbare handen me knepen en aan mijn vel trokken, eerst teder, dan pijnlijk.

Londen was niet de eerste stad waarin ik had gewoond, maar wel de grootste. Je hebt overal de kans een bekende tegen te komen, of op zijn allerminst een vriendelijk gezicht te zien, maar niet hier. Forensen bevolken de ondergrondse, erop gespitst hun medereizigers te overtreffen in een escalerende privacy-oorlog met pockets, koptelefoons en kranten. Op een dag zat er in de Northern Line een vrouw naast me die de *Metro* vlak bij haar gezicht hield; pas drie stations later merkte ik dat ze niet las, maar huilde. Het was moeilijk geen medeleven te tonen en nog moeilijker om niet zelf te gaan janken.

Ik zag mijn schamele spaarcenten dus door mijn vingers glijden en het kopen van een OV-kaart werd het hoogtepunt van de week. En hoewel ik een moordende lingerieverslaving heb, kon zelfs het snoeien op kanten gevalletjes het probleem niet verhelpen.

Kort na mijn verhuizing kreeg ik via mijn vriend N een sms van een kennis. Dit is N's stad en hij lijkt iedereen te kennen. Hij is minstens vier van mijn zes stappen naar wie dan ook. Toen hij zich uitsloofde om me aan die vrouw voor te stellen, lette ik dan ook goed op. 'Hoorde dat je in de stad was, wil je graag zien als je tijd hebt', luidde de boodschap van de compacte, sexy oudere vrouw met het accent van geslepen glas en een onberispelijke smaak. Toen ik haar voor het eerst ontmoette, dacht ik dat ze niets voor me was, maar ze had haar kont nog niet gekeerd of N maakte met gefluister en woeste handgebaren duidelijk dat ze een wilde was en ook van vrouwen hield. Ik zat gelijk te soppen.

Ik bewaarde de sms wekenlang, en mijn fantasieën werden steeds verhitter en ongeduriger. Het duurde niet lang of ze viel samen met de in latex gehulde teef-uit-de-hel-baas uit mijn nachtelijke rêverieën. De deernen en op seks beluste kantoordrenzen uit mijn dromen kregen een gezicht, en allemaal het hare. Ik sms'te terug. Ze belde vrijwel onmiddellijk om te zeggen dat haar nieuwe vriend en zij de volgende week graag met me uit eten wilden.

Ik vroeg me dagenlang panisch af wat ik aan moest en ging me te buiten aan de kapper en nieuw ondergoed. Op de avond zelf trok ik de hele kleerkast leeg en verkleedde me een keer of tien. Uiteindelijk koos ik voor een strak, helblauw truitje op een donkergroene broek. Ik leek misschien een beetje op een typegeit, maar zag er toch ingehouden sexy uit. Hoewel ik een halfuur naar het restaurant had lopen zoeken, kwam ik er nog een halfuur te vroeg aan. Ik mocht pas aan tafel plaatsnemen wanneer mijn gezelschap er was, zeiden ze. Ik gaf mijn laatste geld uit aan iets te drinken aan de bar en hoopte maar dat zij het eten voor me zouden betalen.

Het geroezemoes in de smalle zalen vermengde zich met de kabbelende achtergrondmuziek. Iedereen leek ouder en in elk geval bemiddelder dan ik. Een paar mensen zouden net van hun werk gekomen kunnen zijn; anderen hadden zich zichtbaar eerst thuis opgefrist. Telkens als de deur openging, kwam er een vlaag kille herfstlucht met de geur van droge bladeren binnen.

Het stel arriveerde. We kregen een tafel in de hoek, ver van de attenties van het personeel; ik zat tussen hen in gepropt. Hij keek in mijn truitje terwijl zij over galeries en sport praatte. Terwijl ik zijn hand over mijn rechterknie voelde kruipen, begon haar kousenvoet langs mijn broek omhoog te schuiven.

Aha, daar zijn ze op uit, dacht ik, en had ik het niet de hele tijd al geweten? Ze waren ouder, libertijns, geweldig. Ik had geen reden om ze niet te neuken of me door ze te laten neuken. Ik volgde hun voorbeeld bij het bestellen: machtige, vette gerechten. Een paddestoelrisotto die zo compact was dat hij zich amper uit de ondiepe schaal liet losrukken, zo plakkerig dat je hem alleen met je tanden van de lepel kon krijgen. Vis met de kop er nog aan en door de hitte verglaasde ogen die ons aanstaarden. Ze likte langs haar vingers en ik kreeg het gevoel dat het een doelbewust gebaar was, geen vergeten van de etiquette. Mijn hand gleed over haar loeistrakke broek naar haar kruis en ze klemde haar benen tegen elkaar om mijn knokkels. Net op dat moment besloot de serveerster dat onze tafel meer aandacht moest krijgen. Ze bracht een schaaltje met piepkleine gebakjes en bonbons, en de man voerde zijn vriendin met een hand en greep met de andere hand de mijne, terwijl mijn vingers in haar schoot kropen. Ze kwam vlot en bijna geluidloos klaar. Ik liet mijn lippen langs haar hals strijken.

'Uitstekend,' zei hij zacht. 'Nog een keer.'

Ik deed het dus nog een keer. Na het eten gingen we weg. Hij vroeg me met ontbloot bovenlichaam naast zijn vriendin te gaan zitten, die reed. Tijdens de korte rit naar haar huis omvatte hij mijn borsten vanaf de achterbank en kneep in mijn tepels. Ik liep topless van de auto naar de voordeur en eenmaal binnen kreeg ik het bevel op mijn knieën te gaan zitten. Zij vertrok naar de slaapkamer en hij gaf me een paar elementaire lessen in gehoorzaamheid: een ongemakkelijke houding aannemen; in een ongemakkelijke houding zware voorwerpen vasthouden; in een ongemakkelijke houding zware voorwerpen vasthouden met zijn lul in mijn mond.

Ze kwam terug met kaarsen en zweepjes. Ik had vaker kaarsvet en zweepjes op mijn huid gevoeld, maar wat nieuw voor me was, was dat ik met mijn benen omhoog lag en dat er brandende kaarsen die over mijn romp dropen in me werden gestoken. Na twee uur penetreerde hij haar en dreef haar, net als de dildo in mijn fantasie, met haar gezicht in mijn poes.

We kleedden ons aan, zij ging een douche nemen. Hij liep met me mee naar buiten om een taxi aan te houden. Zijn arm door de mijne gehaakt. Vader en dochter, had iedere voorbijganger kunnen denken. We leken een gemoedelijk stel.

'Wat een vrouw heb je daar,' zei ik.

'Ik doe alles om haar tevreden te houden,' zei hij.

Ik knikte. Hij hield een taxi aan en gaf het adres aan de chauffeur. Toen ik achterin stapte, gaf hij me een rol bankbiljetten en zei dat ik altijd welkom was. Pas halverwege mijn huis keek ik naar de bundel geld en zag dat het minstens drie keer zoveel was als wat de taxirit me ging kosten.

Ik rekende het uit: de huur die betaald moest worden, het aantal dagen in een maand en de nettowinst van het avondje uit. Ik vond dat ik spijt of verbazing zou moeten voelen omdat ik me had laten gebruiken en betalen, maar daar was geen sprake van. Zij hadden zich vermaakt, en voor zo'n rijk stel waren de kosten van een etentje en een taxi te verwaarlozen. En eerlijk gezegd had ik het niet bepaald een zware opgave gevonden.

Ik vroeg de chauffeur een paar straten voor mijn huis te stoppen. Het staccato tikken van mijn hakken op de stoep weerkaatste tegen de gevels. Het was nog zomer, nog warm 's nachts, en de rode kaarsvetblaren onder mijn kleren gloeiden van de overgedragen hitte.

Het idee seks te verkopen knaagde en werd sterker, maar ik verdrong mijn nieuwsgierigheid naar de prostitutie nog een tijdje. Ik leende geld van vrienden en kreeg een relatie met een jongeman. Het was een aangename afleiding, tot ik rood kwam te staan en mijn bank wilde dat ik over een lening kwam praten. Het knagen fluisterde en jeukte bij elke afwijzingsbrief en elk mislukt sollicitatiegesprek. Ik bleef maar denken aan hoe het had gevoeld om achter in een taxi door het holst van de nacht te zoeven. Ik kon het. Ik moest het weten.

En niet lang nadat ik had besloten het te doen, begon ik een dagboek bij te houden.

Novembre

Belles A-Z van de Londense seksindustrie, A t/m C

A staat voor afspraken, advertenties en administratie; zie onder *bemiddelingsbureaus*

B staat voor bemiddelingsbureaus
Een bureau in Londen berekent doorgaans een derde van de verdienste, uitgezonderd reiskosten en fooien. De man wordt geacht de reiskosten van het meisje te vergoeden, wat dertig tot veertig pond extra kan opleveren.

Het bureau betaalt de advertenties en het regelen en bevestigen van afspraken en zorgt zo nodig voor bescherming. Sommige bureaus trekken de fotokosten van de eerste afspraken van het meisje af of willen ze meteen vergoed hebben. Het bureau waar ik me bij inschreef deed dat niet; de foto's en het opstellen van een beschrijving waren gratis.

Met een beetje geluk blijft het contact met het bureau minimaal. De laatste keer dat ik mijn manager zag, had ze kritiek op mijn lipliner. Hoezo, vrouwelijke solidariteit?

B staat voor beroerd haar
Soms moet je zo snel naar een afspraak dat er geen tijd is voor het gebruikelijke driedubbele poedelen en tutten. Het haar is daar doorgaans als eerste de dupe van. Als ik me moet haasten, kan het slap en een tikje vettig zijn. Een meisje op de univer-

siteit heeft me een eenmalig trucje voor noodgevallen geleerd dat maar een uur werkt: bestuif het haar met talkpoeder en kam het licht door. Het blijft er lang genoeg goed genoeg uitzien, maar mijd contact met vocht, anders loop je het risico je kop aan de muur te plakken.

C staat voor contant betalen
Ik accepteer geen creditcards. Waar moeten de klanten ze doorheen halen?

C staat ook voor conversatie
Het gesprek op gang houden is niet alleen nuttig, maar waarschijnlijk ook de belangrijkste vaardigheid voor dit werk. Doe alsof je in alles geïnteresseerd bent. Wees vaag over politieke voorkeuren en andere mogelijk provocerende opinies. Met andere woorden: lieg dat je barst. Zie het maar als een voorbereiding op een toekomstige politieke carrière.

Samedi, 1 novembre

Een klant had zich aan mijn tepels vastgeklemd. 'Voorzichtig, ik moet ongesteld worden,' zei ik, en ik leidde zijn handen behoedzaam weg.

'Vertel eens over je fantasieën,' zei hij.

's Winters geen open sandalen hoeven dragen.

Een zeilvakantie met de Jongen.

Op zaterdagavond vrij.

'Ik word door vier mannen ontvoerd, uitgekleed en achter in een auto vastgebonden. Ze stoppen, stappen uit en trekken zich door de open raampjes boven me af.'

'Zijn er ook paarden in de buurt?'

'Heel veel. We zitten midden op het platteland. Op een boerderij. Het zijn boeren.'

'Kun je de paarden ruiken?'

'Ik ruik ze. Ze maken geluiden in hun boxen en raken heel opgewonden. Paarden zijn enorm groot geschapen, hè?'

'O, ja. Nou en of.'

'Zodra de boeren klaar zijn, brengen ze me naar de paardenstal.'

'Niet met het paard neuken.'

'O, nee, in de verste verte niet. Het is te groot! En het paard... de hengst... is helemaal wild, veel te opgewonden. Ik

vind hem veel te groot. Het klinkt alsof hij de deur van de stal
open wil trappen.'
    'Ahhh...'

Dimanche, 2 novembre

Een paar dingen die ik van mijn werk heb geleerd:
    In een wereld vol twaalfjarigen in sexy laarzen en mietjes in
flonkerende mini-jurken is de zekerste manier om te bepalen
wie de hoer is in de lobby van een hotel op Heathrow, uit te
kijken naar de vrouw in het mantelpak van een dure ontwer-
per. Feit.
    Wat aan een afspraak voorafgaat, is bijna altijd hetzelfde. De
klant bekijkt de website en neemt contact op met het bemiddelingsbureau. Hij belt op, de manager belt mij op, ze bevestigt de afspraak met de klant en dan moet hij wachten. Ik
heb doorgaans twee uur nodig. Een uur om te epileren, te
douchen, me op te maken en mijn haar te doen en nog een
uur om een taxi te bellen en naar het afgesproken punt te gaan.
    Mijn make-up heeft een eigen plank, apart van de andere
toiletspullen. Staand voor een passpiegel breng ik de lagen aan:
poeder, eau de toilette; slipje, beha en kousen; jurk, schoenen,
make-up en haar. Ik heb drie stuks werkkleding, die ik afwis-
sel: een bescheiden, maar strakke grijze tricot jurk, een wit op
wit geruit mantelpak en een linnen, op maat gemaakte rok
met een chic zwart jasje. De keuze aan ondergoed en schoenen
is onuitputtelijk.
    De laatste drie seconden voor het betreden van het hotel
zijn cruciaal. Zijn de toegangsdeuren van glas? Zo ja, kijk dan
snel waar de liften zijn. Niet naar binnen gaan en dom blijven
staan, niet aan het personeel vragen welke kant je op moet.
Zwier naar binnen en gun die mensen alleen een knikje. Als je
de liften of toiletten niet meteen ziet, duik dan de eerste de

beste gang in en oriënteer je vervolgens. Als je al een indruk achterlaat, moet het die van een goedgeklede dame zijn. Je bent een zakenvrouw.

Wat niet per se onwaar is.

Een lift is altijd handig. Tijd om een telefoon uit je tas op te diepen en het bemiddelingsbureau te sms'en – ze willen weten of je op tijd bent gekomen. Als je laat bent, laten zij de klant weten dat je eraan komt. Ververs zo nodig lipgloss; strijk kleding glad. Nooit zweten of jachtig overkomen. Zoek de deur en klop kort maar krachtig aan. 'Schat, hallo, wat leuk je te zien,' zeg je bij het betreden van de kamer. 'Heb ik je laten wachten?' Ook als je niet te laat bent. Zelfs als je stipt op tijd bent, heeft de klant de minuten geteld. Als er iemand in de kamer nerveus is, mag jij dat niet zijn. Jas uit, zitten. De klant biedt doorgaans een drankje aan. Nooit bedanken. Neem desnoods mineraalwater.

Vraag naar je geld voordat er ook maar iets begint. Ik ben het een keer vergeten. De klant lachte. 'Je bent zeker nieuw,' zei hij, en toen ik me na afloop in de badkamer stond te wassen, stopte hij het geld in de broodrooster in zijn flat. Niet tellen waar hij bij is; als je het niet vertrouwt, kun je later nog tellen. Ga op tijd weg. Als hij wil dat je langer blijft, moet hij de manager bellen, een prijs afspreken en je meteen betalen. Bij het vertrek een snelle kus. 'Ik vond het een waar genoegen en hoop je nog eens te zien.' Beneden weer een knikje en net zo snel wegwezen als je bent gekomen. Buiten het hotel het bemiddelingsbureau sms'en of bellen. Als de manager geen bericht van je krijgt, zal ze eerst de cliënt bellen, dan het hotel, haar eigen beveiliging, als die in de buurt is, en vervolgens de politie. Ze weet hoe het zit. Ze heeft in jouw schoenen gestaan.

Mijn manager is een lieverd, echt een schat. Als ze vraagt hoe het was, zeg ik altijd dat de klant voorkomend was, een echte heer, ook al neem ik het dan niet zo nauw met de waarheid. Ik wil niet dat ze zich zorgen maakt.

En soms gaat het niet helemaal goed, zoals die keer dat ik per ongeluk afscheid nam van een klein geschapen klant door met mijn wijsvinger naar hem te wuiven. Oeps. Geeft niet, misschien heeft hij het niet gezien, en volgende keer beter.

Lundi, 3 novembre

Het verkeer rond het centrum is onvoorspelbaar, en je kunt beter te vroeg dan te laat op je werk komen. Gisteren had ik een afspraak bij Leicester Square, kwam een halfuur te vroeg en doodde de tijd in een platenwinkel.

Ik hou van platenwinkels; ik hou van muziek. Dit was echter een filiaal van een keten, en beneden stond het vol dvd's en boeken over muziek. De paar schappen met echte muziek waren overladen met hitalbums en aanbiedingen. Ik glipte naar de afdeling jazz en blues boven.

De meeste andere klanten waren jongeren die de tijd doodden, net als ik, maar dan minder volgesmeerd met make-up. Zou de klant al op de afgesproken plek zijn, vroeg ik me af, of was hij ook nog op pad? Was hij misschien zelfs hier? Ik keek om me heen en zag een kandidaat, een blonde, magere man die over het laatste rek gebogen stond. Aantrekkelijk op een soort jonge, nog te bederven jonge universitair-docentenmanier. Ik slenterde naar hem toe en keek over zijn schouder.

Zijn slanke vingers speelden met het hoekje van een cd van Isaac Hayes. 'Goeie keus,' zei ik zacht, en hij liet van schrik de cd bijna vallen. Wat moet ik eruit hebben gezien in mijn te chique kleren onder mijn opbollende jas en met mijn gezicht als een griezelig masker van make-up. Stom, stom, stom. Ik vluchtte met kletterende hakken over de trap naar beneden.

Toen ik de klant trof, was het uiteraard niet de man uit de winkel.

Het was een logeerklus: ik moest tot de ochtend blijven. De manager heeft zulke gunstige berichten over mijn talenten als meesteres vernomen dat ze die prominent op de website heeft gezet. Ik ben van nature niet dominant, maar ik heb er niets op tegen, en zo langzamerhand lijken alle klanten straf te willen krijgen.

Hij: 'Niets geeft zo'n kick als het neuken van onbekenden.'

Ik: 'Mag ik die van je overnemen?'

'Ja.'

(later)

'Wat doe je daar met je handen?'

Ik leunde op de toppen van mijn gespreide vingers boven hem. 'Ik wil de schilderijen niet van de muur slaan.' Ik klemde mijn kiezen op elkaar.

'Heel verstandig. Probeer het dan maar niet te doen.' Jezus, man, het is je eigen huis toch niet? Hm. Nogal veeleisend voor een masochist, vond ik.

(nog later)

Hij: 'Jij hebt klasse, schat.'

Ik: 'Ik dacht dat mensen dat alleen in films zeiden.'

'Ik moet mijn tekst toch ergens vandaan halen?'

N wachtte me vlak voor zonsopkomst bij het hotel op. Hij is een goede vriend, we hebben een relatie gehad, hij weet wat ik doe en met de juiste belichting kan hij voor George Clooney doorgaan. Lees: in het pikdonker. N gniffelde. 'Was het leuk?' Ik sloeg mijn jas open om de twee aan de voering gebonden zwepen te laten zien. 'Je hebt de Wrekers bij je. Het was dus leuk.'

'Min of meer. Ja. Hij kon niet stijf blijven, dus hebben we het laatste uur de minibar leeggedronken en tv gekeken.' We stapten in N's auto, die op de stoep stond. 'En hij heeft me een zilveren bellenblazer gegeven.' Ik haalde het geschenk uit mijn tas. Het zat in een houten, met gouden en zwarte linten omwikkeld doosje en had de vorm van een champagneflesje.

Ik was niet moe en hij evenmin. 'Heb je zin om bellen te blazen?' vroeg N toen we over de Towerbridge reden. We keerden en reden naar de lommerrijke Embankment. Het water glinsterde zwart in het sterker wordende ochtendlicht. N kent de getijden van de Theems, hij heeft lijken uit de rivier zien opduiken, hij weet waar de moerasschildpadden en de zeehonden naartoe gaan als het warm is. Hij wees naar een gebouw met een zwembad onderin en vertelde dat hij daar ging zwemmen toen hij nog op school zat. En die brug daar, hij herinnert zich de vrouw die eraf sprong met haar zakken vol steentjes, maar niet besefte dat ze niet kon zinken omdat er lucht in haar kleding achterbleef. Toen de reddingsboten kwamen om haar eruit te halen, verzette ze zich. 'Gooi me terug, gooi me terug!' Ik leunde achterover, met mijn ogen halfdicht, terwijl hij me meer stadslegenden vertelde. Uiteindelijk kwamen we bij zonsopkomst op station Charing Cross terecht, waar we belletjes van met ranzig Theemswater aangelengd sop naar de eerste forenzen van de dag bliezen.

Mardi, 4 novembre

Kleine tasjes, bah. De tijdschriften mogen dit of dat piepkleine tasje van het seizoen aanprijzen, maar in aanmerking genomen wat ik doorgaans meesleep als ik van huis ga:
- een nagelschaartje (losse draden zijn de vijand)
- een pen (mijn geheugen is goed, maar niet zó goed)
- mobiel (om bemiddelingsbureau bij aankomst en vertrek te bellen)
- condooms (polyurethaan en latex, sommige mensen zijn allergisch)

- een lepel
- glijmiddel
- lipgloss (lippenstift bijwerken na het pijpen is te lastig)
- spiegeltje, poeder en mascara
- klein flesje parfum (alles met citrusgeur is lekker)
- tissues
- reserveslipje en -kousen
- sleutels, bankpassen, andere gangbare rommel
- en soms tepelklemmen, ballenknevel en een veelstaartige rubberzweep,

is een ruim valies gewenst. Dat allemaal in een baguette van Fendi pakken is een zwarte kunst die zelfs Houdini zich niet eigen zou kunnen maken.

Mercredi, 5 novembre

Er schoot me een uitdrukking te binnen waarvan ik het bestaan vergeten was: 'hoerenstreken'.

Hoerenstreken! Wat een intrigerend concept! Ik zie een deler in Las Vegas voor me die met de kaarten knoeit, een debutante uit het begin van de vorige eeuw die de visitekaartjes op een zilveren schaal zift, een meesteres die gebonden slaven als worstjes in de pan omdraait.

Jeudi, 6 novembre

Ik heb fijne ouders. Ik weet dat ik bevooroordeeld ben, maar het is waar. Ofschoon ik al jaren het huis uit ben, spreek ik een van beiden of allebei nog vrijwel dagelijks.

Ze weten officieel niet wat ik doe. Ze weten dat ik in de seksindustrie zit, maar meer ook niet. Mijn moeder kennende, met haar burgerlijke overgevoeligheid, zal ze haar vriendinnen wel vertellen dat ik Avon-consulente ben of zoiets.

Al weten ze het officieel dus niet, ik vermoed dat ze het inofficieel wel degelijk weten. Of althans zo'n idee hebben. Ze zijn niet achterlijk.

Ik belde zomaar naar mijn ouders.

'Dag kind,' zei pap. 'Nog altijd een nachtvlinder? Ha ha ha.'

'Ha,' mekkerde ik toonloos. 'Mam thuis?'

Hij bromde en gaf de telefoon door.

'Wanneer kom je?' vroeg ze. Geen begroeting. Geen vraag naar mijn welbevinden. In haar familie heeft niemand zich sinds voorwereldlijke tijden ooit om beleefdheden bekommerd. Meteen ter zake komen, zo zijn ze.

'Over een paar weken?'

'Hoe gaat het met de banenjacht?'

Ik zei 'eh' en 'tja'. Ik wist niet meer wat ik haar de vorige keer had verteld. Dat ik werk zocht, of dat ik wetenschappelijk onderzoek ging doen? Overwoog ik te gaan promoveren, of had ik me al opgegeven? 'Niet slecht, ik heb wat sollicitaties lopen, maar ben nog niet op gesprek geweest.'

Toevallig is het niet allemaal gelogen, maar ik had wél een sollicitatiegesprek gehad.

Niet zo enthousiast – het was niet echt. Ik moest een klant in een hotel opzoeken en ze mailden zijn speciale eisen aangaande mijn gesprekstechniek. Hij zocht een verlegen, bijna maagdelijke secretaresse die machteloos was in het aangezicht van zijn overredingskracht. Bepaalde vaardigheden waren uiteraard onmisbaar (ik heb het niet over steno).

We waren vroeg klaar en legden onze rollen af. Ik vond een crème met limoengeur in de badkamer en masseerde zijn gespannen schouders.

'Vind je mijn fantasieën vreemd?' vroeg hij.

'Vreemd?'

'Vind je ze vrouwonvriendelijk?'

Ik koos mijn woorden met zorg. 'Dit lijkt me er de geschikte uitlaatklep voor.' We praatten nog wat. Gek genoeg had hij zo ongeveer dezelfde achtergrond als ik; zijn moeder kwam uit de stad waar mijn vader vandaan komt, en vice versa. Het gesprek meanderde naar plaatsen, mentaliteit, eten, sport. Terwijl we praatten, sloeg het heimwee snel en hard toe, en opeens verheugde ik me op de feestdagen.

Mijn moeder leek genoegen te nemen met mijn ontwijkende antwoord. 'Laat je even weten wanneer je komt? En of je iemand meeneemt? Dan kan ik de kamers in orde maken.'

'Natuurlijk,' loog ik. Een datum afspreken zou geen zin hebben, want ze vergeet het onvermijdelijk. Je kunt er donder op zeggen dat ze, op de dag dat ik met mijn koffers thuiskom, uitroept: 'O, zou je vandaag al komen? Ik dacht morgen!'

Ze gaf me pap weer. 'Doe die leuke jongen met die bril van je de groeten!' kraaide hij. Hij had het over A4, een schat van een jongen die heel slim is en altijd glimlacht. Mijn vader zegt nog steeds weleens dat hij hoopt dat we zullen gaan trouwen. Ik weet niet of het een teken van dementie is, of een misleide poging tot koppelen. A4 is al drie relaties geleden, al zijn we nog wel bevriend. Ik zuchtte, wenste mijn ouders een prettig weekend en hing op.

Dimanche, 9 novembre

De prostitutie is niet mijn eerste uitstapje in de sekswereld, al stel ik achter een vitrine met aantrekkelijk gerangschikte dildo's staan niet gelijk aan echte, levende, natte seks. Ik vind de schijnheilige afkeer van winkelmeisjes die nog geen rukhokje schoon hoeven te maken onuitstaanbaar. Je mag best de voorraad kunstpikken in de gaten houden, maar dat is geen verheven positie vanwaar uit je op strippers, pornoactrices en prostituees kunt spugen omdat ze zich niet voor de vrouwensolidariteit inzetten.

Maar goed. Misschien heeft mijn merkwaardige cv tot mijn huidige functie geleid. Hier is de samenvatting voor het hogere kader:
– Als student zat ik nogal krap.
– Iemand opperde dat ik kon gaan strippen. Met 'iemand' bedoel ik mijn toenmalige vriendje Ai. Met 'opperde' bedoel ik 'had verkering met een stripper gehad en nam me met zijn vrienden mee naar de vleespotten', wat me wel aanstond.
– Het werk was niet verschrikkelijk zwaar; de meisjes waren angstaanjagend.
– Ik kon niet ophouden met giechelen om de mannen die me tussen de sets aanspraken. Wie wil er nou de bijzonderheden van de Griekse tragedie doornemen met een meid in een doorkijkbeha?
– Hoewel: ik begrijp heel goed dat je dat wilt. Opgelet, BBC3.
– Maar het was iets tijdelijks en ik was doodsbang dat er een docent binnen zou komen. Ik hield ermee op.

Toen, een paar jaar later:
– Ging ik met een huisgenote naar een vaag hekserig feest.
– In het zwart gekleed en met een zweep (de mijne). De huisgenote was verkleed als Miss World, wat niet relevant is, maar wel boeiend.
– Er kwam een vrouw naar ons toe die een tijdje met me praatte. Ze had de ruimte en al het materieel.
– Het betaalde veel beter dan strippen en ik leerde mijn lachneigingen te onderdrukken.
– Ik hield ermee op toen ik een 'nette' baan voor de weekends in een boekwinkel vond die minder goed betaalde, maar me wel veel gratis boeken opleverde.
– Achteraf gezien was dat geen verstandige keus.

Maar genoeg herinneringen opgehaald. Het is mijn verjaardag en ik ben van plan die in stijl te vieren.

Lundi, 10 novembre

Gisteravond om negen uur, tijdens de voorbereidingen voor mijn verjaardagsavondje uit (alles scheren wat geschoren moet worden, borstelen wat geborsteld moet worden en scrubben wat gescrubd moet worden) maakten de Jongen en ik een seks-quiz uit een glossy.

Ja, ik ben een callgirl met een vriend, zoals je misschien al had begrepen. Een vriend die weet wat ik doe. We zijn onge-veer een jaar samen, maar hij woont niet in Londen.

Ja, het geeft wrijving. Hm, wrijving. Niet per se verkeerd. Zeker niet in bed. Hij heeft een hekel aan mijn werk, maar hij heeft zelf ook een paar weerzinwekkende gewoonten, zoals stiekem rum in de glazen doen van mensen die niet kijken en op de Conservatieven stemmen.

Hij knoopte een zacht donkerblauw overhemd dicht dat hij van zijn moeder had gekregen. Ik zat aan een toilettafel, sloeg mijn benen over elkaar en las met mijn zwoelste stem de vra-gen voor: 'Wanneer wordt een man het snelst opgewonden? A, 's ochtends; B, 's middags; of C, 's avonds?'

Hij keek met een opgetrokken wenkbrauw naar zijn spie-gelbeeld. 'Is er ook een mogelijkheid D, "altijd"?'

22.00 uur: A2 (een van mijn exen), A4 (die slimme jongen) en andere vrienden getroffen in de Blue Posts en de grote leren stoelen bij de haard in beslag genomen (waarmee we ook de sigarettenautomaat en de trap blokkeerden, zodat je je gaat afvragen welke idioot die tent heeft ingedeeld). Begonnen met pogingen het grootste deel van mijn maag met alcohol te vullen.

Middernacht: een club in de buurt, denk ik. Het wordt allemaal een beetje wazig. Diverse glazen schnapps gedronken, wat moordend is. Mijn handschoenen kwijtgeraakt.

02.00 uur: beweerde, overmoedig door recent sportschool-bezoek, dat ik sterk genoeg was om de Jongen op te tillen. Wankelde op mijn hakken en toen vielen we samen op de vloer. Als ik niet zo dronken was geweest, had ik me vast een grote debiel gevoeld.

03.00 uur: we marcheren allemaal 'Seven Nation Army' zin-gend door Oxford Street. Niemand herinnert zich alle woor-den, behalve het stukje over Wichita. We raken de paar feest-vierders die zich nog niet hadden verontschuldigd kwijt bij bushaltes her en der.

Kort daarop: taxi. Twintig minuten later vallen we ongeveer in de buurt van mijn bed bewusteloos neer.

09.00 uur: ik sta op om te plassen. Als ik terugkom, staat de Jongen in de deuropening. 'Ogen dicht,' zegt hij. Dat doe ik. Hij pakt me onder mijn armen en knieën en draagt me naar het bed. Voorzichtig laat hij me erop zakken. Ik voel de zacht-heid van vacht onder mijn rug en tenen. 'Kijk maar,' zegt hij, en ik zie dat hij een zachte witte schapenvacht, dezelfde als op zijn eigen bed, op mijn bed heeft gelegd. *'Happy birthday,'* fluistert hij, en we doen het drie keer.

En ik wás happy.

Mardi, 11 novembre

Leuk, zo'n ontspannende korte vakantie, maar elke ochtend blijk ik sms-berichten en telefoontjes van het bemiddelingsbu-reau gemist te hebben.

Afgezien daarvan zijn de voordelen van een paar dagen vrij, los van het feit dat je de was weg kunt werken, voornamelijk van spirituele aard, al leer je ook een paar aardse dingen. Zoals dat het fijn is om haren een stukje te laten uitgroeien en ze dan lekker fris te laten harsen. Dan herinner je je ook weer waar die haren eigenlijk voor bedoeld waren: als glijmiddel. Nee, echt. Jammer dat de klanten dat nooit zullen weten.

Mercredi, 12 novembre

De manager belde. 'Schat, heb héél aardige meneer die weg was van je foto's. Kun je?'

'Ik vrees van niet,' zeg ik, en ik hoop dat de Jongen het niet hoort.

'Maar hij is echt héél aardig.'

'Nee, sorry.'

Een paar maanden na de avond met de oudere vrouw en haar vriend vond ik op internet een op het oog klein en discreet bemiddelingsbureau. Het wonder van informatie, gekoppeld aan technologie, houdt in dat elke site maar een muisklik of drie verwijderd is van een escortservice. De website was, in vergelijking met sommige andere, bescheiden van opzet, maar de meiden waren knap en de beschrijvingen recht door zee. De meesten zagen er extreem normaal uit; geen enge robotvrouwen, maar ook geen huiveringwekkend lelijke amateurmeiden. Gewoon redelijk normale vrouwen, maar dan wel, nou ja, naakt en schrijlings op een tuinmuur. Ik mailde, stuurde foto's, belde uiteindelijk op en sprak met de manager af in de eetzaal van een hotel in hartje Londen. Ze klonk heel jong en had een zwaar Oost-Europees accent. Pools misschien? Zou ik ernaar vragen?

'Hoe herken ik je?' vroeg ik. 'Hoe zie je eruit?'

'Toen ik jonger was, vond iedereen dat ik op Brooke Shields leek,' zei ze.

'Goh, dan moet je wel heel mooi zijn.'

'Nee, ik ben oud en afgetakeld. Tegenwoordig zeggen ze dat ik op Daryl Hannah lijk.'

31

Het gesprek gaf me een ontrouw gevoel. Mijn relatie met de Jongen was tenslotte nog pril, en ik wilde met een madam afspreken en hoer worden. Zou hij ermee zitten? Stomme vraag, meid. In gedachten nam ik de mogelijke gevolgen door:

- Hij dumpt me op staande voet en vertelt het aan al zijn vrienden.
- Hij dumpt me op staande voet, maar schaamt zich zo dat hij het zijn vrienden niet durft te vertellen.
- Hij dumpt me niet, maar zijn relatie met een hoer maakt hem eng en labiel.
- Hij dumpt me niet, maar wordt eng omdat het idee hem wel trekt.
- Hij biedt aan om mee te doen, gratis.
- Hij biedt aan om mee te doen en verdient er meer mee dan ik.
- Hij vindt het best en alles blijft bij het oude.

De eerste drie mogelijkheden leken waarschijnlijk, en de laatste vier varieerden in geloofwaardigheid van 'ik dacht het niet' tot 'echt godsonmogelijk'.

Ik had natuurlijk nog de tijd om de afspraak met de manager af te zeggen, want er zaten een paar dagen tussen het eerste contact en onze ontmoeting, maar in plaats daarvan ging ik mijn make-upvoorraad aanvullen. Op de dag van de afspraak was ik de hele ochtend bezig met de voorbereidingen. Die bestonden uit wimpers krullen, haar ontkrullen en kledingpaniek, en dat alles in niet geringe mate. Sexy, maar niet dellerig? Dan moet je dat zwartzijden topje hebben. Jong, maar serieus? Jas van goede snit. Zoveel decolleté als ik kon opbrengen. Laarzen, uiteraard – het is tenslotte herfst in Londen. Mijn nagels waren een nachtmerrie in acryl, maar er was domweg geen tijd om er iets aan te doen. Ik heb de walgelijke gewoonte op mijn nagelriemen te knagen, en dat helpt alles wat ze in de nagelsalon proberen te doen de vernieling in.

Op weg naar het hotel liep ik langs een filmaffiche en maakte mezelf wijs dat ik wel iets weg had van Catherine Zeta-Jones.

Ja, zo weet ik er nog wel een.

Ik was te vroeg en ging naar de toiletten. De make-up bladderde op sommige plaatsen al en begon op andere te klonteren. Ik zette de koude kraan open, knipte een paar druppels water op mijn gezicht, bette en deed nieuwe lipgloss op. Hoe had ik toen kunnen vermoeden dat dit mini-ritueel een vast motief in mijn leven als werkende vrouw zou worden? Ik stak mijn hoofd om de deur van de eetzaal en zag dat die verlaten was; het was het doordeweekse lunchuur. Er was maar één serveerster, een verveelde Aziatische die rondjes liep om de potten met kunstbloemen. Het leek mij ook niets.

De manager belde op en vroeg me een tafel aan het raam te nemen. Wilde ze me bespioneren en zou ze ervandoor gaan als ik niet aan de verwachtingen voldeed? Was het een geraffineerde streek, een soort oplichterij? Nee, waarschijnlijk wilde ze zich gewoon indekken. Ik bestelde koffie en wachtte.

Ze arriveerde zoals beschreven. Lang blond haar. Paardenkop. Strakke jurk en ongelooflijke, bij haar handtas passende brokaten laarzen waarbij mijn bruine doorsneeklossers saai afstaken. 'Schat, halló.' Luchtzoenen.

Tijdens de lunch moest ze een paar telefoontjes aannemen, en zo hoorde ik dat ze vloeiend Duits en Arabisch sprak. Dominant. God, daar moesten de klanten dol op zijn. Ze vroeg naar mijn ervaring. Een tijdje meesteres geweest, een tijdje gestript, geen seks met de klanten, allemaal een eeuwigheid geleden. Ze knikte. Ze vroeg of ik een partner had en ik zei ja. Ze vertelde me over de hare, die niet wist hoe ze aan de kost kwam.

Ik vond het ongelooflijk – haar telefoon was al drie keer gegaan.

Zij bestelde kruidenthee, ik koffie. Ik voelde haar priemende blik toen ik een schepje suiker nam. Ik kon niet zeggen of ze jaloers was of het afkeurde. 'Dan moeten we het nu over de dienstverlening hebben.' Ze sprak het woord uit alsof het twaalf klinkers had: die-ie-ienstverlening. 'Ben je goed in Grieks?'

Ik had gymnasium, maar dat was heel lang geleden. Hoe kon ik weten dat een klassieke opleiding een vereiste was? Misschien waren de klanten kritischer dan ik dacht. 'Grieks?'

'Je weet wel,' fluisterde ze. 'Anáál.' Ik weet zeker dat de serveerster niet net op dat moment koffie bij hoefde te schenken. Kon ze niet ergens anders de decoratieve karafjes olijfolie herschikken?

'O, dat. Ja, dat kan ik wel. Mits ik de vorige dag geen curry heb gegeten.' We lachten.

De manager zei dat ze recentere foto's moest hebben voor de website. De foto's die ik had gestuurd waren onbruikbaar, want ze hadden niets van de gebruikelijke glamouropnamen. Het waren foto's uit disco's waarop ik in diverse stadia van dronkenschap stond, en op eentje had ik iets op mijn zwarte, zijdeachtige hes zitten dat verdacht veel op kots leek. Klasse. Nog een paar luchtkussen en weg was ze, en ik zat met de rekening. Gelukkig schenen we dezelfde houding ten opzichte van eten te hebben, namelijk bewondering van een afstand, dus een rib uit mijn lijf was het niet. (Twee potten thee en een onaangeroerd oud chocoladecroissantje: acht pond. Waarschijnlijk nog een koopje.)

Dimanche, 16 novembre

Ik propte de Jongen in zijn auto en wuifde tot hij bij de hoek was. Voordat hij zelfs maar bij de snelweg kon zijn, sms'te hij me al een kus.

Ik doe dit werk al bijna een jaar, en hij is nog steeds bij me. Niet dat het meteen zo gemakkelijk was, en zeker niet toen ik het hem moest vertellen.

De Jongen was naar Londen gekomen voor een sollicitatiegesprek. Ik wist niet hoe ik het onderwerp van mijn nieuwe werkkring ter sprake zou brengen. Heel voorzichtig, en zo nodig de scherpe kantjes van de waarheid verdoezelen? 'Lieveling, ik moet je iets vertellen. Ik ga met mannen om voor geld, maar ik trek niets uit en zij zitten in bakpapier gewikkeld in een andere kamer. Altijd. Had ik al gezegd hoeveel ik van je hou?' Of bot, en dan maar zien hoe het gaat? 'Liefste, ik ben een temeier. Of had je niet gemerkt hoeveel glimmers ik heb?'

Hij babbelde over zijn ouders en zijn werk tijdens de broodjes, de koffie en onze wandeling naar de cafetaria om gebak te eten. Bij een muizenhapje baklava flapte ik het er eindelijk uit. Hij kneep zijn lippen op elkaar en knikte zonder een woord te zeggen, maar maakte niet openlijk bezwaar. Ik haalde diep adem. 'Als je wilt dat ik ermee ophou, doe ik dat natuurlijk.'

Hij bleef zwijgen. We liepen van de cafetaria de zon in. Vallende bladeren dwarrelden over de stoep; ze knerpten onder onze zolen en roken naar aarde en stof. Ik hield gelijke tred met hem: we liepen samen hard en waren eraan gewend even lange passen te nemen. Hij sloeg een arm om me heen en wilde iets zeggen, maar struikelde over het eerste woord. Hij deed nog een poging. 'Je zult ervan opkijken, maar ik heb erover nagedacht en ik geloof dat het wel kan.'

Ik kuste hem. We liepen samen naar de British Library om de Lindisfarne Gospels te bekijken. De Jongen vertelde me dat het in gotische stijl op dierenvellen geschreven bijbelteksten waren. Ik ben niet echt goed thuis in de fijne kneepjes van het christendom, maar ik vermoed dat de bijbel doorgaans niet op bijproducten van het slachthuis wordt uitgebracht. De rauwe ambachtelijkheid van deze teksten klonk aantrekkelijk. Het verguldsel en de verf op het velijn leken met een dierlijke intensiteit op te lichten in de schemerige zaal. Het wrede einde van heiligen en het verslinden van maagden lijken in de Europese kunst van die periode altijd een grote plaats te hebben ingenomen. De Jongen vertelde me over zijn bezoek aan het eiland Lindisfarne, waar hij bijna met een auto de branding in was gereden. Mijn schelle lach verbrijzelde de eerbiedige stilte. We gingen naar huis, keken tv, kookten samen en speelden de leeuw die de gotische maagd in een groot wit bed belaagt (hij was de leeuw, uiteraard).

Lundi, 17 novembre
Klant: 'Waarom doe je dit eigenlijk?'
    Ik: 'Ik weet niet of ik daar antwoord op hoef te geven.'
    'Je moet toch tenminste een reden voor jezelf hebben?'
    'Nou, misschien ben ik wel zo iemand die iets zonder enige reden doet, alleen maar omdat ik geen reden weet om het niet te doen.'
    'Dus als iemand zegt dat je in de sloot moet springen...'
    'Dat hangt van de sloot af. En of ik er geld voor krijg. Hoezo?'
    'O, zomaar. Ga je me nu afzuigen?'

Mardi, 18 novembre
In een van mijn effectievere fantasieën word ik door de Jongen gefistfuckt. Niet dat hij dat heeft gedaan, want hij heeft het niet gedaan, maar om te beginnen heeft hij de meest fantastische handen die ik ooit bij een man of vrouw heb gezien. De handen van een kunstenaar, zeg ik, en hij spreidt zijn brede klauw uit zodat ik hem kan bewonderen. Zijn handen snuffelen in het openbaar onder mijn kleren; ik heb meestal het ge-

voel dat ik elk moment verkracht kan worden, maar ik vind het niet erg. Ik wil me aan het uiteinde van zijn arm geplant voelen, als een verlengstuk van hem, in zijn macht.

Ondanks de regelmatige erotische oefeningen blijk ik iets te strak te zijn voor de vuist van de Jongen. Volgens de handboeken is het een kwestie van tijd, maar laten we eerlijk zijn: ik ben een werkende vrouw, en de hele tijd zijn ingesmeerde vingers in mijn donzige delen zitten proppen is de dood in de pot voor de romantiek. Ik weet wel dat de vrouwen in de glossy's het tegenwoordig allemaal wel schijnen te kunnen hebben. Toen orale seks door de middenmoot nog als het toppunt van verdorvenheid werd beschouwd, zag je in de harde pornoblaadjes niets anders dan anale seks. Nu kontneuken zo'n beetje gemeengoed is geworden, is fistfucken je van het voor de echt ontaarden. Het is zelfs zo'n topper dat ik me afvraag of ik de meute niet gewoon voor moet blijven door meteen over te stappen op anaal fistfucken. Alleen zijn vrouwen die daartoe in staat zijn waarschijnlijk óf gezegend met een veel hogere pijndrempel dan ik, óf ze stammen af van een treintunnel. Mijn eigen geschiedenis met het beoefenen van het fistfucken laat zich aldus samenvatten:

Eerst een tienervriendje. Hij wilde het, ik wilde het. Hij had smalle handen, ik was kletsnat. Jong, dwaas en niet in staat meer dan twintig minuten privacy bij onze ouders thuis te krijgen gingen we naar een hotel om ons te buiten te gaan. We waren amper op de kamer op ik lag al languit op bed en hij concentreerde zich manhaftig op de voortgang van zijn vingers binnenin me. Toen raakten zijn nagels mijn baarmoedermond: au. Veel gefantaseerd, maar nooit meer geprobeerd.

De tweede keer was met N. Jaren geleden, toen we nog een stel waren. Hij wilde het; ik had mijn bedenkingen. Het was lang geleden sinds de tienerjongen me had willen uitschrapen, maar ik kon me de knarsende pijn nog levendig voor de geest halen. N was echter ervaren, hij kende de polsstoot met opgekrulde vingers die vereist is om een hele vuist naar binnen te krijgen zonder dat de vrouw een onvrijwillige hysterectomie ondergaat. Jammer genoeg heeft N ook handen die mijn middel kunnen omspannen. Zijn vorige vriendin had de vuist vaak gevoeld, dikwijls terwijl hij haar anaal nam. Ze was ook een meter tachtig en ongeveer twee keer zo zwaar als ik. We probeerden het telkens weer, maar het lukte nooit echt. Ik oefende met alle mogelijke oprekgereedschappen: groenten, dildo's en een extreem grote zaklamp. Het mocht niet baten.

De derde keer gaat mijn hand waar geen hand ooit is geweest. Namelijk een vrouw in die haar vriendje uit Italië aan de lijn heeft. Hij betaalt me om haar binnen een uur zo vaak mogelijk te laten klaarkomen. Bij deze gelegenheid ontdek ik ook dat je het inwendige vacuüm moet doorbreken om de vuist er weer uit te kunnen krijgen, tenzij je beminde natuurlijk van suctie houdt. En dan heb ik het niet over de soort van Jenna Jameson. Gatver.

De vierde keer ben ik met een klant. En ik kom erachter dat de hand van een ander dan buiten mijn bereik mag liggen (bij wijze van spreken), maar dat de mijne slank en klein genoeg is om binnen te komen. Ik moet me in onhandige bochten wringen, maar het lukt. Eindelijk zit het als gegoten. Pas dan merk ik dat de zwarte kunst van het fistfucken niet is hoe je hem erin krijgt; zie dat rotding er maar weer eens uit te krijgen.

Toen ik thuiskwam, belde ik de Jongen om hem erover te vertellen. Ik zei niet dat er een klant bij was geweest. 'Kun je het nu ook?' vroeg hij.

'Vast wel,' zei ik. In pyjama, in bed. Onder het dekbed. 'Maar ik slaap al bijna.'

'O.' Het bleef even stil. 'Wil je me er dan nu vast over vertellen?' vroeg hij. Natuurlijk wilde ik dat. 'En het me dan de volgende keer laten zien?' Ja, natuurlijk, je zegt het maar, schat. Ik krijg nooit genoeg van je. Kom naar me toe, kom me halen.

Toen ik wakker werd, had ik een sms van hem: 'De mooiste dingen zijn nog altijd gratis. Ik mis je knuffels bovenal. xx'

Mercredi, 19 novembre

Ik hurkte tussen zijn benen. De binnenkant van zijn dijen was glad en ik streek er met mijn vingertoppen over. 'Hoe was je vakantie?'

'Leuk, leuk. Japan is heel boeiend. Ben je er weleens geweest?' vroeg hij, en liet zich achterover op het bed zakken.

'Nee.' Ik nam zijn stijf wordende pik in mijn hand en trok voorzichtig de voorhuid naar beneden. Hij werd langer en stijver in mijn hand. 'Wat doe je daar het liefst?'

'Het zijn vreemde mensen, ze hebben daar iets...' zei hij, en hij zweeg even toen ik zijn lid in mijn mond nam. 'Het is een imitatie van een volle coupé in de ondergrondse. Waar je allemaal tegen elkaar aan staat te schurken...'

Hij gleed uit mijn mond; ik begon hem af te trekken. 'Daar heb ik altijd over gefantaseerd. Een vol studentencafé, ik heb een korte rok aan, ik hang over de bar om te bestellen, er komt iemand achter me staan. En het is zo vol dat ik me niet kan bewegen, dus niet alleen kan ik niet wegkomen, er kan ook nog eens niemand zien wat er gebeurt.'

'Hm, klinkt goed.'

'Wil je me iets beloven?' vroeg ik. 'Als je me ooit nog eens in een café ziet, wil je dat dan met me doen?'

'Ik beloof het,' zei hij, en hij kromde zijn erectie weer in mijn mond.

Vendredi, 21 novembre

De Jongen is in de stad, dus werk ik niet. We zijn naar de sportschool gegaan, zogenaamd omdat ik met hem wilde pronken, maar vooral om hem met zichzelf te laten pronken.

Het openingsnummer was de roeimachine. Ik haat de roeimachine. Ik haat hem, haat hem, haat hem. Het is des Duivels Fiets. Het is mijn wraakgod en hij wil me dood hebben. Maar ik wil met alle genoegen naast de Jongen zitten wanneer hij het metalen beest tot vliegwielige onderdanigheid ranselt. Na vijf minuten kreeg hij zweetdruppeltjes in zijn nek. Na tien minuten werd ik gek van de golvende bundels in zijn onderarmen. Een luisterrijk halfuur later smachtte ik ernaar hem te bespringen.

Allebei gepast hijgend, koersten we naar de bench press (dat kan ik niet) en de bench pull (dat kan ik wel). Laten we het erop houden dat ik het niet waardig ben zijn handdoek te dragen.

Bij wijze van klapstuk haalde ik hem over chin-ups te doen. Vier setjes van zes met ontbloot bovenlijf om er zeker van te zijn dat zelfs de altijd aanwezige sportnichten met hun stierennekken voor hem door het stof kropen, waar ze hoorden. Krimp in elkaar in het kielzog van zijn mannelijke feromonen, narcisten met wasbordjes!

Om mijn zelfvertrouwen weer op te krikken, deden we iets wat ik goed kan: stretchen. Het mag dan een cliché zijn, maar ik heb mijn benen altijd achter mijn hoofd kunnen leggen. Langdurig verwringen van hamstrings zorgde ervoor dat we, geurend naar zweet en zo wellustig als alleen lange-afstandsgeliefden kunnen zijn, niet eens voorbij de parkeergarage kwamen.

Nou ja, wij wel. Maar onze kleren niet. En onze waardigheid kwam er niet eens bij in de buurt.

O, jonggeliefden.

Samedi, 22 novembre

Hoeveel vormen van dienstverlening de manager en ik bij onze eerste ontmoeting ook hadden besproken, er was er een die we geen van beiden noemden. Oraal. En toch werd ik op de website voor het oog van de hele wereld aangeprezen als 'OZ'. Oraal Zonder. Zonder condoom, dus.

Eerlijk gezegd had ik ja gezegd als ze het had gevraagd. Ik heb het in het verleden met condoom gedaan en mijn lippen reageren slecht op het latex en de zaaddodende middelen; ze zwellen op en gaan tintelen. En zoals bij alle vormen van seks is er een zeker risico, maar dat haalt het niet bij de meeste andere dingen. Ik zou het niet doen als ik bijvoorbeeld een koortslip had. Of als ik me veel zorgen maakte over de houdbaarheid van mijn lippenstift.

Maar ik ben een slikker, altijd al geweest. Als je het eenmaal in je mond hebt, wordt de smaak niet beter als je het uitspuugt, en eerlijk gezegd smaakt het niet viezer dan een vrouw. Een meisje van school beschreef de smaak van sperma ooit als 'oester op een stuiver'. Ik zou het niet weten, want ik heb nooit oesters of stuivers gegeten, maar ze zat er waarschijnlijk niet ver naast.

Dimanche, 23 novembre

Gisteravond liep ik in het homogedeelte van Fulham High Street een taxi te zoeken. Op de hoek is een boekwinkel – niet van het vreselijke soort waar ze eindeloze stapels Michael Moore verramsjen en je cappuccino geven, maar zo'n lekker gekke. Het soort winkel met een eigenaar die weet wat je graag leest en wat je vroeger hebt gekocht, die goede aanbevelingen kan doen, ook al ben je er jaren niet geweest, en die in zijn zaak lijkt te wonen en óf allemaal dezelfde kleren heeft, óf nooit schone kleren aantrekt. De eigenaar van zo'n winkel is altijd een man, altijd.

Jammer genoeg was de winkel dicht, of misschien gelukkig maar; ik was voorzien van een bundel bankbiljetten, tijd genoeg en het uitgesproken onvermogen muffe boekverkopers te weerstaan. Toen ik nog studeerde, gaf ik meer geld uit aan boeken, en niet specifiek voor mijn studie, dan aan eten. Maar de winkel was dicht en donker. Ervoor stond een sobere witte kast met een paar pockets erin. Ik weet niet of het geschenken aan of van het publiek waren. Ik keek nieuwsgierig naar de titels en zo kwam ik het mooiste tegen dat ik ooit op de omslag van een pocket heb gelezen: 'Een meisje dat in zichzelf gelooft en een nertsjas heeft, kan alles bereiken wat ze wil.'

Goh, ja! Natuurlijk. Hoe waar, en hoe heerlijk! Wat ontzettend Holly Golightly! Ik wist niet of de boeken te koop waren of niet, maar was er heel zeker van dat deze roman voor mij was voorbestemd. Na enig wikken en wegen gooide ik een munt van een pond door de brievenbus.

(Dit is hét moment om op te merken dat ik niet echt een nertsjas heb. Ik heb een vrij mooi horloge, en volgens mij is dat het meest politiek correcte luxeartikel dat je kunt dragen. Ik wil niet beticht worden van dierenmishandeling of het financieren van kartels in ontwikkelingslanden. De mogelijke uitbuiting van Zwitserse ambachtslieden kan mijn ziel niet dagelijks bedrukken.)

Het boek, mocht je benieuwd zijn, was *B.F.'s Daughter* van John P. Marquand, die van de Mr Moto-boeken. Het is zalige pulp. Stel je voor dat Mickey Spillane en Françoise Sagan elkaar vinden in de lobby van Saks Fifth Avenue. In 1946. Chicklit over shoppen en neuken kan er niet aan tippen.

Lundi, 24 novembre
Lijkt het of Kerstmis elk jaar eerder begint? Ik geloof dat ik vorige week iemand kerstverlichting zag ophangen, en ik zweer dat

mijn buurvrouw al sinds juli rode glitterslingers voor haar raam heeft hangen. Nu heeft iedereen de smaak te pakken, en hoewel we nog een maand te gaan hebben, ben ik er al kotsmisselijk van. Toegegeven, als niet-christen heb ik een vrij lage tolerantie.

Waardeloze 'kerst'-dingen:

- Het verzoek krijgen rode, met bont afgezette lingerie aan te trekken, wat maar weer bewijst dat alleen mannen dat een goed idee vinden en bovendien dat ze wel een heel vreemde jeugd gehad moeten hebben om de kerstman opwindend te vinden. Misschien is het een opluchting om te horen dat voor deze afwijking betaald moet worden.
- Mensen die het woord 'kerstslet' gebruiken. Dat doe je gewoon niet.
- Het gejengel van fervente christenen die ons smeken eraan te denken waar 'het met Kerstmis eigenlijk om gaat'. Het gaat toch om de gezegende verschijning van de heilige Harvey Nichols?
- Mensen voor wie je met geen mogelijkheid iets kunt kopen. In die categorie valt A3, wiens enige uitspatting zijn jaarlijkse seizoenkaart voor Manchester United is. Wat geef je de man die denkt dat hij alles al heeft? Ik bel A4, die gedienstig sokken voorstelt.
- Klanten die vragen wat ik de kerstdagen ga doen. Domweg omdat ik niet weet wat een geschikt antwoord is: een glamoureuze leugen (Donovan Leitch kerststerretjes laten zien) of de laag-bij-de-grondse waarheid (naar het noorden af druipen om de menora aan te steken).

Maar de kerstdagen zijn ook fantastisch omdat:

- Het hele land, of het nu een goddelijk recht is of een stilzwijgende afspraak, het werk neerlegt. Ten gevolge daarvan rekent niemand echt op betrouwbare communicatie.

- Je de geur van pasteitjes ruikt. Ingewikkelde, hartstochte-
lijke gesprekken over pasteitjes. Winkelmiddagen die voornamelijk drijven op de behoefte pasteitjes aan te schaffen.
Maaltijden overslaan om pasteitjes te kunnen eten.
- De eindejaarsstress gelijkstaat aan een piek in mijn werk. Ik
voel me de barmhartige sekssamaritaan.
- Je dierbare bekenden ziet. Je dierbare bekenden dronken
ziet.

Dit jaar verlang ik zelfs naar de hopeloze cadeaus van stokoude
tantes. Hier met die wollen sokken en geborduurde zakdoeken, graag!

Mardi, 25 novembre
Ik had twee klanten met een uur ertussen, op dicht bij elkaar
liggende adressen. Het waaide en regende zo hard dat ik in de
tussentijd alleen maar ergens kon onderduiken. Toen ik dus
een café op een geschikte plek bij Southwark vond, wipte ik er
binnen voor een drankje.

Ik liep naar de bar en bestelde een dubbele rum-cola. Doordeweeks zie je zelden een blondje op naaldhakken een café
binnenkomen, maar ik ben gewend aan die warrige momenten wanneer ik een buurtkroeg betreed. De vervaarlijk boven
het (echte) haardvuur hangende breedbeeldtelevisie stond op
voetbal. Iedereen keek, en ik keek mee.

Afgezien van de zeventigjarige bardame (of moet ik barma-
trone zeggen?) was ik de enige vrouw in de ruimte. Toch waren
de blikken die me werden toegeworpen neerbuigend noch
schunnig. Iedereen keek op, zag me en richtte zich weer op
zijn glas en het voetbal. Het moet een belangrijke wedstrijd geweest zijn.

De negentig minuten eindigden in gelijkspel. Een paar

mannen kwamen van de stamtafel naar de bar om te bestellen. Een van hen stond naast mijn kruk op zijn bier te wachten.

'Toen we je binnen zagen komen, dachten we dat jij misschien de mascotte was.'

'O?' zei ik verbaasd.

'Nou ja, het geeft ook niet. Celtic staan nog bovenaan.'

'Precies. En ik heb mijn best gedaan.'

Hij lachte en liep terug naar zijn tafel. Pas toen drong het tot me door dat mijn hoed, die ik het hele uur op had gehouden, groen met wit gestreept was. Mooie mascotte. Ik dronk mijn glas leeg en ging naar mijn volgende afspraak.

Mercredi, 26 novembre

Het is een kwestie van volksgezondheid, ik weet het.

Ik heb alle begrip voor die gevoelens. Het werk dat ik doe, al die mensen met wie ik in contact kom. In een stad waar ziekten van over de hele wereld worden aangevlogen. En de tijd van het jaar: het kerstseizoen, waarin de mensen het op een feesten en brassen zetten en dingen doen die ze anders niet zouden doen omdat ze denken: hé, er is weer bijna een jaar om, ik mag mezelf weleens verwennen. En als ze de volgende ochtend wakker worden, weten ze niet wat ze hebben en van wie ze het hebben gekregen. En zelfs al weet je het nog, dan weet je nog niet wie het wel heeft en wie niet.

Ik ben een ziekteverspreidende virusdrager. Niemand is veilig, dat is waar, maar sommigen van ons lopen meer risico dan anderen, hoeveel voorzorgsmaatregelen er tegenwoordig ook beschikbaar zijn – de gratis klinieken, de vaccinaties, de bewustmakingscampagnes.

En ik vind het belangrijk. Er is niet zoiets als betaald ziekteverlof voor callgirls. En god verhoede dat je in het ziekenhuis belandt.

Ik wil jullie dus zoveel mogelijk geruststellen. Jullie mogen het weten.

Ik heb een griepprik gehad.

Jeudi, 27 novembre

Gisteravond laat een sms van de Jongen: 'Kerstborrel na het werk. Zit nu in boom.'

Het is koud buiten. Ik hoop dat zijn snel verschrompelende jongensdelen veilig thuiskomen en zich snel weer laten verwarmen.

Onze eerste ontmoeting was op zijn verjaardag, nu ongeveer een jaar geleden. Hij ging bijna letterlijk door de dansvloer in een disco – zodra hij en zijn even grote, dronken maten binnenkwamen, hadden de uitsmijters hun stekels al opgezet. En zij waren niet de enigen. Ik kon mijn ogen niet afhouden van de man die zich als water bewoog en met zijn ledematen zwaaide alsof ze alleen symbolisch aan zijn lichaam bevestigd waren.

Op de volle dansvloer werd een grote cirkel om hun groep heen vrijgemaakt. Ze smeten elkaar om beurten in het rond, lachend, als kleine jongens. Zijn ogen straalden, vermoedelijk van de drank. Zijn krullen en sproeten sprongen eruit in een zaal vol bleke poseurs. Ik verzocht een gezamenlijke vriend ons aan elkaar voor te stellen. Er was te veel lawaai; hij keek glimlachend op me neer, maar verstond geen woord van wat we zeiden. Ik hield me afzijdig en wachtte af. Toen hij naar de gang liep om in de rij voor de wc's te gaan staan, volgde ik hem.

'Gefeliciteerd met je verjaardag,' zei ik.

'Dank je,' zei hij met een glimlach. Hij leek me niet te herkennen, maar hij leek wel met veel belangstelling in mijn topje te kijken. Vooruit, dacht ik. Het is een begin.

Ik ging op mijn tenen staan en kuste hem. Hij was verbaasd, maar weerde me niet af. Ik trok hem aan zijn mouw mee naar de kleinere, stillere ruimte. We vonden een hoekje van een roodfluwelen bank en kropen tegen elkaar aan.

'Dat kun je niet maken,' zei hij.

'Waarom niet?'

'Je weet niks van me,' zei hij. 'Hoe ik heet, waar ik vandaan kom. Je kent me helemaal niet.'

'Ik wil je leren kennen,' zei ik, en kneep in zijn arm, die bekabeld was met dikke spieren. Zijn handen, die licht op mijn middel rustten, waren met gemak de grootste en mooiste mannenhanden die ik ooit had gezien.

Op dat moment werden we door een andere vrouw (in biologisch opzicht misschien geen vrouw, het was moeilijk te zien in het donker) gestoord. 'Mooie laarzen, schat,' zei ze.

'Dank je.' Ik droeg leren knielaarzen met hakken om hoogtevrees van te krijgen. Ze maakten me bijna kreupel, maar ze waren het waard.

De Jongen keek naar beneden. 'Ja, best goed,' zei hij, en hij voelde aan de huid in mijn knieholte. Ik smolt. 'Maar we kunnen beter niet teruggaan naar de anderen. Je zou je enkel breken als je daarop ging dansen.'

'Moeten we dan maar iets anders verzinnen om te doen?'

'Dat lijkt me wel,' glimlachte hij, en toen foezelden we door, tot ik een blik op mijn horloge wierp. Het was tijd dat Assepoester vluchtte. 'Ga met me mee,' grauwde hij in mijn oor terwijl hij aan de rits van mijn linkerlaars prutste. Het was het soort bevel waar iedere vrouw van droomt. Onweerstaanbaar.

'Ik heb een vriend,' zei ik. Het leek me niet meer dan eerlijk het te vermelden. De Jongen zei dat het hem niets kon schelen. Ik had formeel een open relatie, maar ik wist dat dit geen man voor één nacht was. Daar was hij veel te boeiend voor, daarvoor had hij te veel vonkende energie om zich heen. 'Goed,' zei ik. 'Je kunt me alleen voor deze nacht krijgen of je kunt me vaker zien. Wat wordt het?'

'Ik kan je niet niet vaker zien,' zei de Jongen. Ik haalde mijn schouders op: *tant pis*. 'Schaamteloze sloerie.' Maar hij lachte erbij, en noteerde mijn telefoonnummer. Hij liep helemaal met me mee tot aan de uitsmijters. Zijn vrienden waren nog binnen. Er was een leeg moment. Ik had hem mee naar huis kunnen vragen en wilde dat ook wel, maar toen ik naar buiten liep, wist ik ook dat hij me door de glazen deuren zou nakijken.

Ik ging naar huis en vertelde de huisgenoten dat ik verliefd was. Het feit dat ik ook toeterzat was en probeerde een hulstkrans met vier kaarsen op mijn hoofd in evenwicht te houden, heeft nergens iets mee te maken.

Later die week gingen de Jongen en ik ergens iets drinken, maar daar bleef het bij. Het viel me zwaar me aan de belofte van die eerste ontmoeting te houden. Hij probeerde het eerst wel, met een dralende blik hier en een verdwaalde hand daar, maar leerde snel waar mijn grenzen lagen. Hij mocht dan een volwaardig lid van de *bon ton* zijn, een proleet was hij niet. Of misschien wachtte hij gewoon zijn kans af. De relatie waarin ik zat, was duidelijk niet gezond. Tegen de tijd dat ik het met die vriend uitmaakte en naar Londen ging, was de Jongen naar Brighton verhuisd. Hij kwam naar me toe en hielp me verhuizen. Toen neukten we voor het eerst, tussen de rommel van dozen, koffers en stapels boeken op de vloer. Een houten vloer. Ik had nog weken daarna schaafplekken.

Samedi, 29 novembre
Ik heb mijn plank met make-up opgeruimd en aangekoekte flesjes uitgedroogde nagellak en van foundation verzadigde sponsjes weggegooid. Ik dacht dat dit werk maar iets voor tus-

sendoor was, maar ik doe het nu al maanden. Het is bijna een sleur geworden, maar ik weet nog dat het vroeger anders was.

Tijdens de voorbereidingen voor mijn eerste afspraak voelde ik me alsof ik me voor het toneel moest schminken. Ik herinner me dat ik een vloeibare foundation en een make-upstift klaarlegde; oogschaduw, eyeliner en mascara; lipliner en -gloss. Ik was vroeg begonnen, té vroeg, maar ik had geen idee hoe ik het allemaal moest combineren, hoe lang ik erover zou doen.

Ik nam een douche, en terwijl ik mezelf met zorg in de witbetegelde badkamer afdroogde, zocht ik naar haartjes die aan het harsen en scheren waren ontsnapt. Een snelle stoot deodorant. Een vleugje eau de toilette in mijn decolleté en aan de binnenkant van mijn ellebogen. Ik trok een witte kanten beha en slipje aan, kousen, en droogde mijn haar. Scheiding hier of daar? Hoe moest het vallen? Opgestoken of los? Dansend of steil? Ik bewerkte de punten met de steiltang, zodat ze niet zouden gaan kroezen in de klamme avondlucht, maar bleef er verder af. Kleine oorknopjes met parels.

Ik trok de jurk over mijn hoofd en begon met mijn make-up. Foundation, geen poeder. Het teveel verwijderen door er een vochtige tissue op te leggen en licht aan te drukken. Violette oogschaduw – een zweempje maar. Een stipje zilverwitte eyeliner in de binnenhoeken van mijn ogen. Kattenogen of niet? Femme fatale of meisjesachtig? Mijn hand beefde een beetje. Ik draaide de mascararoller open, veegde het teveel met een tissue van het borsteltje en hield het even in de lucht. Ik bracht het eerste laagje aan. Het tweede.

Mijn ogen in de spiegel sprongen uit mijn gezicht. Ik trok een lijntje om mijn lippen, waarbij ik me afvroeg hoeveel ik moest gebruiken en hoeveel ik op hem zou smeren. Wat moest ik meenemen, zou ik tijd krijgen om mijn make-up bij te werken? Met het topje van mijn pink bracht ik vloeibare blusher op mijn lippen aan. Gloss. Meer gloss. Ik dacht aan de raad van de manager: mannen zijn gek op glanzende lippen. Ik denk dat je geen genie hoeft te zijn om te begrijpen waarom.

Een beetje gel om het haar van mijn voorhoofd en wangen te houden. Een speld om het naar achteren te steken. Ik trok de schoenen aan en maakte de enkelbandjes vast. Zwarte lakschoenen met naaldhakken die een lange streep wreef bloot lieten. Ongelooflijk hoge hakken, maar ik was er een keer op naar de bus gehold en had er vaak tot de ochtend op gedanst. Neuk-me-schoenen.

Toen mijn jas. Collegesjaal of de donzige blauwe? De blauwe zou op de jas pillen; uiteindelijk werd het hem niet. Het was een koude avond. Donkerblauwe handschoenen met knoopjes op de pols. Ik stak een broche met een vlinder op de jas. Nerveus; ik haalde diep adem. Nog een kwartier wachten.

Mijn mond was kurkdroog. Ging naar de keuken om iets te drinken. Was alcohol een slecht plan? Wist het niet. Eentje kon geen kwaad. Mijn lippen lieten een halvemaantje met barsten achter op de rand van het glas. Ik pakte een tas, zwetend in mijn jas, sjaal en handschoenen. Nog tien minuten tot de taxi kwam. Nog eens het adres van de afspraak opzoeken op de stadsplattegrond, die ik niet mee wilde nemen. Het was vlak bij een station van de ondergrondse. Als ik onthield hoe ik van de afspraak naar de ondergrondse moest lopen, kwam het wel goed.

Ging naar beneden, wachten op de stoep. De koude wind kriebelde in mijn vochtige nekhaar. Tuurde de straat af. Geen mens te bekennen. Er kwamen ook maar weinig auto's langs. Er stopte een bus bij de halte. Er stond niemand te wachten; en de bus reed door. Een kleine auto achter de bus aan, een man die door het raampje keek. Dat moet de taxi zijn, dacht ik. Kop erbij houden.

Nu begint mijn werk. Glimlach, wuif, geef hem het adres. Van nu af aan ben ik iemand anders.

We vonden het huis. Ik betaalde de chauffeur. Stoep op, messing klopper op de deur. Binnen licht. Mijn haar viel voor mijn gezicht. Ik trok de speld eruit en schudde het los. Glimlachte. Liet de klopper neerkomen. Geen weg terug meer.

De volgende ochtend werd ik wakker in mijn eigen bed. Stak mijn hand op, keek er een eeuwigheid naar. Hoorde er nu iets veranderd te zijn? Moest ik me machteloos voelen, misbruikt? Ik wist het niet. De subtiliteiten van de feministische theorie leken hier niet van toepassing te zijn. Het voelde allemaal net als anders. Zelfde hand, zelfde vrouw. Ik stond op en maakte ontbijt.

Dimanche, 30 novembre

De Jongen zoekt al een tijdje naar een nieuwe positie (een functie, bedoel ik, geen seksuele variatie, al hou ik me aanbevolen). Hij vindt zijn werk al heel lang niet leuk meer, maar hij heeft vastigheid, en dit, en dat, enzovoort en ga zo maar door. Hij werkt met zijn vroegere studievrienden, maar nu is er een weggesaneerd en begint hij in volle hevigheid te voelen hoe de hogere regionen nauwlettend in de gaten houden wat hij uitvoert. Ik blijf militaire dienst opperen, en niet alleen omdat hij een uniform volgens mij op hoogst aantrekkelijke wijze zou kunnen uitvullen. Hij mailde me dus zijn cv om te zien of ik er iets mee kon.

Ik mailde het binnen een halfuur terug, en vrijwel onmiddellijk ging de telefoon. Het was de Jongen, en hij lachte.

'Prachtig, poesje... maar ik geloof niet dat ik het kan gebruiken.'

'Nee?'

'Om te beginnen denk ik niet dat het leger er ook maar iets om geeft hoe groot mijn lid is.'

'Dat weet je niet zeker. Je weet nooit bij wie je op gesprek moet.' Ik heb gehoord dat het leger tegenwoordig heel modern is.

'Leuk idee.' Ik hoorde hem aan de andere kant van de lijn met de cursor naar beneden klikken. 'Hersteltijd tussen zaadlozingen hoort niet onder "overige kwalificaties".'

'Ik vind het belangrijk, lieverd.'

'Ongetwijfeld. En "orale seks, als actieve en passieve partner" onder "belangstelling en hobby's"?'

'Wil je zeggen dat het geen hobby van je is?' We lachten.

Ik was op het idee gekomen mijn eigen branche aan te bevelen, al zou de Jongen nooit happen. Hij is zo zuiver op de graat als het maar kan. Ik daarentegen word door het gros van onze kennissen als immoreel beschouwd, zelfs door degenen die niet weten hoe ik de kost verdien.

Décembre

Belles A-Z van de Londense seksindustrie, D t/m G

D staat voor drama's
Wat mij betreft bestaan er geen onoverkomelijke rampen. Als het allemaal gruwelijk in de soep loopt, troost jezelf dan met de wetenschap dat je de klant waarschijnlijk nooit meer zult zien. Zelfs als het op rolletjes loopt zul je de klant waarschijnlijk nooit meer zien.

Zorg er desondanks voor dat je mobieltje altijd helemaal opgeladen is en dat je hem zo nodig binnen handbereik hebt. En neem altijd wetties mee voor het verwijderen van alle soorten knoeiboel van biologische oorsprong.

E staat voor eten
De prostitutie is net sporten: eet niet vlak voor je afspraak, anders loop je het gevaar dat je op het verkeerde moment over je nek gaat. Afspraken zonder etentje vallen meestal zo dat een normale avondmaaltijd er niet in zit. Gun jezelf dan een overvloedige lunch. Neem een snack mee voor op de terugweg. En een lepel voor je weet maar nooit.

F staat voor fitness
Ik heb ooit gehoord dat posities met het meisje boven voor haar net zoveel calorieën per uur verbranden als een stepmachine. Waarbij ik aanteken dat de man het meestal opgeeft voordat je aan vet verbranden toekomt.

F staat ook voor feiten checken
Bevestig afspraken altijd bij het bemiddelingsbureau. Mijn geheugen is niet betrouwbaar, en bij kamer 1203 in plaats van
1302 aankloppen kan onverwachte en niet altijd hilarische con-
sequenties hebben. Ik heb altijd een opschrijfboekje bij de
hand. Iets op je hand zelf schrijven is geen goed idee.

G staat voor G-plek
Voor je werk hoef je niet te weten waar je G-plek zit. Berg hem
thuis veilig op en bewaar hem voor hoogtijdagen.

Lundi, 1 décembre

De klant had vierkante handen met lange, dwalende vingers. Ze deden me aan die van de Jongen denken. Hij bepotelde mijn borsten en dijen en waagde zich binnen.

Ik verkrampte plotseling.

'Sorry, heb ik je pijn gedaan?' vroeg hij.

Ik lag op mijn zij, met hem achter me en de gewraakte vingers tussen mijn benen. 'Een beetje maar.' Ik pakte zijn rechterhand en inspecteerde de nagels. Schoon, maar langer dan de meeste. En rafelig. 'Bijt je erop?'

'Ja.'

Ik rolde over de rand van het bed om mijn tas van de vloer te pakken. 'Wacht even.' Haalde mijn kleine zilveren necessaire eruit en pakte een vijl.

Hij huiverde. 'Ik kan niet tegen vijlen,' zei hij. 'Het is net zoiets als nagels op een schoolbord.'

'Vertrouw me maar,' zei ik, en vijlde zijn nagels glad. Hij streek met zijn duimen over de gepolijste ovaaltjes en complimenteerde me met het verschil. 'Je bent veel te lief voor dit werk,' zei hij zacht, waar ik uit opmaakte dat hij óf akelige ervaringen had met escorts, óf dat de meeste callgirls aardig zijn en ik gewoon zijn eerste was. Het laatste, hoop ik.

Mardi, 2 décembre

Wat doet een meisje als ze een dag vrij heeft?

Afgezien van de stad in gaan om slipjes te kopen, uiteraard.

Op tijd vrijaf gemeld, en vaak genoeg. Jongen niet in de stad, niet sporten met N. Geprobeerd lunchafspraak te maken met A1, A2, en A4; niet gelukt. Niet ziek, geen klanten. Lekker uitslapen. Geen boodschappen, geen afspraken en geen was. Tijd om te koken (en de afwas misschien nog een dag te laten staan). Geen werkster en geen telefoontjes van de manager. Hoef nergens heen, niemand te zijn. Alleen ik in mijn uppie.

Laat me die vibrator dan maar gaan zoeken.

Jeudi, 4 décembre

Iemand in Londen heeft me betaald, alleen maar om mijn kontgaatje een uur te mogen likken. Is dat niet wat iedereen eigenlijk wil, iemand die je reet kust en er nog van geniet ook?

Als iemand me meteen had verteld dat er zulke ideale klanten bestonden, was ik veel eerder met dit werk begonnen.

Vendredi, 5 décembre

'Heb je het weleens met een vrouw gedaan?' vroeg de klant terwijl hij mijn borsten streelde.

'Ja.' Hij zuchtte. 'Heel vaak. Privé.' De laatste was al een tijdje geleden. De Jongen mokt en pruilt soms omdat hij mijn verleden kent en nog nooit een triootje heeft gedaan. Ik ben bedacht op de problemen die het oppikken van een tweede meisje voor de relatie kan hebben. We kunnen beter een meisje huren, denk ik. Misschien later nog eens. Nu niet.

'Ben je lesbisch?'

'Nee, ik hou gewoon van vrouwen.' Voor seks waarschijnlijk net zoveel als van mannen, maar ik heb liever een relatie met een man, dus ben ik volgens mij in wezen hetero. Die conclusie heb ik in mijn studietijd met lange, kwellende, onzinnige vragen omtrent mijn identiteit bevochten. Vrouwen: ik wil er wel mee naar bed, maar ik wil er niet mee samenwonen.

'Alle vrouwen?' Zou hij er een in gedachten hebben? Ik hoopte van niet.

'Nee, niet allemaal.'

Samedi, 6 décembre

Ik heb de website van het bemiddelingsbureau weer eens bekeken. De manager gooit de beschrijvingen af en toe door elkaar om een bepaald meisje meer werk te bezorgen of een nieuwe aanwinst onder de aandacht te brengen.

Mijn eigen beschrijving steekt redelijk af bij die van de andere meisjes op de site en de foto's overal op het web. Er is niets wat er uitspringt; ik ben net als honderden anderen. Het is verbijsterend te zien hoeveel callgirls er in Londen aan het werk zijn. Voor elke mogelijk geile zakenman ter wereld schijnt er een langbenige blonde of bruine seksgodin te zijn, en dan zijn er misschien ook nog wel een paar neukbare rijpere vrouwen te vinden.

Ik weet nog dat ik mezelf voor het eerst op de site zag staan. De beschrijving was best goed uitgepakt, wat ik niet had verwacht, gezien het verloop van de fotosessie. Er was wat selectief geknipt en met Photoshop gegoocheld, maar ik was onmiskenbaar de afgebeelde vrouw. Zou iemand me herkennen? Doe niet zo gek, vermaande ik mezelf. Iemand die jou kent, zal nooit toegeven dat hij je is tegengekomen bij het afzoeken van escortsites. Of zou zo iemand het juist nog erger maken en een afspraak boeken?

De fotograaf van het bureau had met me in een hotel afgesproken. Een leuk mens, tot ze haar mond opendeed. Ze trok meteen van leer. 'Te weinig haar,' zei ze, en ze pakte een toupeerkam die eruitzag alsof hij een straf had uitgezeten in een van de betere trimsalons. Ze wierp haar eigen roze lipliner in de strijd in haar streven mijn lippen voller en pruilender te maken. De lingerie die ik had meegebracht, nog in de winkelverpakking, werd afgekeurd, want die was te smaakvol. 'Wat jij moet hebben, is iets... paars,' zei ze, en ze gooide een goedkoop kanten hemdje naar me toe. Het was tenminste nog niet gedragen; het prijskaartje zat er nog aan. Zo kwam het dat ik onverhoeds in kleuren die ik nooit draag, met make-up die ik nooit zou gebruiken en tien keer zoveel haar als normaal op het hotelmeubilair lag te kronkelen. 'Benen recht omhooghouden,' zei ze terwijl mijn dijen begonnen te trillen van het vasthouden van de ene pose na de andere. 'En... ontspannen!'

We werkten een stuk of tien standaard glamourposes af. 'Begin je er al genoeg van te krijgen?' vroeg ze bij wijze van grapje.

'Ja.'

Ze keek me priemend aan. 'Baal je ervan? Wat rot voor je.'

'Het was ironisch bedoeld. Ik vind het enig,' zei ik, terwijl ik voor de dertigste keer mijn eigen borst omvatte.

'Jammer van die bikinilijn. Zo ontzéttend pornoster uit de jaren zeventig.' En dat uit de mond van iemand die me een hotpants van roze latex had laten aantrekken? Ze wisselde de film en schoot nog een rolletje vol. Ik kon me niet voorstellen dat er nog meer onmogelijke houdingen waren. Na een uur vond ik het welletjes en stond op om mijn burgerkloffie weer aan te trekken.

'Ik zal je de volgende keer de naam van een salon geven waar ze fantastische gezichtsbehandelingen doen,' zei ze bij wijze van uitsmijter toen ik naar de deur liep. Subtiliteit was niet haar sterkste punt.

Het vonnis werd binnen een paar uur geveld. Gek genoeg

vond de manager de foto's veel beter dan de fotograaf en ik. 'Schat, de foto's, ze zijn fantastisch,' spinde ze aan de andere kant van de lijn. Het is me opgevallen dat ze nooit haar naam noemt als ze belt, maar meteen in het gesprek duikt. Ze zal wel op dezelfde etiquettecursus hebben gezeten als mijn moeder.

'Dank je. Ik was bang dat ik er niet spontaan op stond.'

'Nee, ze zijn perfect. Wil je iets voor me doen? Wil je iets over jezelf schrijven voor in je beschrijving? Meestal doe ik het voor de meisjes, maar jij zou het heel goed zelf moeten kunnen.' Kennelijk was ze blij dat ze weer een academica voor het bureau had ingepalmd. Krijgen ze extra voor diploma's?

Jezus. Ik ben een lange, lekkere... Jasses, nee. Onderhoudend, geestig? Bewaar me. Gemotiveerd, kan goed samenwerken... Misschien dichter bij de waarheid. Waar kan een hoer een cv laten opstellen? vroeg ik me af.

Uiteindelijk was ik tevreden met het resultaat. De website van het bureau had me direct aangetrokken, en met name de beschrijvingen van de vrouwen. Ze leken oprechter dan de meeste andere; er werd niet gesjoemeld met maten van meisjes en wat ze deden, en ze waren ook minder pornografisch. Nergens werd gegarandeerd dat het afgebeelde meisje een tuinslang kon inslikken, dat ze een ontembare seksmachine was of in een chic tijdschrift had gestaan. De smakeloze kledij uit de garderobe van de fotograaf leek tot mijn verrassing opwindender en subtieler op de foto's dan in het echt (wat ik haar uiteraard voor geen goud had willen bekennen).

En het werd me duidelijk welke trucjes de fotografen gebruiken. Na dezelfde poses op honderden foto's te hebben gezien, kwamen de slangenmensoefeningen die ik had moeten doorstaan me bekend voor.

De glamourfoto is duidelijk gekunsteld. Enerzijds wordt er niets minder dan perfectie verwacht, dus wie zou niet dol zijn op gemanipuleer met pixels? Anderzijds voelen vrouwen die wél tevreden zijn over hun lichaam zich duidelijk achtergesteld bij degenen die zich een weg naar de catwalk zouden airbrushen als dat kon. Bestudering van de foto's bracht de volgende trends aan het licht:

— *Gebukt met billen naar de lens*: dat staat iedereen goed. Waarschijnlijk worden de billen van Heidi Klum in deze pose geleverd door Vanessa Feltz. Als je niet alles kunt zien, kijk er dan niet van op als het in het echt iets minder (of meestel veel meer) blijkt te zijn dan je had verwacht. Zie ook *op handen en voeten* en *languit op buik*.

— *De tietengreep*: een cup AA kan Jordaneske proporties aannemen wanneer het borstvlees op de juiste manier wordt geheven. Maar waarom? Veel mannen houden van kleine borsten. Zoals iemand ooit zei: meer dan een mondvol is zonde (de mijne zijn een volmaakte handvol, maar je moet me op mijn woord geloven. En ik zeg niet van wie die hand is).

— *Het diepe decolleté vanboven af*: zie *tietengreep*.

— *De gestrekte teen*: dit is geen getrainde ballerina; ze probeert haar benen langer te laten lijken. Als God had gewild dat we onze blote voeten hoog zouden opsteken, had Hij volgens mij de naaldhak niet uitgevonden.

— *De stola/het strategisch geplaatste bontje*: dikke armen, duidelijk?

— *De opgezette kraag/lang haar voor wang*: onderkin of helemaal geen kin. Dat Julie Burchill dit trucje ook toepast, zegt volgens mij alles.

— *De knielaars-kokerrok-combi*: in het echt is dit ongelooflijk sexy. Wie wil die melkwitte strook vrouwenbeen niet strelen? Voor sexy foto's geldt echter dat iedereen die maar een paar centimeter dij tegelijk wil laten zien, problemen heeft.

— *Het schuimbad*: hiermee kun je een veelheid aan tekortkomingen verhullen.

– *Achteroverbuigen*: het omgekeerde van de *gebukte billen*. Reken op een buikje. Persoonlijk zie ik liever een rolletje om in te knijpen dan dat ik iemand dwing haar buik een uur achter elkaar in te houden.

– *Benen over elkaar*: vergeten te ontharen. Sokjes idem dito.

– *Meisjesachtige staartjes en tienerkleren*: zij is in het echt vierendertig.

Dimanche, 7 décembre

Gesport met N, de spin in het web van alle roddels. Na afloop zou hij bij me komen eten. Hij is zeer geïnteresseerd in porno, wat bewezen wordt door zijn verzameling tijdschriften. Hij vertelde me dat hij met een collega naar Amsterdam wilde.

'Waarom pik je daar niet een paar meiden op voor een triootje?' vroeg ik, over het stuur van een stilstaande fiets leunend. Het triootje is een van zijn lang gekoesterde fantasieën. Na de opoetjes en paarden, natuurlijk.

Ik heb medelijden met N. Sinds hij een of twee keer de vruchten van groepsseks heeft mogen smaken, is het een obsessie voor hem geworden. Hij was bijvoorbeeld ook degene die wilde dat ik mijn avond met de chique vrouw en haar vriend gedetailleerd zou beschrijven en daarin zo ver ging dat ik er verklarende schema's bij moest tekenen.

'Hoezo, denk je dat de Hollandse vrouwen er meer zin in hebben dan de Engelse?' vroeg hij.

'Nee, ik bedoel dat je er een paar voor zou kunnen betalen.'

'Hmpf,' zei hij. N is aantrekkelijk. Hij staat achter de prostitutie als concept, maar ik denk niet dat hij er zelf kennis mee wil maken. Hij begon langzaam op een loopband te joggen terwijl ik fietste. 'Als ze legale bordelen hadden, zou ik alle meiden kunnen huren,' mijmerde hij.

'Nu word je hebberig,' wees ik hem terecht. 'Als ik het me

goed herinner, heb jij meestal aan één keer genoeg.' Op een paar uitzonderingen na. In een ver verleden heb ik samen met hem en een ander een triootje gedaan, en voor zover ik weet, heeft hij het er niet nog eens op gewaagd.

'Au.' Maar hij glimlachte erbij. En als hij glimlacht, herinner ik me hoe sexy ik hem vond, met die filmsterrenrimpeltjes rond zijn ogen. 'Zou jij misschien...'

'Sorry, schat, maar dat is een gepasseerd station.' Bah, vrienden die me voor seks huren. Het was niet eens in me opgekomen. Moet erom denken toekomstige voorstellen in de kiem te smoren. Temeer daar niet al mijn vrienden even goed op de hoogte zijn van mijn werk. A2 weet alles, A1 en A4 weten ongeveer hoe het zit, zonder details, en hoe minder A3 weet, hoe beter het is. N vraagt me natuurlijk het hemd van het lijf. Letterlijk.

De loopband knerpte en boog door onder N's gewicht. 'Ben je klaar met het martelen van die machine? Ik begin namelijk honger te krijgen.'

Hij bracht me met de auto naar huis. Het was nog niet zo laat, maar de stad was al middernachtelijk donker. N, die in Londen is geboren en getogen, nam achterafstraatjes en afwijkende routes waarvan ik het bestaan niet had vermoed. De avondlucht was nog vochtig van de regen van die middag, op de straten glansden lange witte en rode reflecties van lichten en ik draaide het raampje naar beneden om de banden op de weg te horen sissen. 'Hoeveel vertel jij die vent van jou?' vroeg hij na een lange stilte. N en de Jongen weten van elkaars bestaan en keuren elkaar af, maar aangezien ze in verschillende steden wonen, zien ze elkaar zelden.

'Genoeg.'

'Ik kan me niet voorstellen dat hij het leuk vindt.'

'Ik kan me niet voorstellen dat hij een keus heeft,' zei ik met meer bravoure dan ik voelde. Als hij echt grote bezwaren blijkt te hebben, dacht ik, ga ik iets anders doen.

Denk ik.

Lundi, 8 décembre

Afspraak met een bankier in een hotel bij Bond Street. We dronken koffie, kletsten even over New York en kwamen toen terzake. En de zaken gaan goed, zeggen ze.

Hij: 'Dat was voor mij de eerste keer dat ik het anaal deed.'

Ik: 'Echt waar? Daar kijk ik van op.' Misschien was ik niet zó verbaasd, want ik heb in het verleden de nodige mensen anaal ingewijd, maar het verbaasde me wel dat hij het niet had gezegd, en dat hij het ruimtelijke voorstellingsvermogen had om me zo met zo'n vloeiende beweging om zijn lid te schuiven.

'Nou, ik heb ervan genoten.'

'Ik kan wel zeggen dat het voor mij ook de eerste keer was, maar je zou weten dat ik loog.'

Hij (met een lach): 'En, hoe was ik?'

'Uitstekend. Maar denk erom: veel glijmiddel, en eerst je vingers gebruiken. Maar dat had je ook gedaan.'

'Dank je. Je bent een schat.'

'Tja, jij hebt al het zware werk gedaan. Bij wijze van spreken.'

(later)

Hij: 'Ik snap niet waarom mijn collega's hun huwelijk op het spel zetten voor een verhouding met een meisje van kantoor, terwijl ze ook iemand zoals jij kunnen krijgen.'

Ik knikte, want ik had er niets aan toe te voegen.

'Het zal wel een machtskwestie zijn, of ze willen opscheppen tegenover ander mannen. En toch...' – hij huiverde op de manier van een man die nog een smal wit lijntje van zijn verwijderde trouwring heeft en dat zelf weet – '... wil ik gewoon niet het risico lopen dat een uitzendkrachtje mijn vrouw nog weken of maanden daarna blijft opbellen.'

We hadden allebei nog tijd voor onze volgende afspraak en praatten over Libanese restaurants in Londen (door de bank genomen goed) en Italiaanse (allemaal slecht). Later liet hij zich ontvallen dat hij eerder had geprobeerd me te boeken, toen ik er niet was. Ik ben blij dat zijn vasthoudendheid lonend bleek.

'Heb je een vriend?' vroeg hij.

'Ja,' zei ik.

Mardi, 9 décembre

Ik liep het hotel in met mijn grote jas dicht om me heen getrokken. Niet zozeer om me tegen het gure weer te beschermen als wel om te voorkomen dat mijn gereedschap eruit zou vallen. Terwijl de klant zich uitkleedde, legde ik klaar waarom hij had verzocht: blinddoek, de Wrekers, wurghalsband en tepelklemmen.

'Ik heb dit nog nooit gedaan,' zei hij met een blik op de zwepen.

Ik betwijfelde het, maar het was zíjn fantasie, niet de mijne. 'Dan zal ik voorzichtig met je doen,' zei ik. Ik loog, en dat wisten we allebei.

Exact een uur later waren we klaar. Soms is het werk zo ongelooflijk makkelijk.

Mercredi, 10 décembre

Chagrijnig; niets samenhangends te melden. In plaats daarvan een lijst.

Liefde: gids voor zoekenden

– *Liefde op het eerste gezicht*: het overweldigende verlangen de dichtstbijzijnde bezemkast (kroeg-wc, achtertuin van kennis, gindse steeg, etc.) van binnen te bekijken.

66

– *Ware liefde*: kan aan ouders worden voorgesteld zonder on-
redelijke angst voor gêne. Aan de kant van de ouders.
– *Eeuwige liefde*: een poly-amoureus echtpaar dat het al jaren
niet meer met elkaar heeft gedaan.
– *Gelijkwaardige liefde*: een verbond tussen koninkrijken.
– *De liefde van je leven*: die slome jongen van je laatste studie-
jaar die acht uur per dag zat te internetten en alle Nutella
opat. Op de een of andere manier wordt hij in de herinnering steeds leuker.
– *Verliefd*: een kortstondig moment waarop je bijna net zo geïnteresseerd bent in een ander als in jezelf.
– *Liefhebbend*: in staat tot een onzegbare mate van verstik-
king.
– *Moederliefde*: in staat tot een onzegbare mate van verstik-
king.
– *Broederliefde*: verboden door de ethische wetten van de
meeste wereldgodsdiensten.
– *Geliefde*: degene die langskomt wanneer je partner 'voor zaken de stad uit is' (lees: bij zijn geliefde is).
– *Lieftallig*: om te knuffelen, maar neerbuigend bedoeld (zoals
'welgevormde benen' een eufemisme is voor 'dikke benen').
– *Lief van je*: ik kan je wel villen. ('Wat lief van je dat ik mee
mocht naar dat feest! Ik hoop dat je me nog eens meeneemt
naar die gribus!')
– *Liefdesdrank*: zo langzamerhand nog het enige dat de Jongen ertoe zou kunnen aanzetten me te bellen. Ik begin me
eenzaam te voelen.

Jeudi, 11 décembre
N gaf me een lift naar huis. Hij had al gegeten en ik was de
vermoeidheid voorbij. Ik maakte een broodje voor mezelf en
thee voor ons allebei terwijl hij me uit de krant voorlas.

Later probeerde ik hem mijn huis uit te schoppen, want ik wilde een bad nemen. Ik had mezelf te lang niet op een lange, schuimige weekpartij getrakteerd. 'Ik wacht wel,' zei hij. N is een rare, en koppig bovendien. Omdat ik te moe was om tegen te stribbelen, liet ik hem maar.

Toen ik uit het bad kwam, legde hij me op mijn buik op bed en masseerde me van mijn nek tot aan mijn enkels. Ik wilde hem wel bedanken, maar neem aan dat de verzaligde zuchten duidelijk genoeg waren. Toen hij wegging, bleef hij bij de deur staan. 'De volgende keer wil ik daar natuurlijk op z'n minst voor gepijpt worden,' zei hij.

'Dat is alleen maar grappig omdat ik weet dat het géén grapje is, lieverd.'

Sommige mensen zouden het niet eens vragen. Ik weet iemand in het bijzonder. Ik heb me altijd aangetrokken gevoeld tot grote, sterke mannen. En ze hebben me nooit tot iets gedwongen. Op die ene na. Maar ik had hem erom gesmeekt.

Het was een zwaar geweldsdelict met kussen. Laat ik hem W noemen. Toen we elkaar ontmoetten, hadden we allebei een ander, maar dat deed er niet toe. Wat wij deden, kon trouwens ook alleen maar losjes seksuele gemeenschap genoemd worden.

W was lang en goedgebouwd dankzij een loopbaan in de sport. We flirtten een week en spraken af op vrijdagavond uit te gaan. Ik kleedde me ervoor en dacht aan W, zijn lange, dikke armen en benen en grote handen, en ik wist dat er iets vreemds gaande was. Ik kon me mezelf beter aan het eind van zijn vuist voorstellen dan in zijn armen. Hij zag eruit alsof hij me in stukken kon breken en dan een prop kon maken van de stukjes. Ik bleef me maar voorstellen dat hij me pijn deed, en het maakte me misselijk. Het wond me ook op.

We hadden even ten zuiden van de rivier afgesproken. We

hingen een tijdje aan de volle bar van een café en gingen toen naar een comedyclub waar ik laveloos werd van de gin-tonics. De optredens waren van slecht tot misdadig vreselijk. Ik begon te fantaseren dat ik W's omvangrijke schouder in mijn gezicht geramd kreeg. Ik ging naar de dames-wc beneden. W liep achter me aan naar binnen.

'Je gaat me toch niet op de plee in het nauw drijven?' vroeg ik terwijl ik aan zijn overhemd klauwde. Mijn hoofd kwam amper tot halverwege zijn borst. Ik rook het zure zweet van een dag oud op hem en raakte opgewonden.

'Ik val je niet lastig,' zei hij. 'Niet zo erg.'

Ik beet hem ter ontmoediging. De lagen stof voelden pluizig op mijn tong. Ik beet net hard genoeg om hem pijn te doen, maar hij gaf geen krimp. 'Zo,' zei hij, en nam mijn gezicht in zijn handen, 'dat zal ik je betaald zetten. Ik zie je buiten.'

Ik wankelde, zwaar op zijn arm leunend, helemaal tot de hoek van mijn straat. We bleven staan en ik keek op. Hij tilde me op alsof ik niets woog en zette me op een bank. Op die hoogte kuste ik hem voor het eerst.

'Ga naar een hotel,' joelden een paar tieners vanaf de overkant van de weg.

Dat deden we niet. Die keer niet, althans. De avond erna.

Het was een in pastelkleuren ingerichte vestiging van een hotelketen in Hammersmith. Ik had niet eens een weekendtas bij me. Zodra we binnen waren, duwde hij me op het bed en kwam boven op me zitten. Hij haalde zijn lul tevoorschijn en richtte niet op mijn mond of mijn borsten, maar op mijn wang.

Dat was het begin. Na die eerste keer, waarbij hij mijn wang zo hard raakte met zijn erectie dat ik later blaren in mijn mond had, was er geen weg terug meer. 'Ik had nog nooit een vrouw aan het huilen gemaakt,' zei hij. 'Lekker.' Niet eens de schijn van romantiek. Alleen wij, overal waar we ongestoord samen konden zijn, en zijn hand. Op koude dagen, als het extra zou schrijnen door het gure weer, kon hij plotseling in een park stoppen, en dan stapten we uit en gaf hij me een mep. Ik werd er altijd soppend nat van.

Ik kon de blauwe plekken niet verklaren. 'Tegen de deur gelopen,' zei ik schouderophalend. 'Hard getraind op de sportschool.' Of: 'Blauwe plek? Waar?'

Er was het weekend dat W een kamer reserveerde in het Royal College of Physicians. Daar worden kamers verhuurd aan medici die Londen bezoeken; ik weet niet hoe hij zich erin had gesmoesd. We zaten op het smalle eenpersoonsbed een pizza te eten en naar een pornodocumentaire te kijken. Ik at te veel, en toen ik hem wilde pijpen, stikte ik bijna in zijn te grote lid. Ik braakte Meat Feast en cola-light over zijn dij. Zijn penis werd nog stijver. Hij trok aan mijn haar tot ik het uitschreeuwde terwijl hij zich boven mijn met kots en tranen bevlekte gezicht aftrok. We deelden de badkamer met de kamer ernaast. Toen ik de gang in stapte, kwam er net een jonge Indiase arts uit de kamer tegenover de onze. Hij keek op en verstijfde van schrik. Hij moet ons gehoord kunnen hebben, maar misschien niet tot in detail, want het braaksel op mijn kin en topje leek hem te bevreemden. Ik stak mijn hand naar hem op.

'Zo, en wie van jullie is de arts?' vroeg hij schutterig.

'Ik,' loog ik, en liep langs hem heen naar de wc. De mond van de medicus viel ervan open.

W begreep net zomin als ik wat er de lol van was. 'Waar denk je aan als ik je sla?' vroeg hij op een middag. We zaten op een bank in Regent's Park naar de ganzen en zwanen te kijken. Om de paar minuten keek hij om zich heen, en als er niemand aan kwam lopen, gaf hij me weer een klap.

'Niks,' zei ik. Er was niet meer dan het moment dat zijn hand ophield mijn wang te strelen en ik wist dat de klap kwam; zijn handpalm die hard op mijn wang sloeg; de stekende pijn waarvan de tranen me in de ogen sprongen; de warme, brandende gloed daarna. Misschien had ik alleen dán niets anders in mijn hoofd. Het deed pijn, maar het was een neutrale pijn waar geen haat of afkeer achter zat. Het was puur en opwekkend, zoals zoveel andere lichamelijke ervaringen. Zoals het moment van het orgasme waarop je jezelf, je partner en de hele wereld vergeet.

'Word je niet boos op me?'

'Nee.'

W kwam maar één keer bij me thuis. Hij gaf me met de zweep, eerst door mijn topje heen en toen topless, en hij hield pas op toen het begon te bloeden. In de douche boven aan de trap piste hij me onder en drukte me toen met mijn gezicht in de plas, terwijl hij me op de achterkant van mijn dijen sloeg. Toen hij in mijn gezicht had gespoten, liet hij me in de spiegel kijken. 'Een plaatje ben je,' zei hij met een zucht. Ik kon mijn ogen, die prikten van het sperma, maar half open krijgen, en toen zag ik een meisje met rode wangen in een witbetegelde badkamer zitten. En hij had gelijk. Het zag er goed uit. En niet 'goed' zoals een omslagfoto van *Glamour*, denk erom. Ik grijnsde breed.

Toen ik met vakantie in Schotland was, schreef ik W stiekem. 'Meegebrachte lunch genuttigd en me op de afmetingen van je handen bezonnen', schreef ik in de eerste, nog aarzelende brief. Later: 'Vergeet de volgende keer niet je soldeerbout en die touwen mee te nemen.'

En op het laatst, een dag nadat ik in de koude nachtlucht levend door de muggen werd opgegeten en W me gedetailleerd uiteenzette wat hij met me wilde doen: 'Nadat je me had

71

uitgelegd hoe je me ging slaan en vernederen, ben ik druipnat weer naar binnen gegaan.' Ja, ik had nog een ander, maar dat was een lieve, fotomodellenmooie jongen die me niet eens op de wc wilde horen, laat staan dat hij zou overwegen mijn gezicht met zijn uitwerpselen te beschilderen.

De relatie leek te strak aangedraaid om het te kunnen overleven, gedoemd tot mislukken, een gevangenisstraf of, in de ergste van alle denkbare werelden, een vinex-huwelijk met zo af en toe lichte SM. W moest er ook niet aan denken, en op een avond ensceneerden we, op basis van een flinterdunne smoes, de teloorgang van onze affaire. En ik, beleefd doch ferm, als een vrouw in een *film noir*, gaf hem een lel.

'Dat wil je al sinds de eerste keer dat je me zag,' zei hij.

Het weerhield me er niet van naar hem te verlangen. Twee weken later stuurde ik hem een briefje: 'Ik heb je nagels nog in mijn linkerborst staan. Ik mis je.'

Vendredi, 12 décembre

Gisteravond telefoontje van de Jongen gekregen met het gebruikelijke geween en gekners van tanden, zowel seksueel getint als om ons lot van twee koningskinderen die elkander zo liefhadden, maar de A23 niet konden oversteken.

Tegen het eind van het gesprek werd het iets prozaïscher. 'Mijn vader komt volgende week een paar dagen naar Londen.'

'Hoe dat zo?'

'Opfriscursussen van zijn werk,' zei de Jongen. 'Ik weet dat hij er als een berg tegenop ziet. Hij haat Londen. Ik bedoel, wat moet je in je eentje in een stad waar je geen mens kent?'

Er viel me prompt iets in. Lieve god, als hij maar geen escort bestelt. 'O, hij redt zich vast wel. Je vader is zo'n leuke vent, er is vast wel iemand die een avond met hem uit wil.' Alsjeblieft, laat hem geen escort bellen. En alsjeblieft, ik weet dat het veelgevraagd is... alsjeblieft, laat ik het niet zijn. 'Kan je moeder niet mee?'

'Nee, die heeft het te druk.'

Shit. Met mijn verstand weet ik dat het statistisch onwaarschijnlijk is, maar ik heb maandag en dinsdag drie hotelafspraken en ik moet het me wel afvragen. Als de tijd me iets heeft geleerd, is het wel dat a) bedriegen een algemeen menselijk trekje is, en dat b) de sterren altijd tegen me samenspannen.

Samedi, 13 décembre

Gisteravond naar een afspraak in Bedford en met een late ondergrondse terug. Er was bijna geen mens op het perron: een vrij jonge kantoorman op sportschoenen met een koptelefoon op en een paar vrouwen alleen. Ik vroeg me af of ze uit hun werk kwamen en zo ja, waarom dan zo laat? Er waren vertragingen en het leek een eeuwigheid te duren voordat onze trein kwam.

Er sprong een meute dronken, lawaaiige tienerjongens naar binnen. Terwijl een van hen mij begluurde, pestten de anderen de dikste jongen van de groep. Ze pakten een van zijn schoenen af en weigerden steeds ruwer hem terug te geven, tot ze hem ten slotte door het raam naar een andere trein smeten. De jongen zette het op een krijsen en viel twee van zijn vrienden aan. Ze stapten in Harpenden uit, wat me niets verbaasde, en toen had ik de coupé tot Kentish Town voor mij alleen.

Ik voelde me onverklaarbaar blij en liep naar huis in plaats van een taxi te nemen. Hoge hakken noch dronken idioten schrikken me af – wanneer je op naaldhakken leeft, zijn stoeptegels geen beproeving, en ik heb zoveel avances afgeschud dat ik het ultieme boek over het lozen van losers zou kunnen schrijven. Ik zong hardop een liedje over geliefden die elkaar dood willen hebben. Er rommelden lege nachtbussen over straat. Een fietser riep in het voorbijgaan 'te gekke benen!' naar me. Hij minderde vaart en keek over zijn schouder om mijn reactie te peilen. Ik glimlachte en bedankte hem. Hij fietste door.

Het was helder en koud. Ik keek op en verbaasde me over het aantal sterren.

Dimanche, 14 décembre

De manager belde op om me te vertellen over een klant die ik ergens bij Waterloo zou treffen. 'Die man, die is heel aarrrdig,' zei ze.

Ik besloot van top tot teen in het wit te gaan, ten eerste omdat ik een nieuw kanten torseletje had dat het daglicht nog nooit had aanschouwd (het nachtlicht overigens ook niet) en ten tweede omdat al mijn andere kousen vol ladders zaten. Hij had voor twee uur gereserveerd, waaruit ik afleidde dat hij óf iets raars wilde, óf wilde praten.

Het was het laatste. Ik liet de messing klopper op de deur ratelen en er deed een vrij kleine man open. Op leeftijd, maar niet stokoud. Diepe, karakteristieke groeven aan weerszijden van zijn smalle mond. Charmant, leuk ingericht huis. Ik probeerde er niet te erg uit te zien alsof ik het interieur taxeerde. We dronken ons een weg door twee flessen gekoelde chardonnay, bespraken de gokverslaving van de sultan van Brunei en luisterden naar cd's. 'Je vraagt je zeker af wanneer we aan de slag gaan?' vroeg hij met een glimlach.

'Ja.' Ik keek naar hem op vanaf de vloer, waarop ik met mijn blote voeten zat. Hij boog zich naar me over en kuste me. Het voelde als een kus bij het eerste afspraakje. Aarzelend. Ik stond op en trok mijn jurk over mijn hoofd.

'Kijk toch eens,' zei hij, en liet zijn handen over mijn heupen en dijen glijden. De dunne stof ritselde onder zijn droge handpalmen. Hij richtte zich op, draaide me om en liet me over een tafel bukken. Hij drukte zijn mond op het kruis van mijn slipje en ik voelde de hete damp van zijn adem door de stof heen. Hij richtte zich weer op, deed een condoom om, trok het kruis van mijn slipje opzij en nam me van achteren. Het was zo gebeurd.

'Als ik weer met vakantie ga, neem ik jou mee, snoes,' zei hij. 'Jij verdient een uitje uit de stad.' Ik betwijfelde het, maar het was fijn om te horen.

Hij had bergen donzige handdoeken en een reusachtig bad voor erna, en toen zaten we nog tot een uur nadat ik eigenlijk weg had gemoeten chips te eten en wijn te drinken. Het was gek; ik vond dat de taxi veel te snel kwam. Hij vroeg naar mijn echte naam en mijn privé-nummer. Ik aarzelde: tegen het beleid van het bureau. Anderzijds had de manager zelf erop gezinspeeld dat niet weinig meisjes het doen. Ik gaf hem mijn nummer en sms'te de manager dat ik op weg naar huis was.

Het was koud buiten, zelfs die paar passen van de deur naar de taxi. Ik had een lange jas aan en een wollen das om en was stiekem blij dat ik niet eens naar een station van de ondergrondse of een bushalte hoefde te lopen. De taxichauffeur kwam uit Croydon en we babbelden over Orlando Bloom, het komende vuurwerk en kerstfeesten. Ik vertelde hem dat ik bij een bekend accountantsbureau werkte. Ik geloof niet dat hij er ook maar een seconde in trapte. In plaats van naar huis liet ik hem naar een club in Soho rijden. Toen ik hem betaalde, vormden de bankbiljetten een ongelooflijk grote berg in mijn hand.

N is portier bij een homotent. Onder andere. Ik wipte even bij hem aan om te zien hoe het met zijn koutje ging en, hopelijk, zijn status te verhogen. Het zou kunnen werken, mochten we elkaar ooit tussen de hetero's ontmoeten.

'Schat, is het slecht van me dat ik jaloers ben op een travestiet?' verzuchtte ik toen het evenbeeld van Doris Day met een wit bontcapeje langs me heen glipte.

'Wie is dit keer het object van je jaloezie?' vroeg hij. Ik knikte naar de blonde godin. 'O, doe geen moeite,' zei hij. 'Ik heb gehoord dat ze elke dag alleen al aan het ontharen drie uur kwijt is.'

Het zette me aan het denken over mijn eigen rampspoed en ellende. Er bestaat geen optimale methode van ontharing. Van scheren krijg je vreselijke stoppels, vooral 's winters. Ik heb bijgehouden hoe snel een gladde huid in een bultige hel verandert: in ongeveer drie minuten. Ontharingscrème stinkt afschuwelijk en je krijgt er nooit al het haar mee weg. Die apparaatjes met een vibrerende veer mogen alleen aan masochisten verkocht worden, en een harsbehandeling wordt doorgaans verzorgd door een Filippijnse van honderd kilo die Rosie heet. En je houdt er nog een dag akelige rode uitslag aan over.

Dit is geen klacht; het is een feitelijke bewering over het vrouw-zijn. Het zal wel iets met de boom der kennis te maken hebben. In ruil voor al dat lijden krijgen we ook iets terug. Een babyzacht tussenbeense, gemakkelijk schoon te maken en extra gevoelig. Ik moet er altijd op letten, gezegend als ik ben met een folliculaire dikte waar de meeste pooldieren jaloers op zouden zijn. Mijn moeder daarentegen maakte altijd het grapje dat ze haar benen eens per jaar schoor, 'of het nu nodig is of niet'. Ik heb met een scheermes geworsteld zodra ik er een in mijn vingers kon krijgen, en als tiener speelde ik met het idee mijn armen ook te scheren.

Mijn ontharingsregime bestaat uit een combinatie van harsen en scheren, voornamelijk omdat ik er iets op tegen heb dingen uit mijn oksels te laten scheuren. In mijn kruis is het geen probleem. Ga maar na.

'Ik weet er alles van,' zei ik schertsend terwijl N opzij stapte om een groep lallende studenten binnen te laten.

'En, hoe ging het?' vroeg hij, weer naar de straat kijkend.

'Goed,' zei ik. 'Aardige man.'

'Vrijgezel?'

'Misschien gescheiden.' Ik haalde mijn schouders op. 'Overal foto's van zijn vrouw of zijn ex.'

'Kinderen?'

'Twee, allebei volwassen.'

'Man, dat zou ik nou nooit doen,' zei hij.

'Liegbeest.'

Lundi, 15 décembre

We zaten zwijgend in de auto. Het binnenlicht was aan.

'Ik dacht dat hij weg was,' zei ik.

'Dat was hij ook,' zei de Jongen. 'Dat dacht ik tenminste.' Hij zag eruit alsof hij elk moment kon gaan huilen. 'Ga alsjeblieft mee naar binnen. Je bent mijn bezoek. Ik wil dat je komt, en hij kan er vast wel even tegen, als hij toch zo weggaat.'

Ik wist dat er een reden was waarom de Jongen altijd naar mij toe komt in plaats van andersom.

De laatste keer dat de Jongen bij me was, hadden we ergens ontbeten met S, zijn vriend. S was nu kortgeleden aan de dijk gezet door H. Wat S niet wist, was dat H toen al een paar weken met de huisgenoot van de Jongen sliep, en we hadden afgesproken het hem niet te vertellen. S leek echter vrij monter, en nu hij geen vriendin meer heeft die het kan verbieden, neemt hij motorles. Hij heeft zich al voorgenomen de motor die hij gaat aanschaffen 'de kruisraket' te dopen. Ik bood prompt aan een proefrit op zijn enorme machine te maken zodra hij in bedrijf was. Enfin, de huisgenoot die het met de ex van S deed, bedroog ook zijn eigen vriendin E, die in het huis woonde, met gemiddeld drie meisjes per week. En hoewel E geen idee had, maakten de Jongen en ik ons geen illusies over het soort man dat zijn huisgenoot was.

Wat kun je in zulke situaties anders doen dan je mond houden?

We pakten mijn bagage en liepen naar de deur. De Jongen maakte hem open en keek voorzichtig om de hoek. 'Hé, hoi, ben je er nog?' zei hij vrolijk tegen de Huisgenoot. 'Ik wilde alleen even zeggen dat ik hier ben met de bekoorlijke...'

'Nee!' loeide de Huisgenoot. 'Ik wil Dat Mens niet in mijn huis hebben.'

De Huisgenoot lijkt een hekel aan me te hebben vanwege mijn werk, maar hij heeft niet altijd de pest aan me gehad. Ik heb dan ook een heel andere theorie: hij heeft de pest in omdat ik een van de zeer weinige vrouwen ben die hij nooit, maar dan ook nooit kan krijgen. Zelfs niet tegen betaling.

De Huisgenoot is namelijk jong, aantrekkelijk, intelligent en bemiddeld. Hij heeft geen enkele moeite met vrouwen en weet dat ook. Hij heeft de afgelopen drie jaar minstens tien keer geprobeerd me te versieren, zonder enig resultaat. Ik zou nooit stiekem iets met de surrogaat-beste-vriend van de Jongen kunnen beginnen. En zijn vriendin E verdient het ook niet, nog een geheime verhouding vlak onder haar neus. Gek, hè, hoe het moreel besef opeens kan toeslaan?

Een bedrieger kan ik nog wel hebben, maar een leugenaar moet ik echt niet.

'Luister nou, ze gaat morgenochtend heel vroeg weg en je hoeft niet...'

'Ik zeg toch néé?'

De Huisgenoot kan zo doen; het is zijn huis. Het gesprek werd nog bijna tien minuten op deze vervelende voet voortgezet. Niet echt gecharmeerd ging ik in de auto zitten wachten. Toen de Jongen terugkwam, reden we even langs de snackbar voor een vette hap en slopen na een uur terug in de overtuiging dat de Huisgenoot nu toch wel weg zou zijn. Mijn humeur en libido hadden echter onder het incident geleden. Al was dat met een paar koppen warme chocola en een massage van een uur natuurlijk weer verholpen.

'Wat moeten we doen, poesje?' zei hij half slapend. 'Wat moeten we doen?'

'Kom naar Londen en trek bij me in,' flapte ik eruit. Het is toch tijd om naar een netter deel van de stad te verhuizen, een buurt waar de crackverslaafden misschien nog wel langs je deur strompelen, maar niet in je gang instorten.

'Geld speelt wel degelijk een rol,' zei hij.

'Je kunt op mij teren tot je een baan hebt gevonden,' zei ik. 'Ik heb geld genoeg.' O, gruwel, dat had ik niet mogen zeggen, herinner hem daar nou niet aan!

'Het komt nogal onverwacht,' zei hij.

'Je zou naar je ouders kunnen vliegen in plaats van te rijden,' zei ik.

'Dat is waar.'

'En je zou een mooier huis hebben.' Mijn flat is ingericht in de nogal kinderlijke bloemetjesstijl van verhuurders aan de klimmende klasse. 'Je hoeft nog niet te beslissen. Ik word niet kwaad als je nee zegt. Maar het is een aanbod.' O, het onderhandelen over de voorwaarden van het moderne samenwonen. Wie zei dat de romantiek dood was?

Het zou in elk geval één probleem uit de weg ruimen: dat van de oorlogszuchtige Huisgenoot. Al zou de Jongen, wanneer hij geconfronteerd werd met mijn dagelijkse handel en wandel, misschien snel genoeg krijgen van het idee. Maar ik zou zeker een vriendelijk gezicht kunnen gebruiken, en een

79

voetmassage, gezien de mishandeling die deze in naaldhakken gestoken voeten dagelijks ondergaan.

Mardi, 16 décembre

Aangezien ik contant betaald krijg, moet ik vrij vaak naar de bank, en ik ga meestal naar dezelfde. Aan de balie zitten van nature nieuwsgierige mensen die wel hersendood zouden moeten zijn om zich niet af te vragen waarom ik diverse keren per week met bundels bankbiljetten binnenkom die ik op twee rekeningen stort, waarvan er een niet op mijn naam staat.

Ik kwam een keer bij de bank met een afschrift met gegevens. De Jongen had op de achterkant getekend. Hij heeft op de kunstacademie gezeten, ergens in een ver, lang vergeten verleden, en krabbelt en schetst nog steeds op losse papiertjes. De baliemedewerkster draaide het afschrift om en keek van de tekening naar mij. 'Wat goed. Hebt u dat gemaakt?' vroeg ze. 'Ja, ik ben striptekenaar,' jokte ik. De baliemedewerkster geloofde het en knikte. Zo zijn ze bij de bank gaan denken dat ik met tekenen aan de kost kom. Of ze de volgende logische stap hebben gezet, namelijk zich afvragen waarom een erkend kunstenaar zich contant laat betalen, is me niet bekend.

Een voordeel van mijn werk is dat ik mijn boodschappen niet in de middagpauze hoef te doen. Ik ga dan ook vaak 's middags winkelen.

'Woont u hier in de buurt?' vroeg de groenteboer bij de ondergrondse op een dag toen ik appels en kiwi's stond uit te zoeken.

'Vlak om de hoek,' zei ik. 'Ik ben kinderjuf.' Een schaamteloos ongeloofwaardige leugen, want ik heb nooit zichtbaar kinderen in mijn kielzog, of de Jongen moet bij me logeren, en ik doe altijd eenpersoons inkopen. Toch vraagt hij nu zo af en toe hoe het met de kinderen gaat.

Ik kom heel zelden flatgenoten tegen, behalve 's avonds, en dan zien ze me helemaal opgedoft in een jurk of mantelpak, dik opgemaakt met net gewassen haar op de taxi wachten. 'Avondje uit?' vragen ze dan.

'Ja, naar de verloving van mijn beste vriendin,' zeg ik dan. Of: 'Ja, borrelen met collega's.' Ze knikken en wensen me veel plezier. Ik glip naar buiten met de vraag wat ik de taxichauffeur op de mouw zal gaan spelden.

Mercredi, 17 décembre.

Vandaag met de A's geluncht. Ze jagen niet altijd als roedel, maar als het zover is, is geen eetgelegenheid veilig.

A1, 2, 3 en 4 zaten al in het Thaise restaurant te wachten. Vreemd genoeg kwam ik als laatste; minstens drie A's zijn van nature laatkomers. We zoenden elkaar en kozen een hoektafel.

A1 gaf een kneepje in mijn knie en kakelde als een geile oude bok. A2 knipoogde over de kaart naar me. A3 zat met een nors gezicht in de hoek, zoals zijn gewoonte is, en A4 grijnsde vrolijk in het niets.

'En, wat gaan jullie vandaag doen?' vroeg ik.

'Niets bijzonders,' zei A1. Hij sprak zo afgemeten als een onderwijzer.

'Helemaal niets bijzonders,' zei A2.

A4 glimlachte naar me. 'Zoveel mogelijk van jouw tijd verspillen.'

'Moeten jullie niet naar je werk?' Ze wonen niet allemaal in Londen, maar komen er min of meer regelmatig voor zaken.

'In theorie wel,' bromde A3. Hij is die rossige. Stugge noorderling. En dat bedoel ik bewonderend.

'Onzin,' zei A2, zich tot mij wendend. 'En jij? Dingen doen, mensen zien?'

'Later pas,' zei ik. De serveerster kwam de bestellingen opnemen. A1 bestelde het dagmenu voor ons allemaal. We wisten geen van allen wat het was. Het gaf niet. A3 leek zijn kaart niet te willen afstaan. A2 informeerde naar de Jongen.

'Ik heb hem gevraagd bij me in te trekken,' zei ik.

'Dom,' zei A1.

'Heel dom,' vond A2.

A3 mompelde onverstaanbaar en A4 bleef zonder goede reden glimlachen. Daarom vind ik hem zo leuk.

Mijn telefoon zoemde in mijn zak. Het was de manager. Ze vroeg of ik 'voor vier' in Marylebone kon zijn.

'Om vier uur of voor vier mensen?' Ze bedoelde de tijd. Ik keek op mijn horloge. Heel haalbaar. De A's deden alsof ze geen luistervinkje speelden.

De meeste mensen fronsen hun wenkbrauwen wanneer ze erachter komen dat mijn beste vrienden voornamelijk mannen zijn, en voornamelijk mannen met wie ik heb geslapen. Vreemd, dunkt me. Met wie moet je anders slapen dan met je vrienden? Met wildvreemden soms?

Nee, laat maar.

Ik begon seks leuk te vinden vanaf de eerste keer dat ik met A1 sliep. Die middag staat me nog helder voor de geest. Zijn grote gestalte nam het licht weg dat door het ene raam van zijn flat viel. Ik glimlachte naar hem op. We lagen naakt in elkaar verstrengeld. Hij pakte een van mijn enkels en duwde mijn been helemaal omhoog. Toen kwam hij op me liggen en penetreerde me.

'Wat doe je nou?' piepte ik.

'Ik wil je hele kont tegen mijn lijf voelen,' zei hij. Het was niet mijn eerste keer, verre van dat, maar dat had het net zogoed wel kunnen zijn. Eindelijk een man die wist wat hij wilde en, nog beter, wist wat hij moest doen om het te krijgen.

A1 en ik hadden een paar jaar een relatie die, afgezien van de seks, moeizaam verliep. Zodra we onze kleren uit hadden, was alles mogelijk. Ik wist dat ik hem alles kon vragen en hij mij ook. Meestal vonden we alles wat de ander wilde goed, maar als er een voorstel werd afgewezen, werden we niet boos. Hij was niet de eerste man die zei dat ik knap was, maar wel de eerste van wie ik het geloofde, en de eerste, afgezien van de sauna in de sportschool, bij wie ik naakt rond durfde te lopen. En ik aanbad zijn lichaam: Ai is groot, maar niet te groot, gespierd en harig. Zijn donkere, steile haar en gruizige stem waren heerlijk anachronistisch. Hij was het soort man dat in de jaren vijftig een magnaat had moeten zijn.

We hadden ongelooflijke ruzies. Ik denk dat ik mijn passie jegens hem niet kon hanteren. Het was me te intens en te glibberig, het vloeide als kwik door mijn handen. We maakten het natuurlijk altijd weer goed in de slaapkamer. Of op de keukentafel. Of op zijn bureau op zijn werk, als zijn baas naar huis was. In een lift. In het postkantoor.

En we deden het op alle manieren die we konden bedenken, van exotisch (dubbele penetratie, boeien, plasseks) tot gênant prozaïsch (in de missionarishouding terwijl hij naar een voetbalwedstrijd op tv keek). Later heb ik meer en viezere dingen met andere mensen gedaan, maar ik heb nooit meer zo sterk het gevoel gehad dat ik mijn grenzen verlegde.

Hij was de eerste die me billenkoek met een peddel gaf; in ruil daarvoor bewerkte ik zijn achterste met een dubbelgevouwen leren riem terwijl hij over een bank leunde, met zijn geslachtsdelen in zijn hand om ze te beschermen. Zijn indrukwekkend gevarieerde pornoverzameling was mijn eerste kennismaking met harde porno, en we kochten samen nieuwe tijdschriften die we gniffelend categoriseerden. De dingen die hij leuk vond – watersport, anaal, vrouwen met kikkerdrilachtig van hun gezicht druipend sperma – kregen hun plaats, en zelfs de dingen die hij niet leuk vond, zoals seks met dieren en lesbische seks kregen hun plaats, want hij was een collectioneur. De expliciete toestemming gewoon naar iemands lichaam te kijken, in tegenstelling tot de steelse blik in de sportschool of een heimelijk kijkje voordat het dekbed omhoog werd getrokken en de lichten uitgingen, was heerlijk.

Met A2 begon het een paar jaar nadat A1 en ik uit elkaar waren gegaan. Hij was een gevoelige minnaar. Niet zozeer teder, maar sterk en langzaam. Hij leek geen overbodige bewegingen te maken, en ik was in de ban van zijn lange, berekende stappen. Soms leek hij nog een tiener met zijn lichte huid en blonde haar. Of nog jonger; een uit zijn krachten gegroeid kind. Van het begin tot het eind van onze verhouding voelde geen lichaam en geen aanraking altijd zo precies goed als de zijne. Geen vingers en geen tong kwamen ooit zo dicht bij mijn voorstelling van de ideale minnaar. Zijn lichaam was slank maar gespierd. Lang, maar niet overdreven lang. Geen gram te veel.

Hij had een wasmachine, ik niet. Toen ik op een dag mijn was kwam brengen, vond ik een van mijn eigen slipjes in de verder lege trommel. 'Wat doet die daar?' vroeg ik.

'Ik miste je toen je het afgelopen weekend naar huis was gegaan, dus toen heb ik je slipje gedragen,' zei hij.

Ik inspecteerde het elastiek. Hij had zulke smalle heupen dat het slipje nog heel leek te zijn. 'Misschien moeten we een paar broekjes voor je kopen,' zei ik voor de grap.

'Misschien wel,' zei hij, en hij meende het.

Ik had zijn sleutel. Na het ontbijt (toast met gepocheerd ei als ik honger had, cappuccino en een snee challah als ik geen honger had) fietste ik naar het huis van A2. Hij stond laat op en meestal was hij aan het douchen als ik kwam. De slaapkamerdeur stond open en ik liep naar de bureaula waar tegen de vijfentwintig slipjes in lagen. Ik koos er een uit, legde het in de la van zijn nachtkastje en ging weer naar de woonkamer. Hij kwam onder de douche vandaan en kleedde zich aan zonder iets over het slipje te zeggen, dat voor later was.

We waren het grootste deel van de dag samen. Hij werkte thuis; ik werkte af en toe in een boekhandel in de buurt. Als ik werkte, nam hij vrij om me koffie en thee te brengen. We lazen de literaire supplementen, ik gaf hem de gebonden proeven van nog te verschijnen boeken uit het magazijn. Mijn collega's waren een gestoorde, absint drinkende vrouw van middelbare leeftijd en de vaak afwezige, nimmer blije baas. Het draaide er bijna elke week op uit dat ik de helft van hun uren overnam, maar ik vond het niet erg. Er waren boeken, meer dan genoeg. En de zeldzame keren dat er een bekende auteur kwam, waren opwindend, al viel het me op dat de meesten binnen kwamen zeilen en meteen gingen kijken hoe hun boeken op de planken stonden voordat ze mij kwamen begroeten.

Na mijn werk wachtte A2 me thuis op. Ik kwam binnen en liep zonder iets te zeggen naar de bank, waar hij met zijn armen over de rugleuning zat, en maakte zijn gulp met mijn tanden open. Altijd weer moeilijker dan ik dacht. Dan de eerste glimp zijde of kant, vervormd door zijn stijve. Ik duwde mijn gezicht in zijn kruis en rook het zweet van een dag, pis en voorvocht door de stof heen. Ik knabbelde en likte het ondergoed tot het aan hem vastgeplakt zat.

A2 vond het heerlijk om aan me te plukken, me op zijn handen om te draaien. Hij kleedde me uit, maar hield zijn meisjesslipje aan. Wanneer hij bij me binnenkwam, vrijwel altijd anaal, was het met het slipje opzij getrokken, zodat het de wortel van zijn penis afknelde en om zijn ballen spande.

Na een paar maanden waren de slipjes niet genoeg meer. Ik kocht een korte, bonte zomerjurk die hij paste. Ik lachte, neukte hem met zijn jurk aan en werd maar een beetje somber van het idee dat A2 smallere heupen en mooiere benen had dan ik.

'Ga mee naar de uitverkoop,' zei hij op een zaterdag. Ik hoefde niet te vragen of we inkopen voor hem of voor mij gingen doen. Al snel kregen de onderbroekjes in de la gezelschap van een aantal leuke korte jurken.

Ik wist dat er een andere vrouw was. Hij had het me al verteld voordat we voor het eerst met elkaar naar bed gingen. Waarschijnlijk maakte ik mezelf wijs dat het bijna uit was, want ze woonde uren ver weg en ik had begrepen dat ze hem altijd slecht had behandeld. Tot hij een keer naar vrienden ging in de stad waar ze woonde. Ik probeerde het kriebelende gewicht van de sleutel in mijn zak een paar dagen te negeren, maar uiteindelijk werd de verleiding te groot. Ik haalde zijn hele huis overhoop op zoek naar bewijzen van haar bestaan, zoals mails en foto's. Er was er een bij die mijn hart brak: haar prachtige gezicht, glimlachend boven een roze satijnen pyjama die openhing tot aan haar middel. Ik vond haar naam en nummer en belde haar op. Er werd niet opgenomen. Ik sprak iets in: ik ben een vriendin van A2, ik wilde je even spreken, geen paniek, het is niet dringend.

Ze belde terug. 'Hallo,' zei ze vermoeid.

Het viel me zwaar niet te gaan krijsen. Er klopte een ader in mijn nek. 'Weet je wie ik ben?' vroeg ik.

'Ik ken je van naam,' zei ze. Ik vertelde haar over A2 en mij. Ze luisterde stil. 'Dank je,' zei ze toen ik klaar was. De dag nadat hij terugkwam, ging ik met zijn sleutel naar binnen, maar hij stond niet onder de douche.

Hij zat me op te wachten. Ik had haar van streek gemaakt, zei hij. Met welk recht?

Ik had er geen antwoord op en stond te trillen van woede. Welk recht heeft wie dan ook om jaloers te zijn?

Een docent gaf de meisjes van onze klas een les over het huwelijk. 'Liefde is een beslissing,' verklaarde hij ten overstaan van een lokaal vol hormonaal geladen tieners. We schamperden. Liefde is geen beslissing; films en liedjes beweren iets anders. Het is een kracht, het is een deugd. We waren nog op die gezegende leeftijd dat je de beste vriend van je broer op je kamer kunt pijpen en toch nog in die ene ware liefde blijven geloven.

Toen viel ik voor iemand die me kwetste, en geleidelijk draaide ik bij naar het standpunt van die docent. Voordat iemand binnen kan komen, moet je de deur openzetten. Als hij eenmaal binnen was, was er natuurlijk geen garantie meer dat je de situatie in de hand kon houden, maar het was iets begrijpelijks, al was het niet volkomen logisch.

Ik had de situatie in de hand, dacht ik dus, maar die eerste jaloezie scheurde me net zo aan stukken als mijn eerste liefde. We ruzieden en neukten, neukten en maakten ruzie, en toen begonnen we meer te ruziën en minder te neuken.

En áls we nog eens met elkaar naar bed gingen, was het anders. Vroeger trok hij een slipje aan en bukte zich over de bank. Dan gaf ik hem lachend met de zweep. Na een paar minuten renden we naar de badkamer, waar hij opgewonden het broekje naar beneden trok en in de spiegel keek. Als ik het patroon van de stof nog niet in zijn huid had gestriemd, gingen we terug om het nog eens te proberen.

Tegen het eind ranselde ik hem alleen maar af tot zijn huid rauw was en vol bloed zat. Tot hij zei dat ik moest ophouden.

De keren dat we het bed deelden, sliep A2 met zijn armen om me heen. Ik schop en vecht 's nachts tegen lakens en dekens; hij beteugelde me. Ik wrijf mijn benen langs elkaar als een krekel; hij warmde mijn koude voeten tussen de zijne. Altijd als zijn hand op mijn buik lag, werd ik wakker en verwonderde me niet alleen over zijn roerloosheid (slapend was hij maar iets minder levendig dan wakend) maar ook over zijn argeloosheid. Het lichaam is zo ongepantserd: het succes van onze soort is afhankelijk van wat er in onze huid zit, niet van duizenden stekels erop. Als hij sliep, kon ik hem iets aandoen. Als hij zich omdraaide en zijn ruggengraat blootstelde, kon ik hem zó aanvallen.

En op een keer werd ik vóór de wekker wakker en zag een volkomen grauwe ochtend achter de open gordijnen. Ik hoorde A2 zuchten, keek om en wenste hem wakker. Hij draalde nog in de schemer van de slaap en hield zijn lange armen vreemd gebogen onder het verschoven kussen.

'Waarom stop je je handen zo in?' vroeg ik, want zijn ellebogen staken uit, maar hij had zijn handen onder het beddengoed gestopt.

'Omdat jij ze dan niet kunt afhakken,' mompelde hij, en zakte weg in een diepere slaap. De eerste ochtendmus begon in een boom te tjilpen.

Hij maakte het uit met die andere vrouw, maar ik wilde het nooit echt geloven en onze relatie verwaterde. We gingen steeds minder vaak met elkaar naar bed, tot hij op een dag een ander had en ik ook. We waren blij voor elkaar.

Jeudi, 18 décembre

N en ik hadden vandaag een kleine woordenwisseling op de sportschool. Niets ernstigs, zoals wiens bilspieren het meeste baat hebben bij het toevoegen van lunges aan de training, maar een scheiding der wegen op het gebied van het beperken van de toegankelijkheid van algemene voorzieningen en uitkeringen. Hij was vóór, en ik geloof dat de woorden 'paranoïde vluchtelingenhater' door mijn hoofd geschoten zouden kunnen zijn, zo ze niet echt uit mijn mond zijn gekomen.

We slaagden erin zonder elkaar te wurgen bij mij thuis risotto te gaan eten. Het gesprek bleef op veiliger terreinen, namelijk schoenen, rugby en wie van de voetbalvrouwen het beste decolleté heeft. Ik weet zeker dat we het uiteindelijk wel zullen bijleggen – zowel het decolletédebat als die asielzoekerskwestie. Desondanks duurt onmin altijd langer wanneer je niet meer met elkaar kunt neuken.

Vendredi, 19 décembre

De manager is een schat, maar wel warrig. Voorbeeld: ik zat achter in een taxi terwijl de chauffeur naar het Royal Kensington Hotel zocht, dat overigens niet bestaat.

Ik was al een kwartier te laat. Ten slotte besloten we dat ze het Royal Garden Hotel bedoeld moest hebben. De chauffeur wachtte buiten terwijl ik de naam en het kamernummer aan de balie navroeg. Het klopte inderdaad. Ik stak mijn duim op naar de chauffeur en hij reed weg.

De klant had net gedoucht en liep in een witte badjas. We gingen naar de woonkamer van de suite, waar een andere vrouw, al met ontbloot bovenlijf, wijn zat te drinken. Het was een klein blond snoesje uit Israël.

Ik deed haar rok en schoenen uit en trok de strikjes van haar zwarte zijden slipje met mijn tanden los. Ik had begrepen dat ze zijn vriendin was, maar op de een of andere manier klopte het niet. Hij leek haar niet beter te kennen dan ik. Als ze aan het werk was, kwam ze beslist niet van mijn bureau. Maar je kunt je vergissen, en in triootjes met iemands vriendin kun je het beste de vrouw met aandacht overstelpen. Het was geen beproeving; ze rook naar babypoeder en smaakte naar warme honing.

We verplaatsten ons naar de slaapkamer. Hij nam me van achteren en zij knielde om me met haar tong, vingers en een

minivibrator te bewerken. Ik vond zijn opmerkelijk gladde lichaam fascinerend – iemand heeft veel tijd in de ontharings-
salon doorgebracht, dacht ik. Het effect werd bedorven door
zijn ruige, onverzorgde baard. Zijn snorharen kriebelden en
prikten toen hij aan mijn meisjesdelen lebberde.

'Ik weet niet wat je van plan was,' zei ik toen mijn tijd er
bijna op zat, 'maar het lijkt me fantastisch als je over onze gezichten klaarkomt.'

Het Israëlische meisje likte langs haar lippen en gaf me een
knipoog. Een beroeps. Moest wel, kon niet anders.

Daarna pakte ik een flesje abrikozenolie en zij gaf de klant
en mij de heerlijkste massages. Als ik er niet zo van had genoten, zou ik jaloers op haar vaardigheid zijn geweest. Terwijl zij
de rug van de klant beklopte en kneedde, raapte ik mijn kleren uit de kamers bij elkaar.

De klant ging mijn jas voor me pakken. Ik gaf het meisje
een zoen en knikte naar de flacon massageolie in haar handje.
'Hou maar, jij kunt het beter gebruiken dan ik.' Hij kwam
terug en sloeg een bezitterige arm om haar heen, en ik wist het
niet meer. Escort? Vriendin? Ik kon het niet zeggen. De fooi
die hij me toestopte, stond gelijk aan het honorarium.

Samedi, 20 décembre
Ik ga naar huis om vrienden en familie te bezoeken, zoals ik
elk jaar doe. De Jongen is een paar weken naar zijn ouders, zoals hij elk jaar doet. Ik denk dat sommige dingen onaantast-
baar moeten blijven voor de inbreuk van het stelletjesschap, en
familieleden dronken zien worden waarna ze op de wc in slaap
vallen is een van die dingen.

Reizen per trein is een zeer opwindend wonder van de moderne tijd. We hebben niet te weinig snellere, goedkopere en
comfortabeler manieren van reizen uitgevonden, maar staan

erop een gedateerde en, mag ik zeggen, hoogst onpraktische transportmethode in stand te houden. Bij welke andere wijzen van vervoer wordt er van je verwacht dat je zelf maar ziet hoe je bij het begin- en eindstation komt, wacht tot het de maatschappij schikt je reis te beginnen, uren blijft zitten zonder zelfs maar een gratis glas lauwe prik te krijgen, terwijl de tafels en stoelen zodanig zijn geplaatst dat je gedwongen bent je dijen te schurken aan die van iedere smeerlap tussen King's Cross en Yorkshire?

Ik vind het heerlijk, dat weten jullie best.

Ik heb de reis zo vaak gemaakt dat ik een paar seconden voordat de stem van de conducteur door de luidspreker klinkt al weet dat we er over een minuut zijn. Ik weet ook welke coupé het dichtst bij de uitgang zal stoppen en ik kan geblinddoekt een rondleiding door het station geven. Zelfs als er niemand op me wacht en ik weet dat er een rij van twintig minuten bij de taxi's staat, is het een genot om uit de trein op het perron te stappen. En de warme gloed van het weer op eigen terrein te zijn duurt oneindig lang, of tot ik bij het huis van mijn ouders aankom. Wat er maar het langste duurt.

Dimanche, 21 décembre

Pap en ik gingen vlak na zonsondergang wandelen. Hij beweerde dat hij kramp in zijn benen had van al het zitten, maar ik vermoed dat hij mijn moeder wilde ontvluchten, die in een feestelijke overversnelling is geschoten. Ze is een feestbeest dat elke gelegenheid aangrijpt en met vijf of zes ideeën tegelijk jongleert. Het laatste wat we weten, is dat ze probeerde ons in de stemming te krijgen voor een Eid-vuurwerkfeest. Aangezien ik maar een vaag benul heb van wat Eid is, wie het viert en op welke schoenen ik reikhalzend in de achtertuin naar veelkleurige kruitdampen zou moeten kijken, koos ik voor de wandeloptie.

Er zat vorst in de lucht, net genoeg om tintelende wangen en oren te krijgen. We liepen langs een huis met een rokende schoorsteen. 'Steenkool,' zei pap gezaghebbend. Toen ik klein was, hadden we een houtkachel waarop ook werd gekookt. Ik was heel verdrietig toen hij werd vervangen door een nieuw, elektrisch fornuis en een nephaardvuur.

Toen we terugkwamen, was het huis donker. Een bezorgd ogende man duwde zijn auto van de onze af. Hij deed een dansje van de ene voet op de andere in een poging onschuldig over te komen, wat heel moeilijk is als jouw voorbumper zich in de stationcar van een ander heeft geboord.

Pap floot tussen zijn tanden. 'O-o, daar zal de vrouw niet blij mee zijn,' zei hij tegen de onbekende man, alsof de dreiging van mijn moeders toorn voldoende was om een wildvreemde ervan te weerhouden zich uit de voeten te maken. Hij liep om de plaats van het ongeluk heen. Zelfs ik kon zien dat het niet erg was, een krasje in de lak, maar de onbekende had duidelijk een kerstborreltje gedronken en raakte in paniek.

'Ik weet het niet, hoor,' zei pap, en hij maakte smakkende geluiden. 'Het zou een grote schade kunnen zijn.' De man smeekte om clementie. Het gebruikelijke liedje: strafpunten op zijn rijbewijs, beroerde verzekering, vrouw thuis op het punt van een veelkoppige hydra te bevallen en alleen zijn snelle thuiskomst kon haar redden.

'Weet je wat?' zei mijn vader, over zijn kin strijkend. 'Geef me tweehonderd, dan staan we quitte.'

'Ik heb maar honderdtwintig bij me.'

'Honderdtwintig en die fles whisky op je voorbank.'

De man knikte stuurs en overhandigde het gevraagde. Mijn vader zakte door zijn knieën en met gezamenlijke inspanning maakten ze de bumpers van elkaar los. De man stapte in zijn sedan en reed langzaam weg, nog wat bedankjes prevelend. Wij wuifden hem na tot hij de hoek omsloeg.

'Nou, dat had de gemoederen kunnen verhitten,' zei pap, toen hij de voordeur openmaakte. Hij gaf me de helft van het geld. 'Zullen we maar niks tegen je moeder zeggen?'

Lundi, 22 décembre

De eerste prostituee die ik ooit zag, was een vriendin van mijn vader. Het was in deze tijd van het jaar. Ik studeerde nog.

Hij is geen pooier, ik zweer het. Mijn vader heeft de gewoonte onmogelijke projecten op zich te nemen. Waarschijnlijk zou hij in aanmerking komen voor een heiligverklaring als hij een, nou ja, een dode katholiek was. Zijn altruïstische pogingen variëren van het doen herrijzen van een gedoemd restaurant tot het rehabiliteren van een reeks gedoemde vrouwen. Het is een neiging die tot niet geringe ijzigheid aan de kant van mijn moeder leidt, maar ze heeft inmiddels een paar decennia aan zijn weekhartigheid kunnen wennen.

Ze wist al voordat hij zijn mond had opengedaan wanneer hij weer een mislukte missie op zich wilde nemen. 'Jij hebt maar één reden om met bloemen aan te komen zetten,' blafte ze dan vanuit de keuken, 'en het is niet onze trouwdag.' Misschien kunnen we beter háár naam aan het Vaticaan doorspelen.

Het was winter. De feestvreugde was dat jaar niet aan me besteed wegens liefdesverdriet en omdat ik geen christen ben. Het vulgaire van de kersttijd kan soms charmant zijn, en soms irritant, maar dat jaar was het niet te harden. Ik zag alleen maar mensen die vreugde putten uit een gebeurtenis die voor het grootste deel van de wereld geen enkel belang heeft, aanschouwelijk gemaakt met meters rafelige slingers en ongewenste cadeaus. Toen ik op een middag bij de bank in de rij stond, zag ik mijn vervormde weerspiegeling in een goedkope rode kerstbal en besefte opeens hoe vluchtig en zinloos alles was: Kerstmis, de bank en de wereld in het algemeen. Ik kon niet eens woede voelen omdat ik in de steek was gelaten. Ik voelde me verslagen. Ik deed dus wat ieder verwend oudste kind zou doen en ging naar huis om een paar weken lekker te mokken.

Mijn vader nam me ten bate van mijn herstel mee naar een van zijn 'vriendinnen'. Ze was net uit de gevangenis gekomen, waar ze had gezeten wegens fraude in het kader van haar drugsverslaving, kreeg ik te horen. Nu ze de voogdij over haar kinderen terug had, werkte ze als schoonmaakster in een hotel en probeerde niet meer de hoer te spelen. Leuk. Ik glimlachte bedrukt en we gingen op weg.

We zaten een kwartier zwijgend in de auto. 'Ik weet dat je moeder ertegen is,' zei pap opeens, alsof ik het nog niet wist.

Ik gaf geen antwoord en keek door het raampje naar mensen die uit de winkels de avond in stroomden.

'Het is een schat van een mens,' zei hij over de vriendin. 'Haar kinderen zijn echt leuk.'

Mijn vader kan absoluut niet liegen. In haar deprimerende keuken vergastte ze ons op het verhaal van een rottende infectie onder haar duimnagel die tot een week niet werken had geleid. Haar twee zoons waren zoals ik me had voorgesteld: de oudste, die een jaar of vijftien was, loerde door mijn in drie lagen kleding verpakte figuur en zijn broertje was niet van de tv los te weken.

Ik bleef maar denken aan mijn ex, die me plotseling had laten vallen met verwijten aangaande mijn snobisme en totale gebrek aan inlevingsvermogen. Goh, bedankt voor de nutteloze informatie.

De volwassenen gingen met de oudste zoon naar buiten om zijn fiets te bekijken, een uit een container geredde roesthoop die verfrommeld bij de voordeur lag. Mijn vader, die vrij handig is, beloofde ernaar te kijken. Ik wist dat het aanbod er eerder in zou resulteren dat hij de jongeman geld gaf dan dat hij de fiets zou redden en bleef met een kwaaie kop binnen zitten kijken hoe de jongste zoon de afstandsbediening maltraiteerde.

Zodra de anderen weg waren, sprak hij me aan. 'Wil je mijn vogel zien?' vroeg hij.

Mijn hemel, was dat een soort eufemisme? 'Graag,' zei ik.

We liepen naar het raam en hij zette het open. Erachter groeide een grote hulststruik. Hij klikte met zijn tong en wachtte. We hoorden alleen scooters en dronken mensen in feeststemming die uit een café kwamen.

Hij klikte weer met zijn tong en floot. Toen kreeg hij antwoord van een pimpelmeesje dat uit de struik vloog en op zijn schouder landde. Toen hij zijn hand ophield, streek het daarop neer.

Hij draaide zich om en zei dat ik mijn hand moest uitsteken. Hij legde uit dat ik mijn hand moest wegtrekken, zodat het meesje viel, en het dan vangen zodra het zijn vleugels spreidde. 'Zo heb ik hem leren vliegen,' zei hij.

'Heb jij hem leren vliegen?'

'Zijn moeder was door een kat gedood, dus hebben we het nest naar binnen gehaald,' vertelde hij. 'We vingen krekels en voerden de jonkies met een pincet.' Er hadden er zes in het nest gezeten, maar alleen deze had het gehaald. Hij liet me nog een kunstje zien: hij zette het meesje op zijn schouder en draaide zijn hoofd naar rechts, naar links en weer naar rechts. Telkens als hij zijn oor aanbood, piepte de vogel erin.

De anderen kwamen terug. De oudste zoon bloosde van voldoening dat hij mijn vader een deel van de inhoud van zijn portefeuille afhandig had gemaakt. De vogel vloog weg en de jongste zoon deed het raam dicht. Hun moeder kletste vrolijk over een lichte ziekte van kortgeleden die naar haar vaste over-tuiging te wijten was aan de kwaliteit van het eten in de peni-tentiaire inrichting. 'Je krijgt haast niks, je verhongert zowat, en toch word je dik.' We dronken nog een kop thee met een kersenbonbon en toen reden mijn vader en ik zwijgend naar huis.

Mardi, 23 décembre

Lange jas: in orde.

Donkere zonnebril: in orde.

Alibi van een uur voor de ouders: in orde. Ik ben de deur uit en vrij.

Ik was op tijd voor het rendez-vous. Hij was te laat. Ik nipte koffie en deed alsof ik de krant las. Hij glipte ongezien naar binnen en kwam tegenover me zitten. Ik knikte naar hem en schoof het pakje over de tafel.

A4 tilde discreet het deksel op en keek in de doos. 'Weet je zeker dat dit goed is?' vroeg hij.

'Er is niets beters,' zei ik. 'Resultaat gegarandeerd.' Hij blies uit en zijn schouders ontspanden. 'Neem me niet kwalijk dat ik het vraag, maar heb je echt zo veel nodig om een week met je ouders door te komen?'

'Anders worden ze mijn dood.' Hij maakte de doos weer open en snoof diep. 'Zodra ze bloed in het water ruiken, kan ik die chocoadetruffels naar ze toe gooien. Daar koop ik min-stens een paar uur mee.'

'Geheim recept,' jokte ik. In feite had ik het op internet ge-vonden. Boter, chocola, room en rum. Zo simpel dat zelfs ik het niet kon verprutsen.

A4 en ik hebben een paar jaar een relatie gehad en zelfs een tijd samengewoond. We hadden, zoals dat heet, geen nagel om aan onze kont te krabben, maar het was gezellig samenwonen en we hadden veel gezamenlijke interesses. Namelijk over de rest van de wereld klagen. Het duurde tot ik verhuisde in een eerste van diverse mislukte pogingen om een betaalde baan te vinden. Toen ik hem het post-studentenhuis dat we hadden gedeeld een 'krot' hoorde noemen, was ik ontdaan. Ik had er altijd met genegenheid aan teruggedacht.

'Je bent mijn redding,' zei A4. Hij is degene naar wie mijn vader nog steeds vraagt, alsof we nog een stel zijn. Hij is degene van wie ik de meeste foto's heb. Er staat er een van hem in de bergen in een zilveren lijstje in mijn boekenkast. Hij kijkt naar de camera, naar mij, met zijn hand uitgestoken om niet te vallen, en glimlacht. Lief dier. Glimlacht vaak.

'Ik krijg het nog weleens van je terug.'

Mercredi, 24 décembre

Ik mis het noorden. De verhalen zijn allemaal waar. De mensen zijn hier echt aardiger. De patat is echt lekkerder. Alles is echt goedkoper. De vrouwen gaan hartje winter echt bijna bloot de deur uit.

Ik mis het zat worden voor minder dan vijf pond.

Jeudi, 25 décembre

Zo, ik heb echt weken gewacht om dit te kunnen zeggen: vrolijk kerstfeest, ho ho!

Het is Chanoeka en ik zit wit chocoladegeld te eten, wat supercool is. En geen spoor van een cadeautje van de Jongen, wat minder cool is.

Vendredi, 26 décembre

Ik kreeg mijn eerste dagboek voor mijn zevende verjaardag. Gelukkig zijn de meeste tussentijdse exemplaren verloren gegaan. Vanochtend, toen ik me kapot verveelde, zette ik me aan het opruimen van een bureau en vond een paar oude exemplaren van een paar jaar geleden. Het waren schriften met gebloemde kaften, geschreven en daterend uit de tijd toen N en ik elkaar leerden kennen.

Zodra we elkaar zagen, was het raak, en dat is een nette manier om te zeggen dat we een kamer namen in het eerste hotel dat we konden vinden. Toen we een paar dagen later weer boven water kwamen om adem te halen, begon hij over zijn vriendin J en de mogelijkheid van een triootje. Hij had vaker trio's met haar gedaan en kon instaan voor haar schoonheid en overweldigende seksualiteit.

We zaten in zijn auto bij Hammersmith naar de rivier te kijken. 'Goed,' zei ik. Ik had het niet vaak met een vrouw gedaan, maar gezien alles wat we dat weekend hadden bereikt, leek weigeren me niet mogelijk. Hij belde haar op om een afspraak te maken, en in het dagboek wordt het vervolg aldus beschreven:

We haalden J thuis op en gingen brunchen. Lekker eten, over seks en onderwaterarcheologie gepraat.

Weer bij haar thuis maakte ik warme chocolademelk voor N en mij. Toen hij de kamer uit ging, kuste ze me en vroeg hoeveel vrouwen ik had gehad. Ik loog dat het er acht of negen waren.

We dronken de chocolademelk op en N zei dat hij een dutje ging doen. J nam me mee naar haar slaapkamer, waar een groot wit bed stond met kussenslopen waarop in sierlijke letters *La Nuit* stond.

We omhelsden en kusten elkaar. J leek piepklein, tot ik mijn schoenen uittrok en we even groot bleken te zijn. Haar kont zag er in de crèmekleurige gestreepte broek al goed uit, maar bloot nog beter. De vorige avond had N gezegd dat ik de beste kont had die hij ooit had gezien, maar volgens mij is die van J

beter. Haar hals, huid en haar roken zo lekker dat ik me opeens bewust werd van mijn eigen zweet. 'Heeft N dat gedaan?'
vroeg ze toen ze de diepe krassen in mijn schouder zag. Ik liet
haar de donkere blauwe plekken op mijn dijen en de lichte
striemen van zijn lul op mijn gezicht zien. Ze zei dat ik moest
gaan liggen en toen blinddoekte ze me en bond mijn handen
vast.

Ze streek met een zachte meerstrengige zweep over mijn
lijf. 'Weet je wat dit is?' 'Ja.' 'Wil je het?' Ze bewaarde de hard-
ste klappen voor mijn borsten en neukte me met een twee-
koppige dildo.Toen ik mijn gezicht in haar kruis duwde, maakte
ze me los en deed de blinddoek af. Ik likte haar door haar slipje heen en trok het toen uit. J was vanonder kaalgeschoren.

Ik kreeg haar zo klaar met mijn vingers. Daarna zag ik dat
N vanuit de deuropening toekeek en ik vroeg hoe lang hij daar
al stond. 'Sinds de blinddoek op ging,' zei hij. 'Ik rook jullie al
voordat ik bij de deur was.'

Toen kwam J's vriendje en wordt het dagboek een beetje vaag.
Om een lang verhaal kort te maken: hij had een probleem met
N, namelijk dat hij niet wilde dat J door N werd aangeraakt.
Uit frustratie flapte N eruit dat J's man mij in dat geval ook
niet mocht aanraken. In plaats daarvan deed N een mislukte
poging me te fistfucken. Ik was zo afgeleid dat ik niet klaar
kon komen. J pijpte haar vriend, we douchten afzonderlijk,
wisselden telefoonnummers uit en N en ik vertrokken. Hij
zette me bij King's Cross af en vroeg of ik nog iets nodig had
voor de reis. Een doel om voor te leven, schertste ik. Eten en
seks dus, zei hij prompt, en ik lachte. Ik heb hem sindsdien
een aantal keren aan dat filosofische inzicht herinnerd, maar
hij weet er niets meer van. Toen ik door het station liep, voelde ik me lichter dan lucht, verdwaasd. Gelukkig.

'Tja,' zei hij schokschouderend vlak voordat de treindeuren zich sloten, 'vier in een bed zal wel te veel zijn.'

Ik herinner me dat ik tijdens de rit naar het noorden masturbeerde. Het was niet eenvoudig, want de coupé zat vol en er kwamen telkens mensen naast me zitten. Ik wilde het niet op de wc doen. Maar ik had uren de tijd, en knoopte mijn broek zo langzaam los als nodig was om het volmaakt stil te doen. Ik kwam klaar terwijl een Aziatisch meisje dat naast me zat zich omdraaide om met haar vriendin een paar rijen achter ons te praten. Ik had een jas over mijn schoot gelegd en deed alsof ik sliep. Later belde ik N op om het hem te vertellen. Het was ergens bij Grantham, geloof ik.

Samedi, 27 décembre

Ik ben nooit zo'n meisje geweest dat goede voornemens maakt. Zulke dingen leiden onvermijdelijk tot geheelonthoudersfeesten, onbezonnen huwelijken of erger. Ik had me ooit voorgenomen een jaar lang elke dag te flossen en mondwater te gebruiken vóór het poetsen. Dat was voordat ik besefte (ongeveer 1,4 milliseconde later) dat een dergelijk niveau van mondhygiene niet alleen waarschijnlijk nog geen week gehandhaafd kon worden, maar bovendien afstotend was. Zou jij elke dag willen ontwaken van een complete Broadway-musical met de amandelen van je geliefde in de hoofdrol? Ik dacht het niet.

Een andere keer nam ik me voor een handgeschreven dagboek bij te houden zonder het uit verveling of vergeetachtigheid op te geven. Wonder boven wonder hield ik het zes maanden vol, aangespoord door het gelijktijdig lezen van de dagboeken van Kenneth Tynan en Pepys. Het mijne leed in vergelijking met die van hen aan een tekort aan verhalen over het ontluizen van mijn pruik en nachtenlange dranksessies met Tennessee Williams.

Desondanks kan de oudste hond nog nieuwe kunstjes leren, en ik heb nagedacht over de goede daden en voornemens die ik de komende twaalf maanden ten uitvoer zou kunnen brengen.

Hierbij neem ik me voor nooit meer glijmiddel van een huismerk te kopen. Echt nooit meer.

Ik geloof dat er een kans is dat ik me aan dit voornemen ga houden.

Dimanche, 28 décembre

O, de schoot van het ouderlijk huis. Zo troostrijk. Zo knus.

Zo verstikkend, elk jaar weer. Ik ga weer naar het zuiden, voordat mam de deuk in de zijkant van de auto ontdekt.

Lundi, 29 décembre

Telefoon. Ik: 'Hallo?'

Manager (want die is het): 'Schat, sliep je?'

'Eh, nee?'

'O, okééé. Je klonk gewoon zo relaxt. Ik denk bij mezelf dat ik zo relaxt ben, maar jij bent altijd veel relaxter dan ik. Lees je veel?'

'Eh, ja?'

'Dan zal dat het zijn. Mensen die lezen, zijn zo relaxt. Maar goed, ik heb nu meteen een klant voor je. Ik weet niet wat het opeens is, maar iedereen is wild van je.' Ze zeggen dat madams sommige meisjes voortrekken en het ene meer aanprijzen dan het andere, afhankelijk van hun eigen voorkeuren, maar ik heb er nog nooit iets van gemerkt. Er lijken topweken te zijn waarin ik aanbiedingen moet afslaan en slechte weken waarin ik me afvraag of ik nog wel werk krijg, maar de manager lijkt altijd even zakelijk te zijn.

'Eh, goed?'

'Héél goed, schat. Ik zal je de gegevens sms'en. Veel plezier met je boek.'

Ik moest een ander taxibedrijf nemen dan anders. De nieuwe chauffeur nam mij niet voor zich in. Eerst reed hij in oostelijke richting en toen leek hij een ingewikkelde lus om het grootste deel van Islington heen te beschrijven. Ik zat met A4 te bellen en lette nauwelijks op de weg. Twintig minuten later, toen we een straat vlak bij mijn huis insloegen, ontplofte ik. 'Dit had ik sneller kunnen lopen!'

'Tja, het verkeer hè, op dit uur,' zei de chauffeur.

Ik keek naar rechts en naar links. Er was geen auto te bekennen. 'Ongelooflijk.' Als dit zo doorging, zou ik tien minuten te laat komen, en ik belde het bureau om het door te geven.

Ten zuiden van Hyde Park schaarde hij zich in een file die zelfs ik nog had kunnen omzeilen. 'Neem me niet kwalijk, maar weet je waar je naartoe gaat?'

'Natuurlijk.'

Ha. 'Ik kom te laat op mijn vergadering.' Je weet wel, zo'n vergadering waar je in het holst van de nacht naartoe gaat in kanten kousen met een bijpassende beha en string onder een flodderjurkje.

'Weet jij dan een betere weg?' snoof hij.

'Nee, maar dat is mijn werk ook niet.'

'Het verkeer op dit uur, ik kan er niks aan doen.'

'Onzin. Je had allerlei andere routes kunnen nemen. Twintig minuten door mijn eigen buurt rijden? En dan regelrecht een opstopping in? Kom nou, ik ben niet van gisteren.'

Hij keek in zijn spiegel om te zien of het waar was. 'Zoals ik al zei, ik kan er niks aan doen.'

'Je zou sorry kunnen zeggen.' Geen antwoord. We zwegen tien minuten terwijl het verkeer vooruit kroop. Ik was razend en ziedend en kookte over. 'Kun je me er niet gewoon uit laten?'

'Natuurlijk, dame, je zegt het maar.' Ik stapte uit zonder te betalen, het vastzittende verkeer in. We waren net langs een taxistandplaats aan de kop van North End Road gekomen; daar liep ik regelrecht naartoe. De tweede chauffeur bracht me in vijf minuten naar mijn afspraak en het kostte maar vier pond, een koopje, dus gaf ik hem zes pond fooi.

Gelukkig had de klant veel begrip en hij bood me een drankje aan. Ik ben gek op die Engelse archetypen: kostschooljongen, in de dertig, directeur van de zaak van zijn vader. Zo iemand die 'santé' zegt voor de eerste slok. Fan van Boris Johnson. Ik kleedde me onder aan de trap tot op mijn ondergoed uit en hij zag me langzaam naar boven komen.

Boven bleef ik staan, draaide me om en keek over mijn schouder. 'Waar heb je zin in?'

'Ik wil met je naar bed.'

'Helemaal compleet, op de Barry White-manier?'

'O, ja.' We worstelden bijna een uur tussen de lakens. Zijn zachte, dikke haar rook een beetje metalig. 'Hoe kan ik jou laten klaarkomen?'

'Dat is heel ingewikkeld. Dan zijn we hier morgen nog.' Ik kom niet klaar bij klanten. Sommige mensen kussen niet, wat ik onzin vind, want het zijn tenslotte maar lippen. Maar orgasmen bewaar ik voor iemand anders. Het kost me weinig moeite – ik ben nooit zo gemakkelijk klaargekomen.

'Dat klinkt ideaal.'

'Ja, maar heb jij een linnenpers en zes geiten? Bovendien is de conjunctie van de planeten verkeerd.'

'Oké. Dat weet ik dan voor de volgende keer.' Toen ik wegging, stopte hij me zijn kaartje toe en zei dat hij een keer iets met me wilde gaan drinken. 'Jij bent aan zet,' zei hij terwijl ik zijn trap af trippelde naar de wachtende taxi. In de staccato lichtbundels van de straatlantaarns in de auto bekeek ik het kaartje. Roze met groen, gegraveerd, modieus lettertje, en ik was in de verleiding gekomen als ik nog vrij was, al kan ik me niet voorstellen hoe een stel dat elkaar zo heeft leren kennen dat ooit aan vrienden moet uitleggen.

'Ik hou niet van dat type,' zei de manager toen ik haar op weg naar huis belde. 'Hij gaat vast een verslag schrijven.' Er zijn hele websites waarop klanten de charmes van diverse escorts recenseren, en zelfs als jij denkt dat de ontmoeting geslaagd was, weet je nog niet of je een positieve beoordeling krijgt. Konden we maar gewoon terug recenseren.

De chauffeur reed voor de derde keer hetzelfde blokje om in Kensington. Ze denken zeker dat ik het niet merk.

'En, hoe was hij?'

'Een echte heer, toevallig.' Een ongelovige snuif aan de andere kant van de lijn. 'Ik kon hem om mijn pink winden.' Ik had mezelf al snel aangewend dat te zeggen, of het waar was of niet. Ik wil haar niet ongerust maken en niet in ongenade vallen.

Mardi, 30 décembre

'Ik heb een klant, hij wil op je plassen,' zei de manager. Ik zweer je, als iemand ooit transcripties van mijn telefoongesprekken in handen krijgt, denkt hij vast dat ik... O, wacht, dat ben ik ook.

'Wat wil hij?' vroeg ik, hoewel ik haar goed had verstaan.

'Plassen. Op jou. Wees maar niet bang, schat, niet op je kleren. Je zult in een bad zitten.'

'Een bad met wat? Pies?'

'Nee, een gewoon bad.'

Ik zuchtte zwakjes. 'Je weet dat ik niet aan vernedering doe.' Niet op het werk, in elk geval. Ik weet dat het gek klinkt, maar hoe erg W me ook behandelde, ik wist altijd dat hij het deed omdat hij om me gaf. Ik zou niet graag een onbekende iets dergelijks met me laten doen.

'O, nee, dat is het helemaal niet, schat,' zei ze. 'Hij wil je niet vernederen. Hij wil op een meisje plassen dat het lekker vindt.'

Uiteindelijk stemde ik toe, maar pas nadat het gebruikelijke honorarium aanzienlijk was opgewaardeerd. De klant was best aardig en leek overdreven schuchter. We praatten even en dronken iets – ik een borrel en hij een groot glas bier. Om zijn blaas te vullen, vermoed ik. Daarna trok ik hem zijn broek, ondergoed en sokken uit, deed al mijn eigen kleren uit en knielde in de lege badkuip.

Hij keek naar mij, naar de muur boven me, en zuchtte. Er gebeurde een paar minuten niets. Ik begon het koud te krijgen. 'Gaat het?' vroeg ik.

'Het lukt niet. Ik ben te opgewonden,' zei hij. Hij keek weer naar beneden. 'Als ik naar jou kijk, krijg ik een stijve. Als ik een andere kant op kijk, denk ik aan wat er gaat gebeuren en krijg ik ook een stijve.'

'Probeer aan iets te denken dat je niet opwindt.'

'Zoals?'

'Je moeder die ondergoed voor je gaat kopen. Met jou op sleeptouw. Terwijl je vijfendertig bent.' Hij schoot in de lach. Ik voelde de eerste druppels in mijn hals landen en over mijn borsten rollen.

Daarna keek hij naar me terwijl ik douchte. Toen ik mijn haar droogde en me aankleedde, begon hij vage verlegen-jongensgeluiden te maken. 'Wat is er?' vroeg ik.

'Ik geloof dat ik nog iets heb,' zei hij blozend, en hij wees naar zijn pik. 'Je hoeft geen ja te zeggen, maar zou ik het in een glas kunnen doen en...'

'Eh, nee, dank je,' zei ik. 'Gezondheid en veiligheid en zo.'

'Sommige mensen drinken het juist voor de gezondheid,' bracht hij ertegenin.

'Ja, en sommige mensen denken dat een dieet van alleen maar vlees goed voor je is.' Ik trok mijn jas aan en gaf hem een zoen op zijn wang. 'Misschien een andere keer, als ik beter voorbereid ben.'

Mercredi, 31 décembre

Oudejaarsavond en alleen in Londen.

De Jongen zou bij mij komen, of dat had ik althans te horen gekregen. Gisteravond belde hij na middernacht om te zeggen dat hij niet kon komen. Hij was gaan skiën, en kon ik niet naar hem toe komen?

Binnen twaalf uur. Op 31 december.

Ik wist niet eens dat hij met vakantie was. Waarom kon hij niet hierheen komen? Omdat het omwisselen van zijn ticket te duur was, natuurlijk. Ik kan er niet bij dat iemand die beweert zo weinig contanten te hebben, wel genoeg bij elkaar kan schrapen om de Europese skihellingen onveilig te maken, maar niet om het nieuwe jaar met zijn meisje in te luiden. Desondanks kamde ik het web af om te zien of ik door een wonder in Frankrijk kon ontwaken. Bij British Airways kon ik pas vanaf 2 januari weer boeken. Het was zelfs te laat voor last-minute.com.

Ik bedankte dus spijtig. Het leek hem eerlijk gezegd niet erg dwars te zitten. Ben ik wantrouwig? Uiteraard. Zijn reisgenoot op dit uitstapje is niemand anders dan de huisgenoot die me haat.

Ging de stad in om te lunchen, mijn haar te laten knippen en door het Victoria & Albert Museum te drentelen. Ik zag, ik zag...

- Dat iedereen die op King's Cross in de ondergrondse instapte, er bij Knightsbridge weer uit ging, waarna de volle coupés vrijwel leeg waren.
- Een man die twee honden uitliet, een kolossale rottweiler en een klein mopsje. Ze waren allebei fors en zwart, en voor elke stap van de rottweiler zette de mops er drie.
- Een tienermeisje dat een bagel met zalm en roomkaas at, gecombineerd met patat.
- Drie naast elkaar lopende mannen met alle drie dezelfde zwarte muts op.
- En drie meisjes met niet bij elkaar passende roze sjaals die hen tegemoet liepen.
- Dat op Exhibition Road, vlak bij het National History Museum, de herfstbladeren door duizenden banden tot moes zijn gereden en nu een oranjegoud patroon op straat vormen.

Janvier

Belles A-Z van de Londense seksindustrie, H t/m J

H staat voor hobbyist
Een hobbyist is een regelmatige gebruiker van escortservices. Het type varieert van de ervaren, oneindig charmante hoge-fooiengever tot de onbeschofte gierigaard die jou ongunstig vergelijkt met alle andere prostituees die hij ooit heeft bezocht. Denk erom dat je alle hobbyisten behandelt alsof ze van het eerste type zijn. Waarschijnlijk gaan ze je recenseren.

I staat voor indiscretie
Ga niet na een bezoek in de lobby van het hotel met je manager de klant en de verdeling van het honorarium bespreken. Ik heb het mensen zien doen; het is verschrikkelijk. Waar wacht je op, horden bewonderende fans? Ga naar buiten, neem een taxi, ga naar huis. Wees discreet.

J staat voor jaloezie
Als een vaste klant, en vooral iemand die je aardig vindt of die goede fooien geeft, overstapt naar een ander meisje of je op andere onverklaarbare wijze laat vallen, haal dan je schouders op. Ze betalen toch niet voor seks omdat ze een relatie willen, suffie? Er komen wel andere klanten. Er zijn altijd anderen.

J staat ook voor de jetset

Maar weinig meisjes zijn bereid op regelmatige basis meer dan honderdvijftig kilometer te reizen. Een vaste klant zou je heel goed een wereldreis op zijn jacht kunnen aanbieden, maar wees niet teleurgesteld als het er nooit van komt. Zelfs wanneer ze voor seks betalen, zijn mannen nog geneigd hun inkomen en connecties mooier voor te doen dan ze zijn om jou te imponeren en te amuseren, dus reken je niet rijk aan airmiles die je nog niet hebt.

Jeudi, 1 janvier
Gisteren met N in de stad afgesproken om iets te drinken en samen aan oudejaarsmensenhaat te doen. Ik vind het vreselijk om op oudejaarsavond uit te gaan, maar alleen thuisblijven is oneindig veel erger. N drinkt tegenwoordig Bailey's met ijs, een soort dessert in een glas. Net toen ik mijn glas hief, drong een bekende van ons zich langs me heen, waardoor de helft van mijn drankje op mijn spijkerbroek belandde.

'Wat heeft die meid?' zei ik verontwaardigd.

'Wat het ook is, na veertien dagen in een Turks bordeel is het over,' zei N. Aldus geïnspireerd, besteedden we de rest van de avond aan het opstellen van een lijst van mensen wier mentaliteit volgens ons sterk zou opknappen door een dergelijke vakantie.

Dringend toe aan twee weken in een Turks bordeel (kladversie):
– Naomi Campbell
– Penelope Keith
– Prinses Anne
– Cherie Blair
– Jordan (al zou zij het er mogelijk naar haar zin hebben)
– Samantha Fox

- Blair's Babes
- (E)liz(abeth) Hurley
- Lady Victoria Hervey
- Myleene Klass
- Alle exen en dochters van Mick Jagger
- Theresa May
- Tara Palmer Tompkinson
- Sophie Ellis Bextor
- en alle blondjes op wie de beschrijvingen 'It Girl' en 'rond-borstig' van toepassing zijn.

Vendredi, 2 janvier
Met betrekking tot klaarkomen op het werk:
Dat doe ik niet. Ik meet plezier in seks niet af aan het aan-tal orgasmen, en ik stel goede seks niet gelijk aan het vermo-gen tot een orgasme te komen. Op mijn negentiende, als ik me de persoon en het gesprek goed herinner, besefte ik dat seks om de kwaliteit van je genot draait, en die is niet altijd afhan-kelijk van klaarkomen.

Anderzijds herinner ik me ook dat dat gesprek voornamelijk bestond uit het vergelijken van ervaringen met LSD. Deson-danks is het besef dat seks een doel op zich is, me bijgebleven.

Laten we eerlijk zijn, dit is een dienstverlenende functie, geen zelfverwezenlijkingsqueeste.

Ze betalen voor hun eigen orgasme, niet voor het mijne. Er zijn genoeg mannen (meer dan je misschien denkt) die niet klaarkomen, en ze suggereren nooit dat het mijn schuld is. Soms willen ze alleen menselijk contact, een warm lijf, een ero-tische omhelzing. Meestal, nu ik erbij stilsta.

Het onvermogen van een klant om mij een orgasme te be-zorgen duidt absoluut niet op een tekortkoming zijnerzijds. Wat zijn deel van de afspraak betreft, doet hij het uitstekend, en ik vind seks om meer dingen leuk dan alleen de lijfelijke tinteling. Begeerd worden is leuk. Je verkleden is leuk. Niet het gevoel hebben klaar te moeten komen omdat je iemand anders kunt kwetsen, of het gevoel hebben dat je iemand een orgasme moet bezorgen omdat ze anders nooit meer iets van zich zal laten horen, is fantastisch.

Je hoeft niet te scoren om van een wedstrijd te genieten.

Samedi, 3 janvier
Sms van de Jongen: 'Alles goed? Ben verdrietig omdat ik bang ben dat je me niet meer wilt zien.'

Soms vraag ik me af of ik abnormaal ben. Iets te kil voor de liefde, iets te ongevoelig. Zodra iemands belangstelling voor mij begint te tanen, nemen ook mijn gevoelens af. Zoals Clive Owen in *Croupier* zei: 'Stevig vasthouden, makkelijk loslaten.'

Ik geef mensen niet genoeg kansen.

Maar misschien weet ik het als het niet goed zit. Liefde is altijd narcisme, heeft A1 me ooit verteld. Hij was ook degene die me vertelde dat vrouwen van boven de dertig geen lang haar meer kunnen hebben, dus waarschijnlijk is hij een onbetrouwbare bron, maar toch. Ik bewijs ons allebei nog steeds een dienst door geen sjoege te geven.

Er zijn meer dingen gebeurd, dingen waaraan ik niet wilde denken en die ik niet wilde opschrijven uit angst te snel te oordelen, want het zou allemaal nog vanzelf goed kunnen komen. Dat kan nog steeds. Ik kan hem opbellen, of een sms sturen, maar dat zijn zulke povere benaderingen van communicatie. Als ik niet op een rijtje kan krijgen wat er in me omgaat, hoe moet ik het dan in begrijpelijke zinnen vatten?

Als ik te lang wacht, wordt de beslissing hoe dan ook vóór me genomen.

Ik besloot al mijn geld aan lingerie uit te geven en mijn aankopen vervolgens door de kamer te werpen om over mijn lot te oordelen, als een glanzend satijnen I Tjing met kanten kruisje. De goden van Beau Bra mogen het zeggen.

Ik kocht een setje van chocoladebruine kant met roze satijnen bandjes opzij van het slipje en tussen de cups van de beha, noch voor mijn werk, noch voor de Jongen.

De ondergrondse naar huis zat tjokvol koopjesjagers en toeristen. Ik probeerde te raden wat er in de glanzende papieren tassen zat. Zakdoeken? Stripverhalen? Parfum? Het was een massale uittocht naar het noorden van de stad, en bij elk station repten mensen zich naar buiten: een vrouw die popelde om naar huis te gaan en vloeipapier zou openrijten voordat ze haar jas uit had; een man die nu al de verpakking van een nieuwe cd scheurde, de repen plastic op de vloer gooiend.

Vanavond is mijn jaarlijkse diner met vrienden. De mannen zullen in hun smokingjasjes geperst zitten, want die zijn het afgelopen jaar op raadselachtige wijze gekrompen, en mopperen over de kleine porties. De vrouwen zullen in satijn en stras van tafel naar tafel ruisen, met haar zo zacht als bloemblaadjes.

De trein naderde mijn station. Er klinkt een vrolijk nummer uit mijn koptelefoon – het soort popsnoep dat in een topduizend van 2003 staat. Toen ik opkeek, zag ik hoe dicht de gele stang langs de plafondverlichting liep en streek er met mijn vingertoppen langs. Een kinderwagen deinde tijdens de hotsende reis en stootte de boodschappentassen van een moeder om. Ik moest wel glimlachen. Verderop in de coupé zat een kale man te staren.

Dimanche, 4 janvier

N was gisteravond mijn begeleider naar het formele diner. Ik was nog boos op de Jongen en nam het harde standpunt in dat alle mannen eikels zijn, behalve als ze betalen, want dan zijn het betalende eikels. N begreep het volkomen en nam de uitnodiging mijn 'eikel' te zijn gracieus aan. Wat waarschijnlijk betekende dat hij me in bed wilde krijgen.

We douchten en kleedden ons bij mij, en ik strikte zijn vlinderdasje voordat we weggingen. Hij wilde een voorgeknoopt dasje dragen, maar ik stond op een echt exemplaar. Ik weiger me in het openbaar te vertonen met een man wiens das tot een van de volgende categorieën behoort: voorzien van een klemmetje, draaibaar, en van metaal. Er is een tijd en plaats voor komische avondkleding, maar die tijd was volgens mij voorbij zodra Charles Chaplin het tijdelijke met het eeuwige verwisselde.

Met droge kelen gingen we indrinken bij een café dat listig verborgen was onder een ander café. Er waren tientallen andere dinergasten, en N stelde me aan iedereen voor. Een vrolijk kwetterend evenbeeld van Nigella met ravenzwart haar posteerde zich aan mijn linkerkant.

'Hé, halló,' neuzelde ze. 'Ik ben T.' Haar jurk deed al het mogelijke om haar borsten te beteugelen, maar ik betwijfelde of hij de volgende ochtend zou halen.

Ik wierp N een 'ken je haar?'-blik toe. Hij reageerde met een 'nee, zou ze met me naar bed willen?'-blik.

Ze legde haar perfect gemanicuurde hand op mijn knie. 'Wat een mooi accent heb jij!' jubelde ze. 'Waar kom je vandaan?'

'Yorkshire,' antwoordde ik. 'En jij?'

'Michigan.'

Charmant. Maar de meute werd ongedurig en we zetten koers naar het restaurant. Jammer genoeg zaten T en haar begeleider drie tafels verderop. Ik zat aan een tafel met voornamelijk stellen en belandde naast de vrouw van een gezamenlijke kennis. Ze nam N en mij aangeschoten op. Toen hij zich tot iemand anders wendde, zei ze tegen mij: 'En, hoe lang zijn jullie al weer bij elkaar?'

'Eh, we zien wel hoe het gaat. Gewoon als vrienden, snap je?'

'Natuurlijk.' Ze knipoogde suggestief om me duidelijk te maken dat ze er geen woord van geloofde. De beschuldiging was harder aangekomen als ze niet op hetzelfde moment rode wijn over haar jurk had gemorst.

De speeches waren het hoogtepunt van de avond. Een paralympiër, meervoudig medaillewinnaar, met een schijnbaar onuitputtelijke voorraad schuine moppen, gevolgd door een sportpersoonlijkheid, gevolgd door een buikige man met zilvergrijs haar. De kwaliteit van de sprekers was zodanig dat zelfs ik, mislukt amateur in alles wat naar niet-seksuele inspanning riekt, twintig minuten lang interesse kon veinzen.

Toen ging alles aan de kant voor de disco. Ik danste, dronk en danste nog wat. Vanuit mijn ooghoek zag ik N aan de zijlijn op T inpraten. Brave borst, dacht ik. Toen zij met haar begeleider wegdanste, ging ik naar N toe.

'Geslepen hond die je bent. Heb je haar nummer gekregen?'

'Toevallig had ze meer belangstelling voor jou.'

'Echt waar?' Ik keek naar de dansvloer, waar ze door drie mannen rond en rond werd gedraaid. Vermoedelijk een experiment om te zien hoe lang strakgespannen stof centrifugale krachten kan weerstaan. Voor zover ik het kon zien, wist de jurk nog steeds van geen wijken, maar of dat nu aan toverkracht of dubbelzijdig plakband te danken was, weet ik niet.

'Ja, maar ik geloof dat ik je kansen heb bedorven.'

'Hoe dan?'

'Ik heb gezegd dat je alleen wilde als ik ook meedeed.'

'Grote eikel!' Ik gaf een stomp tegen zijn schouder, wat mijn vuist meer pijn deed dan hem.

Hij gaf een zoen op mijn kruin. 'Ik bescherm je alleen maar tegen jezelf, lieverd.'

Lundi, 5 janvier
Seks: gids voor zoekenden

— *Seksshop*: normaal gesproken wordt hier geen seks als zodanig verkocht. Het lexicale equivalent van een specialistische, vegetarische kruidenier een 'slager' te noemen.

— *Hete seks*: reproduceert zo goed mogelijk het visuele effect van pornografie. Zie ook: telefoonseks.

— *Goede seks*: als je alles krijgt wat je wilt.

— *Slechte seks*: als een ander alles krijgt wat hij wil.

— *Sekspoes*: redelijk charmante vrouw, zij het vaak afhankelijk van opbouwende lingerie.

— *Seksueel*: heeft doorgaans betrekking op de paargewoonten van een diersoort of de opspelende hormonale driften van de jeugd. Het woord wordt tijdens echt seksuele handelingen nooit zonder veel gegiechel gebezigd. Uitzondering die de regel bevestigt: diverse nummers van Marvin Gaye.

— *Seksuele voorlichting*: contact tussen een banaan en een condoom. Brengt doorgaans geen bruikbare informatie over.

— *Seksbom*: massavernietigingswapen.

Mardi, 6 janvier
Ik drukte op de bel beneden. Geen antwoord uit de intercom; de klant liet me meteen binnen. Hij deed zijn voordeur open en verdween naar de keuken om iets te drinken te halen. Het was schoon binnen, bijna steriel. Overal spiegels met rookglas; ik werd overmand door het gevoel in een restaurant te zijn.

Vrij ongeloofwaardig onderkomen voor iemand die volgens de manager nog studeerde. Een promovendus kan misschien nog genoeg subsidies binnenhalen om een paar keer per semester woest uit te gaan, maar ik betwijfel of het genoeg is om een nachtvlinder te betalen.

Hij: 'Doe niet zo nerveus.'

Ik (verbaasd): 'Ik ben ontspannen. Wat studeer je?'

'Dat vertel ik nog wel.'

Hij zei hoe hij heette. 'Echt?' zei ik, want het was een vreemde, ouderwetse naam. 'Zo heet mijn vriend ook.' Ex-vriend, vermaande ik mezelf. Hou eens op met in de tegenwoordige tijd aan hem te denken. We bespraken de wens van de klant om te verhuizen – naar het noorden van Londen, dat 'de hoogste psychotherapeutendichtheid van de wereld' schijnt te hebben. Aangezien ik een paar mensen in die contreien ken, verbaasde het me niets.

Hij: 'Je bent een rare, ik kan je niet plaatsen.'

Ik: 'Ik ben niet zo ondoorgrondelijk.'

'Een open boek, zeker?'

'Zoiets.'

(later)

Ik: 'Wat doe je ook alweer?'

Hij: 'Psychoanalyse.'

Wat ons bondgenoten maakte, zo geen vakgenoten. Het gesprek dwaalde af naar evolutionaire biologie en in hoeverre feromonen bepalend zijn voor aantrekkingskracht. Hoe goed iemands geur je bevalt, zou iets zeggen over de waarschijnlijkheid dat je samen kinderen maakt met zo min mogelijk genetische defecten. Niet de gebruikelijke inleiding tot romantiek, maar ik red me er wel mee. Hij genoot intens van de seks, sensueel, tonggericht. Ik genoot van de spiegels. Hij hield me open en nam me anaal, in en uit me glibberend. Toen ik me na zijn orgasme ging opfrissen, zag ik het nieuwste boek van Richard Dawkins in de badkamer liggen.

Ik (terwijl ik me aankleedde): 'Ik vond het fijn. En je ruikt lekker.'

Hij: 'Uitstekend, dan kunnen we kinderen krijgen.'

We schoten allebei in de lach. 'Nu nog niet.'

Er waren nog winkels open en ik wilde het geld in mijn tas uitgeven. Op kletterende hakken liep ik door een voetgangerstunnel. Aan het eind van de betegelde gang zag ik dozen waarin mensen sliepen. Ik weet nooit of ik ze recht aan moet kijken of niet; er met een boog omheen lopen of niet. Waarom geven die mensen ons zo'n onbehaaglijk gevoel? Hebben daklozen een soort sympathische toverkracht die besmettelijk kan zijn, en kunnen we aan lagerwal raken als we ons te dicht bij hen wagen?

Twee jonge mannen, in gesprek. Ik ving de blik van een van hen op. Grove noordelijke accenten. Ik was me bewust van zowel het naar hen weerkaatsende geluid van mijn hakken als het gewicht van het geld dat ik bij me had. Een goed mens zou die bankbiljetten toch gewoon naar ze toe werpen? dacht ik.

Kul, bracht een ander stemmetje in mijn hoofd ertegenin. Ze kopen er toch maar drugs voor.

O, nou heb ik je, verwaand nest. Wie heeft er net seks voor geld gehad?

Ja, oké, maar ik héb tenminste nog een baan. Ik blijf mezelf trouw en laat me niet betalen voor iets wat ik niet gratis zou willen doen.

Het zouden gewoon rugzaktoeristen kunnen zijn. Die het geld zouden waarderen.

Het zouden ook gewoon verkrachters kunnen zijn.

Vlak voorbij hun provisorische kamp maakte de tunnel een

scherpe bocht naar rechts. De twee jongens, die eigenlijk best knap waren, keken op toen ik dichterbij kwam. 'Nog zo laat op stap?' vroeg de een.

Ik glimlachte. Had de waarheid kunnen vertellen, deed het niet. 'Feestje,' zei ik.

'Cool,' zei de jongen met de baard. Ze zetten hun gesprek voort. Zonder mijn pas te vertragen of opzij te zwenken sloeg ik de hoek om.

Mercredi, 7 janvier

Hij: 'Witte wijn, neem ik aan?'

Ik: 'Goh, wat attent van je.' Hij geeft me een glas, we proosten en nippen. 'Iets droger dan anders.'

'Ik wilde het eens proberen.'

Naarmate een vaste klant vaster wordt, worden de regels iets minder streng. Klanten mogen niet onder invloed verkeren tijdens een afspraak, en wij ook niet, maar een beetje alcohol is niet uitdrukkelijk verboden. Ik heb deze man al een paar keer gezien en weet dat hij een joint rookt voordat hij me ontvangt. Ik ruik het, en tot mijn verbazing presteert hij er niet minder om.

Gisteravond kwam ik een paar minuten te vroeg (maandagavond, weinig verkeer) en betrapte hem op heterdaad.

Hij heeft ook de gewoonte poppers te gebruiken tijdens mijn bezoeken. Ik weet dat ze niet verboden zijn (dat denk ik tenminste) en ik ben niet tegen drugsgebruik als zodanig. Leven en laten leven, een misdaad zonder slachtoffers, en ga zo maar door. Ik gebruik zelden iets sterkers dan een stevige borrel, al zouden degenen die me in mijn studietijd hebben gekend waarschijnlijk het tegendeel beweren.

Gisteravond zat ik schrijlings op hem op de slaapkamervloer. Hij reikte met zijn ogen dicht naar het bekende bruine flesje en nam een snuif. En toen bood hij het mij aan. Wat kan het voor kwaad? dacht ik, en ik nam een snuif, en tien minuten later, toen hij het flesje weer pakte, nog een.

En was me dat kicken! Het dreunde in mijn schedel, mijn gezicht en mijn oren, zoals wanneer je bloost, maar dan harder. Alle geluiden leken intenser, een beetje blikkerig. Mijn vingertoppen voelden als klauwen, een halve meter breed.

Goddank duurde het maar ongeveer een minuut. De kick, bedoel ik. De seks duurde aanzienlijk langer.

Jeudi, 8 janvier
Dit werk maakt het moeilijk bepaalde dingen nog serieus te nemen.

Ten eerste: het openbaar vervoer. Misschien kan twintig minuten te laat komen op een kantoor nog goed gepraat worden met de 'Northern Line, mopper, mopper, je weet wel'-smoes, maar wanneer een verwaarloosde echtgenoot precies een uur de tijd heeft tussen de middagpauze en zijn volgende afspraak, en hij een Viagra heeft genomen en serieus geil is, kun je niet te laat komen. De taxi en ik zijn inmiddels oude vrienden, schat.

Ten tweede: mensen die in het openbaar vervoer op een bepaalde manier naar je kijken. Denken ze soms dat ik ze naar een verborgen liefdesnestje zal volgen? Of dat zij mij zullen volgen en dat het dan liefde op het eerste gezicht in een propvolle trein met vertraging wordt? Mooi niet.

Ten derde: wipjes voor één nacht. Net als in het leger heb ik lol en krijg ik nog geld ook. Soms heb ik minder lol, maar ik krijg altijd geld. Ik word in één week vaker door klanten gebeft dan in mijn hele studententijd bij elkaar.

Ten vierde: ruzie met je vriendje. Ik wil geen alleenstaande prostituee zijn. Ik wil niet zonder de Jongen in mijn leven zijn. We hebben een wapenstilstand gesloten. Ja, echt.

Ten vijfde: mode. Platte laarzen, kort haar, afgeknipte broeken, rokken met stroken? Ik zou nooit meer werk krijgen.

Vendredi, 9 janvier

De Jongen was jarig, dus kwam hij naar Londen. Hij was schoon en beleefd en zette duidelijk zijn beste beentje voor. Het grootste deel van de avond verliep soepel, ontspannen zelfs. Ik leunde steeds zwaarder op hem en hij reageerde door een arm om me heen te slaan. Goddank, dacht ik. Het was maar een dipje. Niets om over te tobben.

We besloten onze vrienden in Wimbledon vroeg te verlaten (om het bed beter te kunnen ontwrichten, kind) met een flinterdunne smoes, maar de verstoppingen in de ondergrondse bleken epische vormen te hebben aangenomen. Nadat we een uur op Earl's Court hadden gezeten en de ware op mijn schouder in slaap begon te sukkelen, werd er omgeroepen dat we een andere route moesten nemen. We sprongen er dus op Gloucester Road uit om een overstap te maken. Helaas reed de Piccadilly Line ook nauwelijks.

Ik nam eigenmachtig een besluit en sleurde ons het station uit om een taxi aan te houden. 'Wat gaat dat wel niet kosten?' vroeg de Jongen.

'Wees maar niet bang, ik betaal,' zei ik. Hij leunde naar de taxichauffeur over om het aan hem te vragen. 'Schiet toch op, malloot,' zei ik, en duwde hem de auto in.

Ik stuurde de chauffeur eerst naar een pinautomaat waar ik geld kon opnemen. Toen ik terugkwam, zat de Jongen te mokken. 'De meter liep door tijdens het wachten,' mopperde hij. 'Dat heeft vast minstens een pond gekost.'

Ik kon er niet mee zitten. 'Het waren maar een paar minuten,' zei ik. En aangezien het een reguliere taxi was en geen snorder, was ik er vrij zeker van dat de chauffeur, wat we ook moesten betalen, niet zou proberen ons van hot naar her te rijden. Ik woon betrekkelijk afgelegen en een rit van of naar de stad van veertig pond is geen uitzondering. In het kader van mijn werk, uiteraard; het is een uitgave die door de klant wordt vergoed. Gezien het tijdstip en de afstand zou ik dankbaar zijn als we voor twintig pond bij mijn deur werden afgezet.

De Jongen mokte, trok zijn hand uit de mijne en ging uit het raam zitten chagrijnen.

Op een kilometer of drie van huis zei hij: 'Zullen we hier maar uitstappen, we kunnen verder wel lopen.' De meter was net over de twintig pond getikt, maar ik liep op hakken en had geen zin om een halfuur door de kou te lopen terwijl we ook in bed konden liggen vrijen.

Ik keek hem streng aan. 'Als jij wilt lopen, houd ik je niet tegen.' Ik was niet van plan uit te stappen. Het was zijn verjaardag, ik trakteerde, en geld kan toch niet tippen aan thuis in elkaars armen liggen?

Het licht sprong op groen. De chauffeur keek nerveus in de spiegel. 'Eh, wou je er hier uit?' vroeg hij.

'Nee.' De Jongen sloeg zijn armen over elkaar en zakte nog verder onderuit.

We waren binnen vijf minuten veilig bij me thuis. Omdat ik de scène zo verschrikkelijk vond, gaf ik de chauffeur drie pond fooi. We liepen de trap op. Ik deed de voordeur open en stapte naar binnen. 'Zo,' zei ik.

'Zo.'

'Ga je je excuses nog aanbieden?'

'Ongelooflijk dat je je zo hebt laten plukken.'

'Ongelooflijk dat je je zo misdraagt. Het is maar geld, hoor.'

'Maar wel veel geld.'

'Ik mag zelf weten wat ik met mijn geld doe, en ik wil het

uitgeven om ervoor te zorgen dat we samen thuiskomen. Een rondje in het café had hetzelfde gekost.'

Het sein voor een ruzie van een nacht waarin de hoer gek genoeg de stelling verdedigt dat geld niets te betekenen heeft, terwijl haar vriend de door hem verleende gunsten en gemaakte onkosten van het hele afgelopen jaar opsomt. Als hij echt iets anders wil gaan doen, moet hij misschien maar accountant worden. Het was abrupt afgelopen toen ik een cheque uitschreef ten bedrage van zo ongeveer mijn uurloon en die in zijn hand duwde. 'Is dat genoeg?' vroeg ik. 'Ben je nou tevreden?'

Na een gespannen ochtend ging hij naar de buurvrouw om te flirten en haar glanzender, betere technospeeltjes te bepotelen. Er is geen erger geluid dan het inhalige gegiechel van een rooie die een digitaal geluidssysteem in conjunctie met haar decolleté laat zien.

Ik zat bijna een uur treinen uit te zoeken.

Samedi, 10 janvier

We waren uitgeput van een hele nacht bekvechten. Hij moest een trein op London Bridge halen en ik had een afspraak met vrienden, dus gingen we tegelijk weg. Op het station van de ondergrondse lieten we een zitplaats tussen ons in leeg. Hij bestudeerde zonder enige reden een kaart van Londen.

Er kwam een trein van de Northern Line. De coupés recht voor ons waren leeg. Ik holde erheen en sprong erin. De deuren bleven nog even open. Ik ging zitten en keek om me heen – hij was niet ingestapt. Ik stak mijn hoofd door de deur. De Jongen was er niet. De deuren gingen dicht.

Ik ging weer zitten, legde mijn hoofd op de grote tas op mijn knieën en zuchtte. Een paar stations gingen voorbij. Mensen stroomden binnen, pratend, in groepen. Ik stapte op

Euston uit om over te stappen en overwoog een ogenblik terug te gaan. Nee, dacht ik, hij is al lang weg. Maar ik bleef voor de zekerheid op het perron staan om de volgende treinen af te wachten. Na tien minuten gaf ik het op. Ik stapte over en ging tegenover een jonge oosterse man zitten, een meisje met een hoofddoekje en een koptelefoon en een verveeld ogende blondine met haar aankopen.

Vlak voor London Bridge dook er een gezicht voor het mijne op. Ik schrok. Hij was het. Ik was verbaasd, wist niets te zeggen. Dat was onmiskenbaar de verkeerde reactie.

'O, laat ook maar,' zei hij, en ging bij de deur staan.

'Waar kom jij vandaan?' vroeg ik.

'Hoezo? Ik ben hier de hele tijd al.'

'In deze trein? In deze wagon?'

'Ja.' Hij snoof, pakte de stang en keek naar buiten. De trein minderde vaart voor het volgende station. 'Bedankt voor het krijsen. Nou denkt iedereen dat ik een zakkenroller ben of zoiets.'

'Ik krijste niet, ik schrok gewoon van je. Weet je zeker dat je in deze trein zat? Dat kan niet.'

'Ik heb de hele tijd vlak naast je gestaan.'

'Nee, ik heb om me heen gekeken. Ik heb op Euston gewacht. Het kan gewoon niet.'

Hij stapte uit en bleef op het perron staan. Een stroom mensen week uiteen en voegde zich achter hem weer samen. 'Als je wilt praten, stap dan uit en praat met me.'

Ik ging weer zitten. 'Nee. Als jij wilt praten, stap je maar in.'

'Nee, stap jij maar uit.'

De deuren gingen dicht. Ik zei gespannen zijn naam, met een schelle, hoge stem. 'Doe niet zo stom. Kom nou.'

De deuren waren dicht en we reden weg. Het laatste wat ik van de Jongen zag, was dat hij naar me wuifde.

Ik zuchtte. De trein was vrijwel leeg. De blondine met de tassen boog zich naar me over. 'Hij loog,' zei ze. 'Hij is op Bank ingestapt.'

Dimanche, 11 janvier
Anale seks is het nieuwe zwart.

Hand opsteken wie zich nog kan heugen dat beroemde pornosterren het niet aandurfden, niemand het hardop durfde te zeggen en de enige mensen die zich regelmatig in de poeptunnel waagden, homo's en proctologen waren. Een man die zijn vrouw voorstelde haar enkels te pakken en het als een koorknaap te verdragen, vroeg om een echtscheiding, of op zijn allerminst om een maand lang aangebrand eten.

Maar zoals het met de massa-amateurisatie van alles gaat, is ook anaal grootschalig gewoon geworden. Meisjes die vroeger wilden weten of je, als je een jongen pijpte, technisch nog maagd kon zijn, vragen zich nu af of je, als je de achterdeur openzet, in theorie puur kunt blijven.

Hoera, zeg ik, want anaal is geweldig. Anderzijds had ik het voordeel dat ik voorzichtig en geleidelijk, over een periode van weken, in deze praktijk werd ingewijd door een man die er zo sterk naar verlangde dat ik hem in me zou kunnen nemen dat hem dat het benodigde geduld verschafte om vol te blijven houden. Hij begon met het masseren en stimuleren van de anus en bracht vervolgens zijn eigen goed gesmeerde vingers erin. Kort daarna kwamen de kleine vibrators. Toen we eindelijk aan het grote gebeuren toe waren, smeekte ik hem erom.

Het moet nu bij meer mensen aanslaan, want domweg iedereen doet het tegenwoordig. Tegen de tijd dat het in *Sex and the City* ter sprake kwam, haalden al mijn vriendinnen hun schouders ervoor op. 'Nou, en?' zeiden ze. 'Dat doen wij al jaren.'

Ik reken erop dat Charlotte Church volgend jaar een glittertopje heeft met de tekst: 'Mijn Barbie laat zich kontneuken.' Misschien moet ik er een maken en het aan haar sturen. Ja, anaal. Het nieuwe zwart. Ver van mijn bed is niet zo ver meer. Gisteravond bekeken N en ik een duur tijdschrift dat hij voor me had gekocht met een foto erin van een vrouw die oma kon zijn en in beide gaten werd gefistfuckt. En ze glimlachte. Ik stond niet eens versteld. Eigenlijk ben ik niet snel geschokt. Al is er iemand die er altijd in slaagt, telkens opnieuw.

Ik weet dat anale seks het nieuwe zwart, is omdat mijn moeder me net opbelde om erover te praten.

Toen ik haar toch aan de lijn had, kon ik net zogoed vertellen dat het uit was met de Jongen. Het pleit voor haar dat ze geen woord zei tot ik klaar was. 'Arme schat,' zei ze, en op hetzelfde moment voelde ik de eerste tranen vallen. Ja. Arme, arme ik. Ik heb maar geboft met zo'n meelevende moeder.

Die me vervolgens aan de lijn liet hangen om het hele verhaal woord voor woord aan mijn vader door te vertellen.

Ze waren het erover eens dat ik een paar dagen thuis moest komen. Ik was niet bij machte me te verzetten.

Lundi, 12 janvier
Mijn hoofd zakte dieper naar het tafelblad. Ik wilde geen dampende kop thee in mijn handen. Ik wilde geen ontbijt. Mijn moeder zuchtte. Het was duidelijk dat ze iets wilde zeggen. 'Ik neem aan dat ik in elk geval bij elke mislukte relatie de lat hoger leg voor de volgende,' bromde ik.

'Liefje, ben je niet bang dat je de lat op een dag zo hoog legt dat niemand meer goed genoeg is?'

Als ik de fut had gehad om mijn voorhoofd van de rand van de kop thee op te tillen, had ik haar aangekeken met het ultieme boze oog. 'Ik weet niet eens waarom het uit is,' kreunde ik. 'Ik bedoel, ik weet wel waarom het uit is, maar niet globaal.'

Pap ritselde met zijn krant en keek bezorgd. 'Maak je niet druk, lieverd,' zei hij. 'Waarschijnlijk had hij een ander en zocht hij gewoon een reden om het uit te maken.'

'Goh, daar knap ik echt van op, dank je.'

Nu ik erover nadenk, is het misschien wel waar. Ja, er waren een paar vreemde dingetjes, een paar sms'jes, een paar telefoontjes. En iets heel groots, een paar maanden geleden. Je komt me nooit verrassen, zei hij weleens. Hij zei het vaak. Meestal in de stuiptrekkingen van een voorzichtige ruzie, wanneer mijn houding langs zijn ego schuurde en het eerste verkeerde woord van een van ons beiden alles in de vergetelheid dreigde te kieperen. Je komt me nooit verrassen, zei hij, en in afwachting van de lijst van dingen die ik het afgelopen jaar fout had gedaan, liep ik weg en sloot me af: achter een dichte deur, bij de televisie of op de wc, wat dan ook. Ik kende de lijst al uit mijn hoofd. Hij besloeg alles, van de korte periode dat ik terugging naar een ex tot minder concrete zaken alsof ik hem aan anderen had voorgesteld als mijn vriend of als een vriend. Koptelefoon op. Een uur zwijgen en hij bood zijn excuses aan.

Op een ochtend in december was ik in juichstemming. De zon kwam net op en om redenen die ik niet kan benoemen werd ik samen met de vogels wakker. Dus ik kom je nooit verrassen? Dat zullen we nog weleens zien. Ik liep naar station Kentish Town en wachtte op een trein naar het zuiden.

Een taxi zette me bij zijn deur af. De lucht was vochtig en zilt. Het was nog voor negen uur 's ochtends. De achterdeur is meestal open en ik wilde zijn huisgenoot niet wekken. Ik sloop de trap op en legde mijn hand op zijn deurknop.

En duwde hem naar beneden. De deur ging niet open. Ik duwde harder. Negentiende-eeuwse huizen: soms gaat door het weer alles klemmen. Nee. Op slot. Ik klopte op de deur. De moed begon me al in de schoenen te zinken.

Er klonk gefluister in de kamer. Het bed kraakte. 'Hallo?' werd er aan de andere kant van de deur gefluisterd. Zijn stem.

'Ik ben het,' zei ik.

'O.' Weer gedempt gepraat.

'Eh, mag ik binnenkomen?'

'Ga maar naar de achtertuin. Ik kom zo.'

De moed in mijn schoenen? Ik ging zelf door de grond. Mijn maag vestigde zich ergens midden in mijn keel. 'Wat is er aan de hand?' kwaakte ik.

'Wil je naar buiten gaan?' zei hij, maar iets harder. Ik hoorde weer geluiden in de kamer.

'Nee,' zei ik met stemverheffing. 'Laat me erin.' Hij kwam de kamer uit – heel snel. Deed de deur stevig achter zich dicht. Ik dook erop af. Hij hield me moeiteloos tegen.

'In godsnaam, zet me niet voor schut,' zei hij. Zijn ogen smeekten me.

Mooi niet, dacht ik. Er is daar iemand. Maar ik kon niet langs hem heen komen. Hij begon de trap af te lopen en trok mij mee, hoe ik ook tegenstribbelde.

'Wat is hier verdomme aan de hand?' krijste ik. Ik hoorde de deuren van de andere slaapkamers opengaan, en zijn huisgenoten kwamen kijken wat er gaande was. Hij duwde me de keuken in. Ja, er was een meisje op zijn kamer, zei hij. Een vriendin van zijn huisgenoot. In het opklapbed? Nee, in zijn bed. Wie was dat mens? schreeuwde ik. Zet me niet voor schut, zei hij telkens. Zet me niet voor schut. Ze was arts, zei hij. Legerofficier. Een vriendin van een vriend, maar er was niets gebeurd. Nee, vast niet, je kruipt niet bij elkaar in bed om – en je hebt ook niks aan onder die ochtendjas, hè? Ik dook naar zijn kruis. Het klopte, hij was naakt.

'Vertrouw me nou,' smeekte hij. 'Ga naar het café aan het eind van de straat. We hebben het er straks over.'

'Jou vertrouwen? Jou vertrouwen? Kan ik jou vertrouwen?' Zijn gezicht betrok. Hij uitte beschuldigingen. Hij speelde de hoerentroef uit.

De uitdrukking 'buiten zinnen raken' heeft me altijd onnauwkeurig geleken. Ik wist nooit goed wat het betekende. Een van die gezegdes als 'had je wat?' en 'maak het nou!' die elke verklaring tarten en alleen binnen een bepaalde context begrijpelijk zijn.

Dit was de context. Ik raakte buiten zinnen.

'Jij hebt mij nooit met een ander in bed betrapt, en dat zal nooit gebeuren ook. Is dit mijn dank voor mijn eerlijkheid?' Ik graaf mijn eigen graf, dacht ik. Niemand heeft liever de waarheid dan zogenaamde trouw. Ik neuk andere mensen voor de kost en ja, ik vertel hem zoveel als hij wil weten, maar, o. O. O. Ik heb het hart altijd op de juiste plaats gedragen, denk ik. Mijn hoofd vond geen woorden meer om te communiceren.

Ik ging weg. Ik liep naar het strand, wachtte tot de winkels opengingen en kocht een zak marshmallows met een kokoslaagje. Het was vloed en de wind tegen het tij in maakte witte schuimkoppen op de golven. Mijn telefoon rinkelde en rinkelde – de Jongen. Ik zette hem uit. Hij sprak berichten in. Er was niets gebeurd, zwoer hij bij hoog en bij laag. Het was een list van zijn huisgenoot, degene die me haat. De arts (blond, dun – ik wachtte lang genoeg in de bosjes aan de overkant om haar naar buiten te zien komen – maar niet knap, niet knap) was heel dronken geweest, ze was in haar ondergoed in zijn bed in slaap gevallen en hij was te moe geweest om het opklapbed voor zichzelf te pakken of beneden op de bank te gaan slapen. Wat dan ook. Ik belde niet terug. Ik ging met de trein naar huis en nam die dag drie afspraken aan. Daarna, ruikend naar zweet en latex, luisterde ik naar Charles Mingus en dronk port tot in de kleine uurtjes. We maakten het met sms'jes goed, de dagen erna.

Nog steeds aan de ontbijttafel van mijn ouders, met de kop koude thee in mijn greep. Pap vouwde de krant op en legde hem bij mijn elleboog. Ga naar huis, ga aan het werk, zet je eroverheen, zei ik tegen mezelf.

Mercredi, 14 januari
Ik deed kort voor een afspraak een paar boodschappen en liep dik opgemaakt in een mantelpak en op hakken van de bank naar het hotel. Toen ik langs het plantsoen liep, stopte er een man.

'God, wat ben jij mooi. Ben je model?'

Jasses, zou die smoes ooit echt gewerkt hebben? 'Nee, ik werk hier in de buurt.' Denk na, snel, wat is er hier in de buurt? 'De Royal Albert Hall.' Had ik een onwaarschijnlijker plek kunnen bedenken?

Hij: 'Bevalt het je daar?'

Ik: 'Ja, best wel. Ik werk met boeiende mensen.'

'Allemaal diva's zeker?'

'Ja.' Ik kijk opvallend op mijn horloge. 'Zo, ik moet me haasten, ik heb een lunchafspraak.'

'Zijn dat echte kousen?'

'Natuurlijk!'

'Je bent echt schitterend. Kon ik maar eens met je uit.'

'Tja, je weet het maar nooit. Tot ziens.'

'Dag.'

Vendredi, 15 januari
Het zelf-fistfucken wordt opmerkelijk veel gemakkelijker naarmate ik meer oefen. Het blijkt zeer geliefd bij diegenen die lie-

ver met hun ogen dan met hun handen kijken, en dat zijn er genoeg. Toch denk ik dat ik mezelf nooit anaal zal kunnen fist-fucken, hoeveel ik ook oefen, al was er wel iemand die wilde zien hoeveel vingers ik in de achteruitgang kon krijgen terwijl hij me neukte. Ik voelde zijn gezwollen eikel duidelijk door de dunne weefselwand tussen beide openingen en wriemelde met mijn vingers om zijn paal te kriebelen. Hij kwam snel klaar, bleef stijf, neukte me nog eens, bis.

Hij (languit op bed vallend na de derde wip binnen een uur): 'Goh, dat ging me vroeger toch beter af.'

Ik (terwijl ik mijn kousen ophijs): 'Wat bedoel je?'

'De oude baas heeft het gehad. Ik zou ervan staan te kijken als hij binnen een maand de kop weer zou opsteken.'

'Ik weet het niet, als vrouw, maar ik vind dat hij zich kranig heeft geweerd.' Ik beklopte het verschrompelde vlees. 'Goed gedaan, jij. Je hebt je rust wel verdiend.'

'Jij houdt echt van je werk, hè?'

'Ik denk dat ik het anders niet vol zou kunnen houden. Mijn fantasie is niet zo rijk dat ik me kan dissociëren van een dubbele penetratie.'

Vendredi, 16 janvier

N en ik dronken bij mij thuis koppen thee met de radio aan. 'Oké,' zei hij, 'je wordt verbannen naar een onbewoond eiland in de Stille Zuidzee. Welke vijf platen neem je mee?'

'Veel pop, veel blues.' Ik dacht even na. 'Ik denk minstens drie bluesplaten.'

'Terwijl je alleen op een onbewoond eiland zit? Is dat niet een beetje deprimerend?'

'Ik zit al alleen op een onbewoond eiland. Alleen is het hier niet tropisch, maar koud en nat.'

'Denk erom dat je altijd nog een Vrijdagje hebt,' zei hij, en hij klopte op mijn voeten. We vielen samen bij Robert Johnson op de bank in slaap.

Samedi, 17 janvier

Een paar van mijn lievelingsdingen (waar de klanten nooit om vragen):

- *Zelf echt klaarkomen*: waarom zouden ze dat van me willen? Iemand die ik nog maar net ken, die de onuitgesproken plattegrond van mijn lichaam niet kent, zou er ongeveer een geologisch tijdperk over doen, en dan nog met een tong die door meer kracht werd aangedreven dan een industriële kettingzaag. De zeldzame keren dat er wel naar wordt gevraagd, doe ik natuurlijk alsof.
- *Glazen knikkers*: oneindig veel beter dan die rubberachtige kogeltjes. Goedkoper dan een glazen dildo. Passen zich goed aan bij het formaat en de ontspanning van de opening. Het geluid waarmee ze eruit komen is net zo zalig als de temperatuursverandering wanneer ze erin gaan.
- *Seks met eten*: ik heb nooit, maar dan ook nooit voor geld chocoladesaus van iemand afgelikt of van me laten aflikken. Privé zie ik mezelf daarentegen graag als een uitstekend, met zorg onderhouden bordje (let wel: ik heb het niet over het inbrengen van groenten, die je daarna trouwens toch niet meer opeet).
- *In mijn daagse kleren komen opdagen*: seks met een willekeurig iemand is cool. Seks met een willekeurig iemand die er willekeurig uitziet is nog beter. En ik ben aartslui.
- *Hem erna in bad doen*: ik ben gek op het inzepen van een mannenlijf, de licht onderdanige houding waarmee ik kniel om mijn handen langs de zuilen van zijn benen te laten glijden en elke voet afzonderlijk op te tillen om hem te wassen. Ik ben ook gek op het afdrogen van een mannenlijf: ik be-

135

denk wat ik het eerst afgedroogd zou willen hebben (gezicht en haar), wat voorzichtig gedept dient te worden (oksels en geslachtsdelen) en wat ik zou kunnen vergeten (knieholten, tussen de schouderbladen). Er zijn genoeg mannen die mij erna willen wassen, en misschien komt dat voort uit hetzelfde verlangen.

- *Rimmen*: ik ben ertoe bereid, mits hij zich van tevoren grondig wast met warm water en zeep. Het voelt alsof je je tong tussen getuite lippen wilt persen. Het is een uitdaging, en met de kleinste beweging van je tong bereik je daar meer dan waar ook. Het is cunnilingus op miniatuurschaal. En wat dat laatste betreft, dat doen ze om de haverklap. Ik mag eigenlijk niet klagen.
- *Dieren imiteren*: om de een of andere reden dacht ik dat ze dat zouden willen. Nee dus.
- *Personages uit* The Simpsons *imiteren*: het heeft niets met seks te maken, maar ik ben er vrij goed in – vooral Milhouse en Comic Book Guy. Wie weet kom ik nog eens een man met een fetisj voor Patty en Selma tegen; dan is mijn schip met goud echt binnengelopen.

Maar vanavond heb ik een afspraakje. Een echt afspraakje met iemand die me bij mijn echte naam noemt en me op mijn echte nummer belt. Oké, hij zou een hologram kunnen zijn, maar dat kan ik nog niet met zekerheid zeggen.

Dimanche, 18 janvier
Ik had al tijden geen echt afspraakje meer gehad. Het is een kennis van N, wat ons een springplank voor de conversatie bood, maar ik raakte al snel verslaafd aan zijn uiterlijk, zijn stem en zijn gevoel voor humor. Het verbaasde me dat ik me tijdens het flirten nog net zo schutterig en confuus voelde als vroeger. Werd

ik een tikje nerveus toen ik een bericht op zijn antwoordapparaat moest inspreken? Jawel. Kostte het me uren om te besluiten wat ik aan zou trekken naar ons afspraakje? Inderdaad. Was ik zo bezeten met hem bezig dat ik zelfs om de paar uur zijn naam googelde? Nou en of. Ging mijn hart iets sneller kloppen wanneer ik een sms of e-mail van hem kreeg? Reken maar.

We gingen dus samen uit (de details doen er niet toe) en draaiden uren om elkaar heen, en om hoe sterk we ons tot elkaar aangetrokken voelden. Wanneer ik dacht dat hij het niet zag, bleef ik maar naar zijn handen kijken. Hij moet ook naar de mijne gekeken hebben, want in de ondergrondse zaten we opeens hand in hand (lieve god, we hielden elkaars hand vast) en hij verkende de vliesjes tussen mijn vingers met zijn lippen (huiver) en ik legde mijn hoofd op zijn schouder (ja, het paste perfect) en hij rook aan mijn haar (o, ja, alsjeblieft).

Toen verprutsten we het door te neuken.

Misschien waren het de drie glazen wijn. Misschien was het de muziek, die net genoeg dreunde om mijn hoofd te laten tollen. Hoe dan ook, ik deed wat ik beslist niet had moeten doen: ik schoot regelrecht van kussen en knuffelen in de hoerenmodus.

En die arme stakker kreeg de volle lading. De kreuntjes. De handboeien. De volle, zweetdoordrenkte, bedkrakende, burenwekkende, tot-in-mijn-kelige, vuilbekkende, kwak-in-gezicht, schatje-neuk-me-suf lading. Hij viel meteen in slaap, maar ik deed geen oog dicht omdat ik wist wat er was gebeurd. Ik had gloeiendhete, maar volkomen zielloze seks gehad met iemand die ik tot op dat moment vaker had willen zien.

Waarom zou je de koe kopen als de melk gratis is, snap je?

We werden dus vroeg wakker en kleedden ons aan. Hij bracht me naar de ondergrondse en ik stapte op de eerste trein naar huis. Ik durfde hem niet aan te kijken en voelde me een grote idioot. Memo aan mezelf: neuk nooit bij het eerste afspraakje.

Lundi, 19 janvier
Ik heb vannacht van de Jongen gedroomd.

Het was in een soort restaurant annex café annex tunnel naar de onderwereld, gehuisvest in een afbrokkelend religieus monument met een speelplaats erachter (ik kan het niet uitleggen; zo zijn dromen gewoon) en ik zat iets te drinken met een meisje van de sportschool dat fantastische tieten had. Supertieten en ik voerden een gesprek. Ik legde uit hoe de verhouding was afgelopen, en zij vroeg hoe hij heette.

Ik noemde zijn voornaam. Zij zei zijn achternaam, luid. 'O, kennen jullie elkaar?' wilde ik vragen, maar toen keek ik om en zag dat Supertieten het tegen hem had gehad. Hij zat daar met zijn nieuwe vlam, een bekende pornoster.

Supertieten en de Jongen werkten de begroetingsprocedures af, voor mij het sein voor groot onbehagen. Ik glimlachte naar de pornoster, die gek genoeg naakt was. Toen liepen de Jongen en ik buiten over een grazige helling naar de speelplaats, en ik bleef staan en ging liggen, en hij kwam achter me liggen. Hij zei dat hij me miste, dat hij het neuken miste. Ik voelde dat hij een stijve kreeg die tussen mijn dijen omhoog kroop.

'Niet doen,' zei ik, en hij duwde de eerste centimeters naar binnen.

Op dat moment komt de pornoster (die, vermeld ik hier voor de extreem dommen, in werkelijkheid géén relatie heeft met mijn ex, het is maar een droom) nog steeds gek genoeg naakt op haar rug voor me liggen. Ik tast toe. Ze zegt dat ze niet van directe clitorale stimulatie houdt. Ik wrijf haar door het voorhuidje en lik haar binnenste schaamlippen. De Jongen bestijgt me van achteren.

138

Ik werd half verstrikt in een laken wakker. Ik kwam niet klaar. Ik blijf maar aan zijn handen denken, die handen. Hoe zijn haar voelde. De geur van zijn rug in de zomer.

Mardi, 20 janvier
Ze zeggen dat je het geld soms voor het oprapen kunt hebben, maar is er ook een uitdrukking voor het complete tegendeel? Zoals: het met een lantaarntje moeten zoeken?

De boekingen van de afgelopen tijd waren allemaal tijdverspilling van mensen die zich bedachten. Die zitten er altijd tussen, zoals de man die een hele overnachting wilde boeken, maar de manager niet opbelde toen hij in het hotel zat. Ik wist dus wel zijn voornaam, de tijd en de plaats, maar ik was niet van plan op alle verdiepingen op alle deuren te kloppen.

Zie je het voor je? 'Roomservice? Nee? Dan probeer ik het een deurtje verder...'

Hij belde het bureau een paar dagen later om zijn verontschuldigingen aan te bieden. Hij kon niet terugbellen omdat hij het nummer niet bij zich had. Ja, hoor.

Ik ben ook weleens degene die zich bedenkt. Wanneer iemand meer dan eens de tijd en plaats verandert, word ik nerveus. Van te veel overdreven specifieke verzoeken raak ik ook op mijn hoede. Verkleden is prima. Het verzoek krijgen je te verkleden als je grootmoeder van in de zeventig en ook nog eens je eigen balsemvloeistof mee te nemen is niet prima. Een fijn afgestelde griezelradar is onontbeerlijk in dit werk. Het is tenslotte een beroep dat qua veiligheid ergens tussen kernkopinspecteur en rugbyprop scoort. Alleen krijg ik noch een beschermingsoverall, noch spikes om mezelf te beschermen.

De ervaring heeft me ook geleerd boekingen voor meer dan drie dagen later te wantrouwen, want die klanten bellen zelden terug om de afspraak te bevestigen. In het begin dacht

ik dat mijn agenda voor weken volliep, maar de betrouw-
baarste telefoontjes komen zes tot twaalf uur van tevoren,
zelfs van vaste klanten. Hoe langer iemand erover na kan denken, hoe zwaarder de schuld gaat wegen, schijnt het. Of misschien kiezen ze uiteindelijk voor handwerk. *The Sunday
Sport* zal je niet echt pijpen en masseren, maar anderzijds kun
je die in de avondwinkel oppikken en kost hij nog geen vijf
pond.

Slappe smoezen, afbellers, agressieve patiënten en dubieuze,
vrij verkrijgbare geneesmiddelen. Nu weet ik hoe huisartsen
zich voelen.

Gelukkig zijn de vier A's voor een paar dagen in Jour Towers
neergestreken. Citaat van de avond:

A2: 'En, wat gaan we morgen doen?'

A1: 'Nou, we moeten in elk geval zodra we wakker zijn die
fles whisky gaan halen.'

Ik zweer je, een beter stel is voor geen goud te koop.

Mercredi, 21 janvier

N nadert de eerste verjaardag van een verbroken relatie. Ik ben
de mening toegedaan dat het liefdesverdriet doorgaans net zo
lang duurt als de relatie zelf, wat inhoudt dat hij er een maand
of negen geleden overheen had moeten zijn. Zijn ex was een
beetje een grillige meid. Ik had er eerlijk gezegd een hard
hoofd in. Ik heb gelijk gekregen, maar zoiets zeg je niet tegen
je vrienden. Voorbeeld:

'Ik heb haar een kerstkaart en een verjaardagskaart gestuurd,
maar ik heb nog geen sms'je van haar gekregen.'

Ik denk: nee, natuurlijk niet, suffie. Ze is waarschijnlijk al-
lang met een oliemagnaat getrouwd en heeft al een heel nest
geworpen. Ik zeg: 'Hoe durft ze. Wat ontzettend gemeen.'

N heeft het charmante vermogen zijn exen de hemel in te

prijzen. Je hoort mij uiteraard niet klagen. 'Voetstukwaardig' is een eigenschap die meer bekenden me zouden moeten toedichten. De weigering van N's ex om contact met hem op te nemen heeft ertoe geleid dat N alle andere onsterfelijke geliefden afgaat die zijn pad ooit hebben gekruist, o eeuwige trouw. Het begon vorige maand met zijn eerste.

Ze belden elkaar een paar weken. Hij praatte er lief over. De gesprekken met haar leken veel herinneringen bij hem op te roepen: hoe ze elkaar hadden leren kennen en hoe ze elkaar een aantal jaren stiekem het hof hadden gemaakt. Waarom ze nooit wilde trouwen of een gezin wilde stichten. De laatste keer dat hij haar had gezien, het trieste, gespannen definitieve afscheid. Ik hou net als iedereen van een mooie passie, maar ik hou nog meer van mooie verhalen.

Toen maakte N een echte afspraak met zijn eerste en werden zijn aanvankelijk roze getinte mijmeringen openlijk seksueel. Hij heeft daarna nooit meer een vrouw met zulke grote borsten gehad. Ze heeft hem alles over beffen geleerd wat een man maar hoeft te weten en hoe ze op de smaak van zijn zaad reageerde. En ga zo maar door.

'God, als ze het goedvindt, wil ik het graag nog eens met haar doen. Eén keertje maar, gewoon om wat we vroeger hebben gehad!'

Ik denk: er is geen enkele ex die ik ooit terug zou nemen. Daar ben ik voor minstens vijfennegentig procent zeker van. Meestal. Afhankelijk van hoe mijn pet staat. Ik zeg: 'Goed idee, schat. Het wordt vast nog beter dan toen.'

'Je bedoelt dat zé vast nog beter zijn dan toen,' zei hij, en maakte een grijpend handgebaar op borsthoogte.

'Uiteraard. Natuurlijk bedoelde ik dat.'

Hij keek me aan en glimlachte. 'Dus als ik haar in bed kan krijgen, en ze wil, doe jij dan een triootje met ons?'

Ik denk: mooi niet, schat. Ze zegt nooit ja, en al zei ze ja, dan deed ik het nog niet. Ik zeg: 'Ga ervoor, lieverd. Hoe meer zielen, hoe meer vreugd!'

N legde zijn arm om mijn schouders. 'Jij bent de beste vrouw aller tijden, wist je dat?' Hij zal voorlopig in die blije waan blijven verkeren. Ik heb uit betrouwbare bron vernomen dat zijn eerste hem niet meer intimiteiten toestond dan een onhandige omhelzing bij het afscheid. Hij kan blijven denken dat ik een seksuele heilige ben zonder dat het idee ooit op de proef wordt gesteld.

Jeudi, 22 januari

'Schat, heb je vanmiddag tijd voor een afspraak?'

Ik zat mijn teennagels te lakken en was chagrijnig. 'Nee, ik vrees dat ik ongesteld ben.' Vermoedelijk houdt de manager onze cyclus niet bij, en anders is ze te beleefd om me op een flagrante leugen te betrappen.

Alleen was het deze keer geen leugen. Twee weken geleden, toen ik hetzelfde zei, wel.

'Deze máán, hij is heel rijk,' zei ze. 'Hij blijft maar alleen naar jou vragen.'

'Ik kan niet,' zei ik bits. Ik vroeg me af waar ik de Nurofen in vredesnaam had gelaten, en ik dacht aan een paar andere dingen in oplopende mate van belangrijkheid, zoals dat ik de lak niet mocht aanraken tijdens het drogen en dat ik de krant wilde lezen. 'Hij wil vast geen bloed op de lakens.'

'Het is in een hotel.'

'De hoteldirectie dan. Wie dan ook,' zei ik.

'Schat, wat ik tegen de andere meisjes zeg, is: neem dan een sponsje.'

Een sponsje? 'Een sponsje?' Wat was dit, een verwijzing naar een krankzinnig voorbehoedmiddel uit de jaren negentig of de eerste stap op het glibberige pad van een verhaal over Griekse duikpakfantasieën?

'Je knipt gewoon een stukje van een schone spons, schat, en dat stop je in je...'

'Ja, al goed, ik geloof dat ik weet waar je naartoe wilt.' Ik huiverde. Ik heb ooit, jaren geleden, per ongeluk gevrijd met een tampon in, en ik popelde niet om die ervaring nog eens over te doen. Het idee dat iemand op de poort van mijn baarmoeder beukte terwijl ik me steeds ongeruster maakte over de kans een stukje synthetische spons terug te vinden, met daarbij de omgekeerd evenredige kans op de eerste hulp te belanden, was uitgesproken onappetijtelijk.

En als de klant nu eens hoopte op een diepe duik van zijn vingers in mijn tussenbeense om ze daarna verzaligd af te likken?

'Het moet een uur werken. Als de andere meisjes de maand hebben, boek ik ze nooit langer dan een uur. Je redt het wel, schat.'

Ze had natuurlijk gelijk, al weet ik niet hoe ik aan de volgende die mijn keuken binnenkomt moet uitleggen waarom er een stuk van de spons af is. En wat het terugvinden betreft: de klant is eerlijk gezegd niet in de buurt van de poort gekomen.

Vendredi, 23 janvier
Tot mijn grote verbazing belde de man van het eerste afspraakje toch terug. Hij had mijn slechte geweten helemaal niet als een hint opgevat; hij was in het noorden op trektocht geweest en had domweg niet kunnen bellen. Ik had het messcherpe afscheid verkeerd ingeschat. Bij het horen van zijn stem alleen al begon ik te glimlachen. Misschien is het toch de moeite waard.

Hij nodigde me uit voor een toneelstuk. Helaas houd ik de

avonden liever vrij voor mijn werk en neig ik de laatste tijd sterk naar de rode cijfers. Het moet die irritante gewoonte zijn al mijn geld aan lingerie uit te geven. Ik bedankte beleefd, maar zei dat ik hem later deze week graag wilde zien.

'Poeier me maar af, ik trek het me niet aan,' zei hij.

'O, nee, helemaal niet,' nam ik gas terug. 'Ik wil je echt graag gauw zien.' Niet iedere man wil nog met je uit als hij weet dat hij je toch wel kan krijgen. De meesten zouden seks bij het eerste afspraakje als een vrijbrief zien om bij alle volgende ontmoetingen een blikje bier open te trekken en naar de Grand Prix te kijken.

Maar Eerste Afspraak was aardiger, vermoedde ik. Veel aardiger. 'Beloofd?' Ik hoorde de glimlach in zijn stem.

'Erewoord,' zei ik, en glimlachte terug.

Samedi, 24 janvier

Vandaag wordt het Chinese nieuwjaar gevierd. Ik zou het normaal gesproken niet hebben geweten, maar vandaag gaf een klant me bij het afscheid twee in goudfolie verpakte gelukskoekjes. Volgens mij waren ze niet zo traditioneel, maar ik genoot van de gedachte dat een willekeurig gekozen stukje papier in een koekje de sleutel tot je toekomst kan zijn. Het is niet minder waarschijnlijk dan wat je in de annonces achter in de *Metro* leest.

De eerste voorspelling was: 'U krijgt de volgende week een opgewekt telefoontje.'

Het was een bron van vermaak. Bedoelden ze de week nadat de voorspelling was gedrukt, de week nadat ik in het koekje keek of 'volgende week' in het algemeen? Een wijsneus zou kunnen beweren dat als voornoemd opgewekt telefoontje zich niet tussen nu en de negenentwintigste voordoet, in feite de 'volgende week' werd bedoeld.

De tweede voorspelling luidde: 'U zult volgend jaar op de televisie komen.'

Dat is meteen een stuk beangstigender (mijn god, ik hoop van harte dat het niet waar is), maar tegelijkertijd onderworpen aan dezelfde restricties als de eerste voorspelling. Als ik in het jaar van de Aap niet op tv kom, wordt het uiteraard het jaar van de Haan.

Om redenen die hier geen enkel verband mee houden, verheug ik me op het jaar van de Haan.

Dimanche, 25 janvier
Een vreemde bijwerking van dit werk is de gevoeligheid voor lichaamsgeuren.

Meestal douche ik niet direct na een afspraak. Ik heb een vaste klant die me in zijn huis met een spons en amandelzeep wast, maar bij anderen wacht ik liever tot ik thuis kan douchen.

Ik kan dus naar een taxi lopen, of de trap naar mijn flat beklimmen, en een vleug opvangen. Geen specifieke sekslucht, maar gewoon, iemands geur. De geur van iemands huid, haar of handcrème die zich aan mijn huid en kleding heeft gehecht. Soms ruik ik mezelf erdoorheen, en dan weet ik dat ik me zo snel mogelijk ga uitkleden om in de plooien van mijn kleren te snuffelen.

Zou ik die mannen herkennen als ik ze weer rook? Ze zeggen dat geur het best onthouden wordt van alle zintuiglijke waarnemingen. En dat het tevens de meest veronachtzaamde waarneming is. Het is ook zo vluchtig. Sterke geuren ben je snel beu, maar ik kan niet genoeg krijgen van het plagerige, het vederlichte zweempje van een bijna-herinnerde associatie.

De Jongen had een sterke, maar niet onaangename geur. Hij zweette ongelooflijke hoeveelheden vocht uit. Wanneer hij zich na een lange sessie in de slaapkamer oprichtte, droop het over zijn rug en borst. Het had een lichte geur en een zilte smaak, en soms likte ik hem droog. Een beetje vozen en de druppels stromen al uit zijn rug. Eén aanraking en zijn handen worden klam. Hij zwoer bij hoog en bij laag dat ik de enige vrouw was die die macht over hem had. Ik zei plagerig dat hij ten dele een hond moest zijn: een hijgend beest.

Toen ik overstak, rook ik een geurtje dat de psychoanalyticus ook gebruikt moet hebben. Ik herinnerde me dat ik de gladde, groene fles in zijn slaapkamer aanraakte. Op een ochtend trok ik schoenen aan die me op onverklaarbare wijze aan een klant van eerder die week herinnerden. Had ik destijds gedacht: die man ruikt naar leer/oude sportschoenen/zweetsokken? Nee, maar er was een overeenkomstige ondertoon, en tegen lunchtijd moest ik de schoenen uittrekken omdat ik alleen nog maar aan mijn werk kon denken.

Maar dat waren allebei recente herinneringen, die niets zeggen over het lange-termijngeheugen.

Soms loopt er iemand langs die net zo ruikt als A1. We zijn al zo lang bevriend dat onze intimiteit een heel tijdperk geleden lijkt. Hij rook naar heet zand. Ik kom altijd in de verleiding zulke mensen te volgen. Ze bij hun elleboog te pakken voordat ze op het station van de ondergrondse in de massa opgaan, of een briefje te schrijven en dat stiekem in hun zak te stoppen. Ik wil weten wat voor geurtje ze gebruiken. Vragen met welk recht ze ruiken naar iets wat voor mij altijd seks zelf zal blijven.

Lundi, 26 janvier
N heeft een vriendin, Angel, die ook een werkend meisje is. Ik kom haar weleens tegen – we hebben enkele dezelfde ontmoetingsplaatsen.

Ik had haar figuur altijd bewonderd, maar er nooit echt naar verlangd. Alle vrouwelijke rondingen zijn verbannen ten gunste van smalle heupen en volmaakte kontjes. Ze is een gebeeldhouwde bouwkundige triomf, een en al benen en lang haar, en moordend afgetraind. Op een dag in haar in Versace gehulde lichaam wakker worden is niet het ergste dat ik me kan voorstellen. Proberen zelf zo'n lichaam te krijgen zou heel goed het ergste kunnen zijn dat ik me kan voorstellen.

Een paar avonden geleden was ik in de stad. Ik wipte naar de dames om mijn lippenstift bij te werken. Helaas was ik in zo'n hypermoderne tent met een trogachtige wasbak met water dat alle kanten op spat en een te smalle spiegel met schuin van onderen invallend licht, zodat alleen de ruimte tussen je sleutelbeenderen en kin weerspiegeld wordt, wat voor exact niemand flatteus is.

Ik had geconstateerd dat de toiletruimte was ontworpen door een vrouwenhater, keerde me om en zag Angel in elkaar gedoken op de vloer zitten snikken. Ik had haar bijna laten zitten. Zij had mij nog niet gezien. Iets aan de broze boog van haar schokkende schouders maakte het me echter onmogelijk weg te lopen. 'Gaat het?' fluisterde ik terwijl ik naast haar knielde.

Het kwam er met horten en stoten uit: eerst liefdesproblemen, toen familieproblemen, toen een mislukte operatie kortgeleden en vervolgens de reden voor de operatie. Angel bleek een paar jaar geleden het slachtoffer van een berucht geweldsdelict te zijn geweest. Het was de dag van het incident.

'Was jij dat?' Ze knikte. 'Wat vind ik dat erg voor je!'

Ze liet me de hechtingen zien van de reconstructieve plastische chirurgie die ze had ondergaan, vlak langs haar haargrens. Ik drukte haar zachtjes tegen me aan en vertelde haar over mijn afgelopen jaren, het verlies van familieleden en toekomstdromen, en dat ik me soms een op zee dobberende kurk voelde. Dat de raad je te vermannen en stug door te gaan vaak averechts werkt. Ja, de wereld is echt gemeen. Ja, die dingen komen op onze weg om ons te beproeven. Nee, je hoeft niet elke dag de hele dag te lachen. Nee, het was haar schuld niet.

Ik zat daar bijna een uur terwijl de mensen in en uit liepen, over en om ons heen stappend. Toen kwam Angel overeind, streek haar kleren glad en haalde een borstel door haar haar. En hoewel ik niet verwachtte dat dit het begin van iets moois tussen ons was, dacht ik dat het misschien had geklikt.

Niet dat we als maatjes op vrijdagavond tv zouden gaan kijken en ons ongans wilden snoepen, maar misschien een zachte, onuitgesproken erkenning. Een subtiele knik in een grote zaal. Een zusterverbond van twee.

Gisteren zag ik haar weer. In een andere tent, een ander toilet. Ik groette en ze keek dwars door me heen. Ik rende regelrecht terug naar N, gekwetst door de onheuse bejegening. 'Ja,' zei hij. 'Ik vind haar heel leuk, maar ze kan binnen tien seconden omschakelen van hulpeloos in keihard, en je weet nooit met welke persoonlijkheid je te maken krijgt.'

Mardi, 27 janvier

De manager opgebeld om het werkrooster voor de komende tijd te bespreken. Ze giechelde zo hard dat ze niet kon praten, wat niet strookt met de Oost-Europese, ijzige superbabe waar ze altijd voor door wil gaan.

'Eh, gaat het?' Misschien had ik het verkeerde moment uitgekozen, of was ze net vreugdevol slome klanten met de zweep aan het geven of zoiets.

'Schat, ken jij The Darkness?'

'Ja.'

'O, daar moet ik zo om lachen. Ze zijn zo grappig.'

'Hm. Tja, op hun eigen manier wel, veronderstel ik.' Misschien is het overdreven bevooroordeeld van me, maar ik vind dat iemand die eruitziet als het onechte kind van Robert Plant en Steve Perry met een omweg langs de tandarts van Austin Powers niets te zoeken heeft in de wereld van de popidolen. 'Kan ik voorlopig op maandag- en woensdagavond vrij krijgen?'

'Natuurlijk, schat. Neem maar zoveel vrij als je wilt.' Toen brak ze los in een jodelende uitvoering van 'Get Your Hands Off My Woman', die werd ontsierd door het feit dat haar falsetstem op geen stukken na de stratosferische hoogten van het origineel kon benaderen. Ik hoopte van harte dat ze niet in een witte skaibroek met vetersluiting liep te paraderen. Aan de andere kant zouden er vast ongehoorde bedragen voor een dergelijke voorstelling worden neergeteld (als het niet al een vast onderdeel van het oeuvre van Spearmint Rhino is).

Toen iemand me onlangs vroeg welke diensten ik niet wilde verlenen, lukte het me niet iets goeds te bedenken, maar nu staat 'imiteren van wandelende-takachtige Freddy Mercury uit Lowestoft' boven aan mijn lijst.

Mercredi, 28 janvier
Gisteravond had ik vrienden op bezoek, niet zozeer om iets te vieren als wel om de bijkeuken te zuiveren van flessen die er al sinds mensenheugenis rondslingerden. Paar mensen opgebeld, wat mailtjes verstuurd, allemaal op het laatste moment. Gelukkig was Chez Jour net groot genoeg om de stuk of tien mensen te herbergen die het zich verwaardigden te komen en hoefde er niemand naar het dak. Want dat zou ik niemand willen aandoen met dit weer, echt niet.

Op een gegeven moment, toen we de schilderkunst van de Italiaanse renaissance en de Lage Landen bespraken, werd het gesprek soepel afgebogen naar de onthulling dat er een expositie in de Royal Academy is van vrouwen met sperma op hun gezicht. Als het waar is, hoor ik er helemaal bij.

Om drie uur 's nachts had ik nog twee vrij dronken, maar gedienstige gasten over die schalen en glazen verzamelden, de afwasmachine inruimden en de kat van de buren naar buiten stuurden, maar duidelijk niet meer konden rijden. Er moesten slaapplaatsen geregeld worden. Helaas waren de twee overblijvers N en Eerste Afspraak, de man met wie ik de vorige week zo rampzalig heb geslapen.

We klampten ons vast aan de laatste flarden conversatie tot het veel te laat was om nog iets anders te doen. N had duidelijk geen haast om te vertrekken, en Eerste Afspraak evenmin; ik vermoed dat hij me weer alleen te pakken wilde krijgen. Het was ver na mijn gebruikelijke bedtijd en ik hoopte dat een van beiden het zou opgeven en naar huis zou gaan, maar nee. 'Zo,' zei ik. 'Er kunnen twee mensen in het bed en we zijn met ons drieën, dus ik denk dat er een arme ziel op de bank zal moeten slapen.'

Ze keken naar elkaar. Ze keken naar mij. Geen van beiden bood aan de bank te nemen. Geen van beiden bood aan het bed te nemen.

'Jullie zijn allebei lang, dus als jullie het bed nou eens namen? Ik ben de enige die goed op de bank past.' Weer geen reactie. 'Niet allemaal tegelijk, jongens.'

Er verstreek weer een minuut in stilte, waarin ik probeerde de wenkbrauwencode tussen hen beiden te ontcijferen. 'Ik ga wel op de bank,' bood Eerste Afspraak toen aan. We gingen om de beurt naar de badkamer en ik haalde een sprei en twee dekens voordat ik naar bed ging. Eerste Afspraak legde de dekens op de bank.

'Het wordt koud vannacht,' zei ik. 'Hoef je de sprei niet?'

Hij haalde zijn schouders op. 'Laat maar hier, voor de zekerheid.'

N en ik gingen naar de slaapkamer. N deed de deur dicht. 'Niet doen,' fluisterde ik. 'Dan denkt hij dat we gaan vrijen.' Ik zette de deur op een kier.

'Wat kan het je schelen? Trouwens, hij slaapt vast al.'

Ik wist niet waarom het me iets kon schelen. Het leek gewoon een slecht idee om de deur helemaal dicht te doen.

Een paar uur later werd ik wakker met een droge mond van de drank. Liep naar de keuken om een glas water te halen. Eerste Afspraak lag stevig opgerold op de bank. Hij had de sprei erbij gepakt en zag er ijskoud uit. Ik ging terug naar de slaapkamer, pakte de schapenvacht en stopte hem bij zijn voeten in. Hij sliep er dwars doorheen.

Vendredi, 29 janvier
Of de mensen hebben meer vertrouwen in me dan ik denk, óf ik kom betrouwbaarder over dan ik ben. Zo heb ik de huurbazin onlangs met succes weten over te halen mijn flat een beetje op te knappen. Met het excuus dat de meeste keukenapparatuur toch aan vervanging toe is, heb ik gepleit voor een volledige chintzverwijdering. Ik hoop dat dit zal culmineren in een heidens ritueel waarbij alle Colefax- en Fowler-motiefjes onder luid gelach op een knetterend vuur worden gegooid.

Intussen zal ik thuis enig ongemak moeten verdragen. Niet onleefbaar, maar gewoon vervelend. Ik had het pas met een van de A's over de naderende opknapbeurt.

'Tja, als ze op het werk eens doorpakken, zit ik de komende veertien dagen op een congres. Wil je de sleutel van mijn huis?'

'Graag, lieverd, maar ben je niet bang dat ik iets op je kleed mors?' A's pietluttigheid met betrekking tot zijn huis is berucht. Hij schijnt zijn vriendinnen maar één plank voor hun spullen te geven. Zelfs als ze bij hem inwonen.

'Ik vertrouw je wel,' zei hij, nippend van een whisky met water. 'Ik weet dat jij de katernen van de krant precies zo kunt strijken als ik het graag heb.'

Nee, wás het maar een grapje.

Nog een voorbeeld: een nieuwe klant boekte me voor het grootste deel van de avond bij hem thuis. Nadat we het grootste deel van een fles gin, de veren van zijn bed en elke redelijke vorm van conversatie hadden verbruikt, glipte hij weg om snel te douchen.

Zulke intermezzo's maken me nerveus. Niet dat ik van plan ben het huis leeg te roven, maar ik ben een dwangmatige biechteling, ook als ik iets niet heb gedaan. Als op school de hele klas straf kreeg voor iets wat een enkele leerling had gedaan, voelde ik me vast en zeker het schuldigst. Vooral als ik niets had misdaan.

De meeste klanten zijn trouwens voor ons op hun hoede. Wanneer ik klanten bij hen thuis bezoek in plaats van in een hotel, zien ze doorgaans af van het badritueel of stellen me voor samen te douchen, zodat ze me niet alleen hoeven te laten. Ik vind het niet beledigend.

Deze klant trok echter een badjas aan en repte zich naar de badkamer. Ik zat op de bank. Overwoog in zijn cd-verzameling te graaien, maar besloot dat dat onbeleefd was. Ik keek aandachtig naar de aquarellen aan de muur. En aangezien ik toen niets meer te doen had, niemand hoefde te bellen of terug te bellen, niets kon lezen, deed ik wat elk weldenkend mens zou doen.

Toen hij uit de badkamer tevoorschijn kwam, was ik druk met de afwas bezig.

Misschien ben ik betrouwbaarder dan ik dacht.

Vendredi, 30 janvier ·
Het sneeuwde gistermiddag. Studenten stoven uit het hoofd-
gebouw van de universiteit en het archeologisch instituut,
raapten handenvol sneeuw op en bekogelden elkaar. Meiden
liepen in groepjes van twee of drie langs, weggedoken onder
paraplu's. Ofschoon het al donker was, hing er een rustig, dif-
fuus licht: de warme gloed van de straatverlichting, weerkaatst
door de donzige dekbedvlokken die naar beneden dwarrelden.

Ik ging iets drinken met A2, die in dit geologische tijdperk
nog geen relatie heeft gehad. Wel heeft hij onlangs op een
congres een meisje uit Manchester versierd. Het lijkt me een
verre reis voor seks. Hij verzekert me dat het niet alleen om de
seks gaat. A2 is een prima jongen, maar een uiterst beroerde
leugenaar.

We nestelden ons in een eetcafé met bar en zagen hoe de
bussen zich buiten in de ijzige straat opstapelden. Het was
zo'n gelegenheid met veel leren fauteuils in verhouding tot de
barkrukken waar ze de muziek om zeven uur 's avonds automatisch hard zetten, ongeacht het aantal aanwezige klanten.
We moesten zo ongeveer schreeuwen om ons verstaanbaar te
maken.

'En, wat vind jij van latex?' loeide A2.

'Latex?' herhaalde ik, betwijfelend of ik het goed had gehoord. 'Goed idee, meestal.' Jammer genoeg lijk ik er allergisch voor te worden, want laatst had ik na het pijpen van een
klant gezwollen, tintelende lippen. Al is dat niet bepaald een
wetenschappelijk experiment. Het kan net zogoed de zaaddodende pasta of de Durex geweest zijn.

'Nee, ik bedoel...' – hij deed alsof hij een rubberhandschoen
aantrok – '... látex. Hoe het voelt, weet je wel, als...'

'Hebben jullie het nu al over rubberseks?'

'Het is een wereldwijf,' zei hij dromerig. 'Nou, heb je het weleens gedaan?'

Het piep- en kraakwerk? 'Niet met alles erop en eraan, nee. Je bedoelt met een katheter en een masker en alles? Nee.' Gadver. 'In je pisbuis' is waarschijnlijk de minst opwindende uitdrukking die ik maar zou kunnen verzinnen.

'Maar ik wil het zo graag.'

'Pas op dat je haar niet afschrikt.'

'Zij kwam ermee. Nou, heb je nog tips?'

'Veel babypoeder, lijkt me. Ik wil er niet eens aan denken hoe dat gaat ruiken.'

'Hm, ik wel.'

Waar halen de mensen zulke dingen toch vandaan? En wordt het niet zweterig in zo'n pak? 'Perverseling. En jij zei nog wel, en ik citeer je letterlijk, dat het niet alleen om de seks ging.'

'De pot verwijt de ketel.'

'Wie, ik?' Ik bracht quasi-verbaasd een hand naar mijn borst. 'Dat zou ik absoluut nooit doen. Ik ben zo maagdelijk als je weet wel,' zei ik, met een knikje naar de sneeuw buiten.

'Vast niet. Wil je nog wat?' schreeuwde A2 over een hopeloze cover van een afschuwelijke jongensband heen.

'Iets warms, als ze dat hebben. Met veel alcohol. De enige manier om die muziek weg te krijgen. En mijn voorstelling van hoe jij met een opblaaspop ligt te rampetampen.'

Samedi, 31 janvier

In dit soort weer moet je je nederlaag erkennen, de 'het kan nooit te dun'-mantra helemaal van je af zetten en een nieuw uitgangspunt kiezen, dat zich het best laat samenvatten als de 'maillot, visnetkousen en sokken onder een broek, en alsjeblieft, maak dat ik niet op een openbaar toilet met al die kleding hoef te worstelen'-levensfilosofie. Misschien is het niet duur betaald voor een leven in een winters wonderland van sneeuwbrij.

En op dagen als deze zou alleen een proleet zich achteloos laten ontvallen dat mijn 'kont iets dikker was geworden'. Derhalve kon ik niet anders dan N vermoorden en het lijk onder een laag permafrost aan Hampstead Heath verstoppen. Geen jury zou me veroordelen.

Février

Belles A-Z van de Londense seksindustrie, K t/m N

K staat voor kwaliteiten
Of datgene waar een meisje om bekendstaat. Voor de een is dat haar uiterlijk, voor een ander de intimiteit en voor weer anderen een bepaald talent. Ik word vrij vaak voor anale seks en lichte SM gevraagd, maar dat zijn niet mijn echte kwaliteiten. Mijn gave is orale seks. Ik heb zo vaak complimenten voor mijn orale techniek gekregen dat ik een klant, voordat ik met hem begin, durf te vragen of hij in mijn mond wil klaarkomen of niet en zo ja, hoe lang het dan moet duren? Veel klanten geloven niet dat ik hun orgasme in de hand heb (of tussen mijn lippen, eigenlijk). Natuurlijk wel, suffies. Daarom zijn jullie de mannen.

M staat voor miserabele kussers
Daar zijn er veel van op de wereld. Het is niet jouw taak ze te verbeteren, maar een tactvolle suggestie op het juiste moment kan het beste zijn dat een man aan de ontmoeting overhoudt. Soms moet je gewoon op je tong bijten. Zeker als hij dat ook doet.

M staat ook voor muziek
Ik acht de dominante soundtracks die de filmwetten voorschrijven schuldig aan de shit die zogenaamd een hedonisti-

sche vrijpartij hoort te begeleiden. Muziek is een kwestie van smaak, en meestal is het heel duidelijk of een man iets heeft opgezet omdat hij het zelf wil horen en er opgewonden van raakt of omdat hij denkt dat het zo hoort. De daad willen bedrijven op de mierzoete melodieën van Luther Vandross is een misleide poging om sfeer te scheppen. Iemand die van achteren op je in beukt op de maat van Stravinsky's *Sacre du Printemps*, daarentegen, heeft duidelijk passie voor de muziek.

N staat voor natuurgeluiden
Het alternatief voor muziek. Hij wil horen hoe hij het doet; laat het hem horen. Maar in godsnaam, leg het pornogekrijs in een goedkope imitatie van zinderende passie er niet te dik bovenop, tenzij hij er expliciet om vraagt. Ze betalen voor seks, niet voor stupiditeit.

Dimanche, 1 février

Eerste Afspraak en ik zouden naar een toneelstuk gaan. Geen groots opgezette productie in het West End: hij vroeg of ik mee wilde naar een stuk dat vrienden in een café opvoerden. Het was iets van een geliefde toneelschrijver uit de renaissance, en ik twijfelde aan hun bewerking. 'Je zult ervan staan te kijken wat ze ermee hebben gedaan,' stelde hij me gerust. 'Het wordt een klapper.'

Ik giechelde. De uitdrukking zal voor liefjes wel iets anders betekenen dan voor callgirls.

De nacht na het feest, toen hij in de woonkamer sliep en N in mijn bed, stonden we 's ochtends allemaal vroeg op en dronken koffie in de keuken. Ik liep met hen mee naar buiten, zwaaide N na toen hij met zijn auto wegreed en liep met Eerste Afspraak mee naar de zijne, die om de hoek stond. Ik was bang iets van de kilte terug te krijgen die ik hem had betoond, maar nee: hij gaf me een kus op mijn mond voordat hij wegging. Misschien verdiende ik nog een kans.

Ging vanavond met de ondergrondse naar de afspraak toe. Hij zat al met een kennis in het café en stelde me aan hem voor. De roem van de kennis bestond eruit dat hij als kindsterretje in wat reclamespotjes had gespeeld, en aangezien hij me minstens vijftig leek, verbaasde het me niets dat ik het product niet herkende, laat staan de spotjes. In plaats daarvan praatten we even over computers. Ik vind het beestachtige dingen die, afgezien van het bevorderen van de productie en distributie van porno, weinig nut hebben. Net als mannen, eigenlijk. En ze doen het niet slecht.

De klapper werd in een bovenzaal opgevoerd. Het was me van meet af aan duidelijk dat ik het stuk niet zou waarderen, maar de lange, gespierde dij van Eerste Afspraak drukte tegen de mijne, en hij lachte op de goede momenten, en afgezien van het geschmier op drieëneenhalve meter voor ons was het leuk om samen in het donker te zitten.

Na afloop stroomde het publiek naar beneden om iets te drinken. Toen de hoofdrolspeler zijn opwachting maakte, voegde ik me bij de menigte die hem overdadig en onverdiend prees.

'Wat vond je er nu echt van?' vroeg een vriend van Eerste Afspraak met een sluwe glimlach toen de acteur weg was gelopen.

'Bloedeloos,' zei ik. 'Geen passie.'

'Voorbeeld?'

'Ik kan het beter,' zei ik. Ik wendde me tot Eerste Afspraak en citeerde een regel uit het stuk, een stukje tekst van de hoofdrolspeler. Ik klauwde aan zijn overhemd alsof hij Helena van Troje was, het toonbeeld van vrouwelijk schoon. En hij speelde zijn rol goed door mijn avances hooghartig af te wijzen.

We keken allebei naar de vriend. 'Touché,' zei hij. Eerste Afspraak en ik dronken onze glazen leeg en gingen weg.

Hij bood me een lift aan. Het was niet echt in zijn buurt, maar ik nam het aanbod aan.

We praatten over alles en niets. Ik vertelde in grote trekken hoe de relatie met de Jongen was afgelopen. Hij vertelde mij over zijn laatste ex-vriendin. Mijn gedachten dwaalden af naar A2 en opeens zei ik: 'Ik denk dat het een openbaring was om te ontdekken dat je niet van iemand hoeft te houden, alleen maar omdat hij van jou houdt. En je kunt zo iemand niet vertellen dat hij niet van je mag houden.'

Het bleef even stil. 'Mooi zo,' zei hij, terwijl hij om Hyde Park Corner heen zoefde, 'want ik hou van je.'

Oei, nee toch. Ik voelde me in het nauw gedreven door mijn eigen woorden. 'Dank je,' zei ik. En op hetzelfde moment wist ik dat ik zijn gevoelens niet beantwoordde. Nog niet. Misschien nooit. We gingen naar mijn huis, vrijen, sliepen. Hij werd vroeg wakker – de gewoonte van iemand die eerlijk werk doet, veronderstel ik. We ontbeten stilletjes en toen ging hij naar huis.

Lundi, 2 février

Klant: 'Mag ik een foto van je maken?'

Ik (krijg de videorecorder ter grootte van een mobieltje in het oog): 'Nee.'

'Alsjeblieft? Je gezicht komt er niet op.'

Goh, fijn. 'Nee, sorry. Het is niet ons beleid foto's of video's toe te staan.'

'Ik wil alleen zien hoe jij die lippen spreidt als mijn lul naar binnen gaat.'

'Goed, dat kan. We zetten een spiegel neer. Maar geen foto's.'

'Andere meisjes vinden het wel goed.'

'Ik ben geen ander meisje.'

Hij (pruilend): 'Andere meisjes van hetzelfde bureau.'

Moet ik daarvoor zwichten? Man, al had je foto's van mijn moeder die het met je hond doet. 'Het spijt me echt, nee.'

'Zelfs geen foto? Er komt meer van mij op te staan dan van jou.'

'Nee.' Het begon vervelend te worden en, nog belangrijker, het nam veel van onze tijd in beslag. Ik glimlachte liefjes, ging tegen hem aan staan en speelde met het bovenste knoopje van zijn overhemd. 'Zullen we?'

Zo gezegd, zo gedaan, maar hij doorspekte de conversatie tijdens onze sessie met opmerkingen als: 'Wauw, ongelooflijk, kon ik daar maar een foto van maken,' en: 'Jij zou echt in een pornofilm moeten spelen, wist je dat?' N en ik hadden ooit met het idee gespeeld een lange vakantie in Polen te financieren door in Oost-Europese pornofilms te spelen, maar dat is een heel ander verhaal voor een andere keer.

Hij hield maar niet op. Uiteindelijk kon ik niet meer ontkomen aan het gevoel dat ik werd bespioneerd en werd het moeilijk enthousiast te steigeren en de juiste bewegingen te maken. Aan het eind van het uur was ik zo achterdochtig dat ik zonder het zelf te willen door de kamer keek, zoekend naar verborgen camera's. Het was tenminste een hotelkamer en geen particuliere woning, maar toen hij naar de wc ging, keek ik toch in alle laden en onder het bed.

De ervaring heeft me geleerd dat het verstandig is wantrouwig te blijven. Het heeft mij nog geen slechte diensten bewezen. Niemand heeft ooit misbruik van me gemaakt, en ik wil me ervan verzekeren dat het er ook nooit van zal komen. Dat is een van de redenen waarom ik voor een bureau werk.

Ik weet dat ik een bevoorrechte plaats in de seksindustrie inneem. De meeste, maar niet alle prostituees zijn verslaafd, hebben een destructieve relatie of worden door klanten misbruikt, zo niet alle drie. Waarschijnlijk zegt het iets over mijn gebrek aan naïviteit dat ik de weinige andere werkende meisjes die ik tegenkom niet vraag of ze plezier in hun werk hebben. Serieus, ik was al ruimschoots een tiener toen ik erachter kwam dat er tippelaarsters bestaan. Soms kun je moeilijk het verschil zien tussen een meisje dat op weg is naar de disco en een, eh, ander meisje.

Ik kwam een keer thuis na een avondje stappen. Ik studeerde nog en woonde in een flatgebouw in de buurt van het centrum. De taxichauffeur zette me aan het eind van de straat af. Toen ik met mijn sleutels in mijn hand naar de deur liep, werd ik door een man aangesproken.

'Loop je op de baan, schat?'

Het duurde even voor ik begreep wat hij bedoelde. 'O. Nee.' Ik droeg geen overdreven uitdagende kleding, gewoon... Wacht even. Ik studeerde, en studentes die uit de disco komen zijn altijd halfnaakt. Het was echt een vergissing. Maar ik zette het niet op een gillen, rennen of schelden.

'Echt niet?' vroeg hij.

Er werd af en toe in de buurt getippeld. Op een zaterdag, toen ik vroeg naar buiten was gegaan om een krant te kopen, zag ik een vrouw door een hoofdstraat van de stad strompelen. Ze was gekleed op een avondje uit, maar dan op klaarlichte dag; ze zag er te jong uit voor een studente, te ondervoed. En een andere keer, toen ik met vrienden in het buurtcafé zat, zagen we een vrouw binnenkomen om een biljet van twintig pond te wisselen. De barkeepers keken elkaar aan; het was duidelijk dat ze haar kenden.

'Echt niet,' zei ik, en had er bijna aan toegevoegd: maar toch bedankt.

Mardi, 3 février

Het opknappen van het huis gaat goed, al heb ik niet de inspiratie om over stoffering te schrijven. Laat ik ermee volstaan te zeggen dat de vorige stijl (Laura Ashley en Peter Max in Tahiti op lsd) wordt gemoderniseerd tot iets wat vaaglijk in deze eeuw past.

Gisteren werd er een hoogst interessant object afgeleverd. De verhuurster had de bank een aantal jaren geleden laten maken door een firma die de gegevens had bewaard, en nu waren ze zo vriendelijk prettig ogende nieuwe kussenhoezen voor het veel te vol gepropte gedrocht te bezorgen (ik doel op de bank, niet de verhuurster). De nieuwe hoezen kwamen kort na de lunch, vergezeld van een gedetailleerde handleiding en een stuk gereedschap om de kussens in de hoezen te werken.

Het moet me van het hart dat dit stuk gereedschap sprekend op een peddel lijkt.

Het is waarachtig een klassieke peddel, van hetzelfde gloedvolle hardhout als het skelet van de bank zelf, met een glad, afgerond handvat dat op de gebogen pootjes van het meubelstuk lijkt en een vlakke, taps toelopende kant die kennelijk bedoeld is om de kussens in hun nieuwe huid te wurmen, maar mij absoluut niet aan meubelstofferingsgerei doet denken. Het is gewoon een goed gemaakte en extreem geile peddel. Er is zelfs een leren touwtje door een oog in het handvat gehaald, godbetert. En hij past bij het meubilair.

Ik keek van de peddel naar de bezorger. 'Wilt u deze terug hebben als ik ermee klaar ben?'

'Wat? Nee, die mag u houden, of weggooien. We hoeven hem niet terug.'

'Dank u wel.' Ik had in tijden niet zo'n onverwacht en welkom geschenk ontvangen. Alsof Valentijnsdag dit jaar eerder valt.

Mercredi, 4 février
Klant (zet spiegel van toilettafel op de vloer): 'Ik wil dat je naar jezelf kijkt terwijl je masturbeert.'

Goh, dat is weer eens iets anders. 'Waarmee?'

'Eerst met je handen. Dan met een vibrator.'

'En dan ga jij...'

'Nee, ik wil alleen maar kijken.'

Hij pakte een stoel voor me en ik ging zitten. Wriggelde me uit mijn slipje en stroopte mijn rok op tot om mijn middel. En daar was het dan allemaal, zo open en bloot als ik het zelden had gezien. Ja, ik controleer wel even na het harsen en voordat ik uitga, maar dit was anders. En handspiegels spelen een grote rol in zowel mijn werk als bij de seks thuis, maar dit was ik alleen, ongerept. Belle, gezien door een vlieg op de muur. En ik, van mezelf bezeten als ik ben, was misschien wel net zo gefascineerd als hij.

Ik zag mijn schaamlippen voller, roder en natter worden. Veel donkerder dan ik had gedacht, bijna paars, zoals ik zo vaak bij een eikel heb gezien. De opening zelf verwijdde zich snakkend naar adem. Ik hoorde het zachte smakken, als van een mond die zich opent en sluit, terwijl mijn hand sneller wreef en mijn heupen wilder begonnen te bewegen.

Het was alsof ik mezelf op tv zag. Ik denk dat hij het net zo beleefde, want hij besteedde veel meer aandacht aan mijn spiegelbeeld dan aan mij op de stoel. Ik vroeg me af waarom hij iemand wilde betalen voor masturbatie zonder interactie, en toen snapte ik het. Hij wilde de regisseur zijn.

Telkens als ik bijna niet meer terug kon, hield ik even op en ging anders zitten, zogenaamd om hem een beter zicht of een andere houding te verschaffen, maar in feite om niet klaar te komen.

Het was opmerkelijk moeilijk bijna een uur lang te voorkomen dat ik die gevoelige trekker overhaalde. Hij zat eerst op een bed, later knielde hij op de vloer en kroop steeds dichter naar de spiegel toe. Zo nu en dan vroeg hij me iets aan de snelheid, het gebruik van de vibrator of de plek van mijn vrije hand te veranderen, maar hij raakte me niet aan. Toen hij klaarkwam, spoot het tegen het glas en gleed lobbig over mijn spiegelbeeld op de vloerbedekking.

Jeudi, 5 février

Ik was in Ladbroke Grove zonder paraplu door een plotselinge regenbui verrast en kwam doorweekt en chagrijnig thuis. Ik kwam van een afspraak, en laten we het erop houden dat die niet goed was verlopen. Ik had drie gemiste telefoontjes, allemaal van het mobieltje van de manager. Ik belde terug. 'Hallo, sorry dat ik je hebt gemist.'

'Geeft niet, schat.' Bij wijze van uitzondering luisterde ze eens niet naar afschuwelijke-kapselpop. 'Je had een boeking.'

'Ik had een lunchafspraak en ik was mijn mobieltje vergeten. Heb je iets boeiends voor me?'

'Die heel aardige man. Hij vraagt altijd naar je.'

'Aha.' Dit overkomt me ongeveer een keer per week sinds ik met dit werk ben begonnen. 'Die Fransman?'

'Zo'n aanbiddelijke heer.'

'Ja, en hij geeft me altijd minder dan een uur de tijd om op een afspraak te komen. Zo snel kan ik er niet zijn.' Daarvoor ligt mijn huis te ver van het centrum. 'Je hebt hem zeker aan een van de andere meiden gegeven?'

'Ja. Maar hij vraagt altijd naar jou, schat.'

'Zeg maar tegen hem dat hij me de volgende keer meer tijd geeft, goed?'

'Hm.' Er klonk een andere stem op de achtergrond. De manager werd vreemd stil en fluisterde toen: 'Sorry, ik moet ophangen. Leuk je gesproken te hebben, tot ziens!' Zeker dat vriendje dat niet weet hoe ze de kost verdient. Ik vind het raar, maar anderzijds is zíj degene die de wet overtreedt, niet ik.

Kort daarna een sms van Eerste Afspraak: 'De Torture Garden. Wat dunkt je?'

Tja, als hij mijn belangstelling vast wil houden, is hij goed bezig. Ik ben zeer geboeid. Polsen en enkels, uiteraard.

Vendredi, 6 février

Liep gisteren door een betegelde voetgangerstunnel van station Monument naar de District Line. Er stond een straatmuzikant die dylaneske gitaarloopjes speelde en teksten verzon over de mensen die voorbijliepen.

'... en ik zei, mijn vriend, er komt een vrouw / en ze loopt langs je heen / en je herkent haar aan haar witte jurk en roze schoenen / er komt een prachtige vrouw...'

Ik keek naar mijn schoenen en glimlachte tegen wil en dank. Oudroze pumps met open tenen. Heel jaren veertig of zeventig, afhankelijk van wat je ermee doet.

'... en mijn vriend, je zult haar herkennen / je zult haar herkennen aan haar glimlach...'

Ik liep door, maar bleef glimlachen, en voordat ik de hoek omsloeg, keek ik over mijn schouder en grijnsde naar hem.

Samedi, 7 février

N kwam na de sportschool langs om met de kussens te helpen. Met 'helpen' bedoel ik dat hij erop ging zitten terwijl ik water opzette, wat op een bepaalde manier wel zal helpen, neem ik aan. Iemand moet de eerste vlek op de bekleding maken.

(Ik heb het over niets onwelvoeglijkers dan gemorste thee, perverselingen.)

N's blik viel meteen op de kussenwurmer annex peddel. Toen ik met de dampende thee terugkwam, zat hij al experimenteel op zijn dij te slaan.

'Nieuw werkgereedschap?' vroeg hij.

'Dat kreeg ik bij de kussenhoezen,' legde ik uit.

'Klasse.'

Een van N's andere exen, degene die zijn hart heeft gebroken, komt tegenwoordig onregelmatig naar de sportschool. Het is me opgevallen dat ze nooit op tijden komt dat hij er zou kunnen zijn. Soms blijf ik bij de kluisjes treuzelen om haar af te luisteren, mocht ze met iemand praten, wat gezien haar huidige situatie veel zou kunnen opleveren. En als ze al weet wie ik ben, heeft ze daar niets van laten blijken. Ik twijfel nog of ik het aan N zal vertellen. We waren nog maar halverwege de thee toen het gesprek onvermijdelijk op haar kwam.

'Ik weet niet of ik haar zal bellen,' zei hij. 'Als ze weer iemand heeft, voel ik me ellendig, en anders ga ik me afvragen waarom we uit elkaar zijn.'

'Als iemand besluit dat het afgelopen is, kun je daar niets tegen doen.'

'Weet ik wel. Ik dacht alleen dat ik alles eindelijk goed voor elkaar had, dat ik eindelijk... Jezus Christus.'

'Wat is er?'

'Kijk maar naar buiten.'

Ik keek. Een straat in een woonwijk, geparkeerde auto's aan de overkant. Huizen waar licht brandde en donkere huizen. Bijna onzichtbare, schuin vallende regendruppeltjes als een oranje nevel onder het licht van de straatlantaarns. 'Ja?'

'Dat is zijn auto. De auto van je ex.'

Ik tuurde. Mijn ogen zijn niet meer wat ze zouden moeten zijn, en ik heb mijn idee van een normale afstand van een krant tot je ogen aangepast tot op een paar centimeter van mijn neus. Maar inderdaad, die auto leek beangstigend veel op die van de Jongen, een Fiat V, een halve straat verderop.

Een onwillekeurige huivering. Het was koud bij het raam en ik trok de gordijnen dicht. 'Er rijden zoveel van dat soort auto's.'

'Hij stond er nog niet toen ik aankwam,' zei N. 'Niet één van de mensen hier heeft er een.'

Ik liep terug naar de bank, maakte mijn over elkaar geslagen armen los, pakte mijn thee en ging zitten. 'Hm, ik denk het niet. Ik weet het niet.'

Toen N een uur later vertrok, was de auto hoe dan ook weg.

Dimanche, 8 février

Stel je voor: het is halverwege de jaren tachtig. In de zomer brengt mijn moeder me op weekdagen soms naar een joodse jeugdclub. Meestal hangen we bij het clubhuis rond, doen bordspelletjes of worden gedwongen vreemde sporten te beoefenen waarvan niemand de regels kent, zoals korfbal. Soms maken we een uitstapje.

Op een keer gaan we met twee busjes naar het strand. Het is geen warme dag, maar het strand is een verwennerij (krijgen we te horen), dus mogen we de dag niet verspillen (krijgen we ook te horen). Een schooljuf kwam ooit met een gebleekte zeester van haar buitenlandse vakantie terug, dus loop ik de hele dag op blote voeten langs het strand om er een te zoeken. Ze zijn er natuurlijk niet. Andere meisjes zitten met gekruiste benen in het ondiepe te doen alsof ze hun haar met zand wassen. Ze vragen of ik mee wil doen, maar ik wil niet. Het ziet er te koud uit.

Voordat we de bussen weer in mogen, worden we neurotisch door de leiders afgeklopt, maar bij thuiskomst zit alles nog steeds vol zand. De volwassenen sturen de meisjes de ene zaal in en de jongens een andere om hun zwemkleding uit te trekken en de handdoeken uit te schudden. Tussen de beide zalen ligt een garderobe annex gang, en de jongens weten het niet, maar ze worden door twee oudere meisjes begluurd.

Ik kreeg niets te zien. Niet dat ik mijn best niet deed: de oudere meisjes waren lang genoeg om het zicht te beletten en ze lieten niemand anders in de buurt komen. Ze beschreven wat ze zagen (het klopte niet, besefte ik later). Ik blijf nog jaren geloven dat er een soort schroefdraad langs het mannelijk lid loopt, met een punt aan het eind, het lichamelijke equivalent van de uitdrukking 'een punt zetten'. Wanneer iemands oudere zus een vriendje heeft, 'zetten ze punten'.

Er is een hit waar alle oudere meisjes dol op zijn, en ze kibbelen over wie het meest van de zanger houdt, welke achternaam het beste klinkt in combinatie met de zijne. Zijn plechtige verklaring aseksueel te zijn betekent niets voor hen. Nee, toch iets: het maakt hem moeilijker te veroveren. Er zou geen grotere kloof tussen hem en de jongens om ons heen kunnen gapen. Hij is mooi, stokoud en buitenaards. En hij komt uit Manchester, en als we iets weten, is het wel dat Manchester veel cooler is dan onze woonplaats.

In mijn eerste flat na mijn studie sta ik in de keuken borden uit te pakken als het nummer op de radio wordt gedraaid. Het is voor het eerst dat ik het zonder een meezingend koor van twaalfjarigen hoor.

Die zomer van de jeugdclub was ook de zomer dat de vrienden van mijn ouders mij 'kleine Alice' begonnen te noemen. Naar Alice in Spiegelland. 'Waar is kleine Alice?' vragen ze, en ik kom al aanrennen, erop belust indruk te maken. Ik word in gezelschap vertoond om te imponeren met staaltjes van mijn geheugen. Ze houden me bij zich als een soort salonvermaak: moet je die oervolwassene toch eens zien. Ik weet dat ze me kleineren door zo over me te praten, maar tegelijkertijd doet het me plezier dat ik hen in hun eigen taal van repliek kan dienen. Een huisvriend weigert bij ons aan tafel te eten als hij niet naast me mag zitten. Hij vraagt me wat ik van de politiek vind, en tot mijn verbazing blijk ik een mening te hebben. Hoe ongefundeerd ook. Daar is sindsdien niet veel verandering in gekomen. Dan vraagt hij me een gedicht na te zeggen, en hij dreunt het zin voor zin op. Ik citeer het woordelijk. 'Op een dag zou je dit misschien zelfs allemaal kunnen bevatten,' zegt hij lachend.

Ik sta dus in mijn eentje in de keuken naar dat nummer te luisteren, als volwassene, niet als kleine Alice. De tekst is best droevig. Zonder het zelf te merken begin ik te huilen.

Mardi, 10 février
Neuken: gids voor zoekenden
- *Goed neuken*: veel herrie maken om buren op echte seksuele activiteiten in het pand te attenderen. Niets laten liggen en niet onmiddellijk erna opbellen. Kortom: wie dit kan, zou waarschijnlijk geld moeten vragen voor de bewezen diensten.
- *Slecht neuken*: tegels op het plafond tellen en dan een ring eisen.
- *Neukbaar*: niet zozeer een klassieke schoonheid zijn als wel dierlijke eigenschappen uitstralen. Mits het dier in kwestie geen otter is.
- *Verneukt*: wanneer je de komende tijd waarschijnlijk niets te neuken zult krijgen.
- *Niet neukbaar*: vrouwen van de gebruinde, blonde soort die liever over hun dieet, spiritualiteit en schoothondjes praten dan aan seks te doen (zie ook onder *Chelsea* en *Tantalus*).
- *Uitgeneukt*: niet langer ontvankelijk voor regelmatig neuken.

Mercredi, 11 février
De afgelopen week zijn er nog eens drie afspraakjes voor me geregeld. Dit zou kunnen betekenen dat mijn vrienden zich zorgen maken over mijn geestelijk welbevinden, dat ze bang zijn voor wat er zou kunnen gebeuren als ik te lang alleen blijf,

of beide. En ik wil me niet te snel aan Eerste Afspraak hechten. Hij is leuk en we kunnen goed met elkaar opschieten, maar hoe langer ik erover nadenk, hoe meer ik zijn intenties... te intens ga vinden.

Niet één van de beoogde heren voldeed echter aan mijn beeld van de ware.

Vrijgezel 1 was een schat; lang, met vreemde, donkere ogen en een verpletterend Welsh accent. Als ik ergens gek van word, zijn het wel de zoetvloeiende klanken van mannen uit Wales. Oppervlakkig, ik weet het, maar we hebben allemaal onze zwakke punten.

Helaas leek de goede man niets te hebben gehoord over mijn werkend bestaan. Halverwege het voorgerecht begon hij aan een gecompliceerde anekdote, die erop neerkwam dat hij zijn beste vriend bespotte omdat die 'met de zus van een hoer ging'. Aha. Nu ja. Jammer.

Maar het eten was lekker.

Vrijgezel 2 was al dronken toen ik in het café kwam waar we hadden afgesproken. Ook een fraai exemplaar, maar hij had duidelijk problemen met de relatie tussen zijn lichaam en de zwaartekracht. Binnen een halfuur klampte hij zich steunzoekend vast aan de bar, na te hebben ontdekt dat ik te klein ben om een rond de honderd kilo wankele man rechtop te houden.

Een paar uur later stonden we in de rij voor een disco. Ondanks de regen en ellende in het algemeen werd het beleid gehanteerd dat er pas weer iemand naar binnen mocht als er iemand anders wegging, terwijl het er duidelijk op geen stukken na vol zat. Vrijgezel 2 nam hier aanstoot aan en besloot de kwestie bij de portiers aan te kaarten. Ze gooiden hem eruit, en gelijk hadden ze. Ik pelde hem van de stoep, bracht hem met een taxi naar huis, vond een zak erwten in zijn vriesvak en legde die op zijn zwellende wang voordat ik me verontschuldigde. Ik betwijfel of hij er iets van heeft gemerkt, want hij was al buiten westen.

Vrijgezel 3 was zo iemand die de uitspraak 'je kunt je beter koest houden en voor dom aangezien worden dan je mond opentrekken en alle twijfel wegnemen' op het lijf geschreven was. Nadat ik er een vol uur lang vrolijk op los had gekletst (ikzelf maak me er niet druk over of mensen me al of niet dom vinden) produceerde hij ten slotte een paar juweeltjes:

'Ik kan niet zeggen dat ik er een liefhebber van ben.' (Het vak dat ik heb gestudeerd.)

Een hele academische richting met een enkele zin van de aardbodem gevaagd. Geeft niet, mij best, ik doe er niet moeilijk over. De conversatie werd dus voortgezet, en nu ging het over muziek, een onderwerp waar hij iets meer enthousiasme voor kon opbrengen.

'Ik wil naar alles luisteren, behalve naar countrymuziek.'

Wat, een leven zonder Dolly? Zonder Patsy? The Flying Burrito Brothers? Ik geef toe dat wat er momenteel uit Nashville komt, weerzinwekkend eenvormig is, maar mensen als Wilco en Lambchop ook maar afschrijven?

Om de countrydiva te parafraseren: heb ik daar mijn benen voor geharst?

Jeudi, 12 février

Ik zat achter in een taxi zo'n beetje te suffen. Ik had zo'n dag achter de rug waarop je al moe wakker wordt, waarna het nooit meer helemaal goed komt. Mijn telefoon ging.

'Schat, gaat het goed?' Het was de manager. Ik was vergeten te bellen toen ik bij de laatste klant wegging.

'Sorry, ja, alles in orde.' De taxi repte zich naar het noorden, het was stil op straat. 'Het ging prima, hij was heel aardig.'

'Jij zegt altijd dat ze heel aardig waren. Je klinkt zo tevreden.'

'Tevreden? Ja, dat zal wel. Ik ben niet ontevreden.' Ik bedoel, die man was een soort trol, maar dat wil ze niet horen.

'Dat komt doordat je nog geen agressie op het werk hebt meegemaakt.'

Ik schoot in de lach. Vergeleken bij echte relaties zijn die mannen absolute snoepjes, en nog snoepjes die snel blij zijn op de koop toe. Al was ik slaperig en zweverig, ik kon het allemaal best aan – tot nu toe. 'Dat zal wel komen doordat jij zo goed op me past,' zei ik.

Kort daarna was ik thuis en ging naar bed. Ik legde de telefoon voor de zekerheid onder mijn kussen, want ik verwachtte nog een telefoontje. Het kwam rond middernacht.

'Schat, ben je nog wakker? Kun je nog een afspraak doen?'

'Mwwm hmmm bwmm zwmm.'

'Oké, ga maar slapen. Tevreden blijven, schat.'

Vendredi, 13 février

Meestal denk ik vrij positief over mijn klanten, die immers het water zijn waarop mijn zeep drijft en doorgaans aardig genoeg, op een schepen-in-de-nacht manier. Als iemand bijvoorbeeld fanatiek wordt over de charmes van zijn schoolverpleegster van rond 1978, of erop staat dat ik de krant voorlees met een nuffige pornostem terwijl hij zich voorstelt dat hij Fiona Bruce van achteren pakt, wapen ik me gewoon en sla me erdoorheen. Maar sommige dingen gaan alle perken te buiten. Soms rijzen de haren me te berge.

Dat het hotelbezoek van gisteren een 'heerlijk herdersuurtje' genoemd werd, bijvoorbeeld. In Harvey Nichols' naam, man, heb je dan geen greintje smaak?

Samedi, 14 février

Maar de manager heeft het natuurlijk bij het verkeerde eind. Zo tevreden ben ik niet. Dit is de gewijde dag van samenzijn waarop we de onthoofding van een christelijke heilige vieren door elkaar veel te dure rotzooi te geven.

De flagrante, klinkklare nepperij van Valentijnsdag heeft de kracht om zelfs mij terneer te slaan. Het is niet domweg dat ik alleen ben, al ben ik technisch niet alleen, want in Londen ben je nooit echt alleen, en ik heb vrienden te over en werk zat. Nee, het is meer de zelfingenomen wederzijdse vertroeteling die stellen mogen beleven.

Ik misgun niemand zijn pleziertjes. Ik heb naar stellen geglimlacht die in de ondergrondse zaten te knuffelen (of aangeschoten op een bank in het park zaten te prutsen) terwijl zwangere vrouwen en oude dametjes moesten blijven staan. Als je iemand hebt, voor vast of anderszins, moedig ik jullie van harte aan elkaar vandaag met liefde te overstelpen.

Wat ik niet kan hebben, is de schaamteloze wijze waarop manicures, kappers en leveranciers van ondeugende lingerie het geld binnenharken. Ik doe mijn best om elke dag van het jaar babyzacht en in zijde gekleed te zijn, en wat krijg ik ervoor terug? Niets. Reserveer daarentegen in februari een weekendje beautycentrum voor twee en het is korting ahoi.

Ik vind dat ik iets beters verdien. Valentijnsdag mag dan het trendy equivalent van Kerstmis zijn, maar zouden jullie niet ook eens een kopje suiker lenen aan de kleintjes die jullie de rest van het jaar op de been houden?

Ik besprak het met de vrouw die tegenwoordig mijn muts harst. Ze was niet onder de indruk van mijn logica.

Dimanche, 15 février

Ik had dit weekend weinig anders te doen en ging dus naar de moeder van N. Het is een uitmuntende vrouw, robuust van lichaam en geest, en sinds kort weduwe. Het leek me gepast Valentijnsdag door te brengen met iemand die de volgende houding ten opzichte van mannen heeft: 'Niet over tobben lieverd. Tegen de tijd dat je een goeie hebt gevonden, gaat hij toch dood.'

Nu al haar kinderen volwassen zijn en ze alleen is, overweegt ze het huis te verkopen.

'Het zal nu wel leeg lijken,' zei ik behoedzaam. Je weet nooit hoe snel en hoe erg je over de schreef kunt gaan in gesprekken met senioren.

'Helemaal niet,' zei ze. 'Ik heb mijn kleine geesten, zie je.'

'Maar natuurlijk,' zei ik. Mal oud mens. Ik was het meteen weer vergeten.

Later gingen we een blokje om. Ze woont in een verwaarloosd dorp ten noorden van Londen dat nooit in is geweest, waar nog een slager zit (en niet zo een die biologische scharrelcilantro en Tamworth-worst aan de nieuwe fijnproevers verkoopt), waar de cafés nog dorpskroegen zijn die niet wedijveren om de aandacht van Michelin en Egon Ronay en waar de inwoners in normale auto's rijden, niet van die kolossen van Land Rovers, of, nog schokkender, zich per openbaar vervoer verplaatsen.

Kortom: een negorij. En juist daarom zo leuk.

We struinden rond in de buurtwinkel en kochten een krant en broodjes. Ik stond erop ook cakejes met roze glazuur en een klein plastic hartje erop bij de bakker te kopen. We liepen verder en kwamen bij een kerkhof. Het was niet echt mooi weer, een beetje grijs en winderig, maar een zweempje blauw begon zich door de lucht te werken. N's moeder zakte zwaar neer op een stenen bank naast een grafsteen.

'Toe maar, lees maar.'

Ik las. Een gezin van vader, moeder en vier dochters, met geboorte- en sterfdata in vroeg Victoriaanse krulletters. 'Valt je iets op?' vroeg ze.

'Ze zijn allemaal op dezelfde dag gestorven. Een ongeluk of zo?'

'Brand,' zei ze. 'In het huis waar ik nu woon.' Een vrouw met zilverwit haar die een terriër uitliet, bleef staan en zwaaide naar N's moeder terwijl haar hondje de eeuwige nagedachtenis van de een of andere onderscheiden officier bevuilde. 'Ze zijn niet wakker geworden.'

'U neemt me in de maling,' zei ik, maar tegen wil en dank moest ik denken aan een bed vol kleine meisjes en hoe hun flanellen pyjama's en de dekens vlam vatten. Een lot dat we naar het schijnt hebben geëlimineerd door middel van centrale verwarming en brandwerende meubelen. Zulke dingen gebeuren nu alleen nog wanneer een bijna failliete vader door het lint gaat en zijn hele gezin uitroeit.

'Als je morgen wakker wordt en naar de keuken gaat, zul je merken dat er een rooklucht hangt.'

'Hoe weet ik of dat niet gewoon komt doordat u de toast laat aanbranden?' zei ik met een glimlach.

'Nee,' zei ze. 'Het zijn vier kleine geesten die niet eens wakker geworden zijn.' We liepen naar huis, lazen de krant en aten de broodjes. Ik sms'te N dat ik het leuk had bij zijn moeder, maar vroeg me in stilte af of ik wel zou kunnen slapen. Elke krakende twijg en windvlaag buiten klonk als een oplaaiende vlam en om de paar minuten schoot ik overeind in de overtuiging dat ik brand rook.

Bij het ontwaken trof ik een rookvrije keuken en een sms aan: 'Veel plezier. Laat haar niet met spookverhalen beginnen. N. x'

Lundi, 16 février

Vanochtend toen ik mijn haar droogde, werd er aan de deur geklopt. Het was een van de werklieden, met een enkele roze roos in zijn hand.

'Eh, hm,' zei hij charmant.

'Is die voor mij?' vroeg ik. De werklieden hadden al klaar moeten zijn, maar er waren problemen met de nieuwe afwasmachine die ze óf niet willen vertellen aan iemand met zo'n teer gestel als ik, óf niet onder woorden kunnen brengen. Hun verzoek om thee 's ochtends en de vage verzekeringen dat het allemaal snel klaar zal zijn, beginnen een vast deel van mijn huiselijk leven te worden. Als een van hen besloot onze band te cementeren, zou ik niet weten hoe ik hem zou kunnen ontmoedigen, afgezien dan door het in scène zetten van een theeschaarste. 'Wat lief.'

'Hij is niet van mij,' zei hij met klem. 'Ik bedoel, ik bedoel... Hij is niet van mij, ik moest hem van iemand aan je geven.'

'Enig. Zit er ook een briefje bij?'

'Ik heb niets gezien.'

'En van wie was die roos ook alweer, zei je?'

'Kweenie.' Hij krabde peinzend aan zijn kin met het plastic buisje waarin de roos was verpakt. 'Een vent?'

'En hoe zag die vent eruit?'

'Gewoon?'

Ik ben blij te weten dat hun algehele vaagheid geen toneelspel is waarmee ze hun theeprivileges veiligstellen. Ik nam aan dat ik, als ik meer vroeg, bijvoorbeeld of de aanbidder lopend of met de auto was gekomen, alleen maar meer nutteloze informatie zou krijgen. 'Nou, dank je wel voor het afgeven,' zei ik, en nam de roos van hem over. De arbeider keerde zich om en sjokte terug naar zijn busje. Ik zag dat er een sticker van de bloemist en fruithandel om de hoek op het buisje zat, wat ook geen aanwijzingen opleverde. Gezien het aantal klanten dat ze deze week gehad moeten hebben, kan ik me niet voorstellen dat het personeel nog zou weten wie die roos had gekocht.

Ik heb alle in aanmerking komende kandidaten aan de tand

gevoeld, maar niemand wilde de verantwoordelijkheid voor de geste opeisen. Daar volgt uit dat ik een stalker moet hebben, maar aangezien het een goed seizoen voor stalkers is, laat ik het voorlopig maar zo. Wie zei dat de romantiek dood was?

Mardi, 17 février

In 1992 had ik zes jaar Frans gestudeerd zonder er ooit echt veel van te bakken. We lazen nooit eens iets boeiends. Ik had een Canadese vriendin, Françoise, die zei dat Marguerite Duras sexy was. Ik kocht dus het dunste boek van haar dat ik kon vinden omdat mijn Frans vrij slecht was en ik al lang geen plezier meer in het vertalen had. Het was *l'Amant*.

Vertalingen hebben veel weg van pasta. Aanvankelijk weet je nog van niets en koop je lukraak wat er wordt aangeboden. Een audioboek van Keith Harris die Gunther Grass voorleest? Geef maar. De *Ilias* als stripverhaal? Kom maar op. Maar naarmate je de smaak van de originelen te pakken krijgt, word je veeleisender. Je waagt je eens aan een eenvoudige vertaling, slechts gewapend met het meest basale keukengerei, en het resultaat is niet slecht. Je vrienden zijn onder de indruk. Jijzelf ook, eerlijk gezegd. Je stopt er nog iets meer tijd en moeite in, en de reacties zijn positief. Uiteindelijk ga je je te buiten aan de pastamaker/ *Oxford Classical Grammar* en wordt een eenvrouws pasta-/vertaalmachine. Je koopt de aanvullende boeken, wordt lid van verenigingen en volgt de juiste programma's. Dan besef je hoe tijdrovend je hobby is en, nog erger, hoe saai je vrienden je vinden met je gezeur over griesmeel/Hesse in het oorspronkelijke Duits, alsof het er iets toe doet. Je laat de boel de boel. Degenen die er hun werk niet van maken, worden snel op elk feest het sociale equivalent van een handgranaat.

Maar al houd je op met je eigen pasta maken/uit het origineel vertalen, je hebt net genoeg kennis opgedaan om datgene waar je zo van genoot kapot te maken. Je kunt nooit meer van 'zomaar een bordje pasta' of 'zomaar iets om te lezen' genieten. Smakeloze, kartonachtige, merkloze, aan West-Europa aangepaste troep is niet lekker, geldt in beide gevallen. Ik kocht *l'Amant* dus in het Frans om te zien of ik het kon lezen. Het was ook de enige versie zonder reclame voor de film op het omslag. Niets kan me een pocket zo snel tegen maken als de gevreesde woorden: 'Nu in de bioscoop.'

Ik begon het dus te lezen. Het beviel me niet, en ik vond het niet sexy. Duras kan tien bladzijden doorschrijven over de hitte in Azië, een zijden jurk of een hoed. Ze beschrijft een meisje dat op mij lijkt: klein voor haar leeftijd, gebukt onder een enorme bos haar, tenger en vreemd. Françoise moest gelogen hebben. Iemand die op mij lijkt, kan nooit sexy zijn, dacht ik. Mogelijk kon ik in sommige passages zien wat er werd bedoeld, maar het aanhoudend in een Frans grammaticaboek kijken om de zorgvuldig opgebouwde zinnen van de auteur te ontrafelen drong de betekenis naar de achtergrond.

Toen kwam er een verrassing. Tegen het eind van het boek – dat ik niet zal verklappen, want vertellen wat er gebeurt doet afbreuk aan het origineel, al is het eind op zich geen verrassing – was ik in tranen. Iets dat niet mij was overkomen, brak mijn hart. Zo kwam ik erachter dat ik in staat was iets te voelen.

Ik lees het nog weleens. Vaak als ik me eenzaam voel. Het eind overspoelt me telkens weer, en telkens met hetzelfde effect.

Mercredi, 18 février

Vroeger kon ik mijn lichtelijk gênante aankopen gemakkelijk verstoppen tussen de rest van mijn boodschappen. Dat is uiteraard niet zozeer een slimme list als wel een maatschappelijk aanvaarde fictie. Geen winkelmeisje zal zich laten foppen door een extra sterke deodorant tussen de sinaasappels – het is gewoon niet aardig om commentaar te leveren op die ene rotte plek in een overigens normale stortvloed aan boodschappen. En we hebben allemaal lichaamsfuncties.

Koop je echter te veel gênante dingen tegelijk, dan vraag je om grappen. Wie mij cosmetica ziet inslaan, zou kunnen denken dat ik boodschappen voor minstens zes geopereerde transseksuelen doe. Ik ga dus naar de ene drogist voor gewone dingen en naar een andere voor al het ongewone. Voorbeeld:

Doorsnee boodschappenlijstje voor drogist 1:
– Shampoo
– Tandpasta
– Badzout
– Komkommermasker
– Touwwashand

In het ergste geval ontlokt deze lijst het winkelmeisje een beleefd: 'O, een maskertje? U gaat zichzelf verwennen?' Dit in tegenstelling tot wat ik vandaag bij drogist 2 heb gekocht:
– Tampons
– Pessarium tegen irritatie
– Condooms
– Suikervrije frisse-adempastilles
– Glijmiddel
– Afzonderlijk verpakte balsemdoekjes voor na het harsen
– Zelfbruinende lotion
– Scheermesjes
– Kaliumnitraatkorrels (tegen blaasontsteking)

Dit werd begroet met een vaag onverschillig: 'De middeltjes tegen slechte adem staan aan het eind van gangpad twee, mocht u interesse hebben.'

Kreng.

Jeudi, 19 février

De werklieden hebben zich nu op het nijpende probleem van mijn vriezer geworpen. Dit verbaast me niet alleen omdat ik hun geen kennis van complexe interne condensatoren had toegedicht, maar ook omdat ik er geen idee van had dat er iets aan de vriezer mankeerde.

'Wat is dat voor geluid?' vroeg een van hen gistermiddag, afgeleid van zijn gedetailleerde bestudering van een gebarsten vloertegel (ik haast me eraan toe te voegen dat hij de barst zelf had veroorzaakt – een tragisch ongeluk toen, tijdens het installeren van de nieuwe afwasmachine, een van mijn voluptueuzere buurvrouwen besloot aan haar dagelijkse gestamp te beginnen).

'Ik weet het niet,' zei ik, van mijn krant opkijkend. 'De vriezer, denk ik.' Ik ben gewend aan het gonzende krekelgeluid dat hij af en toe maakt en vind het wel geruststellend.

Hij trok de deur van de vriezer open. 'Jezus... Wanneer heb je dat ding voor het laatst ontdooid?'

Ontdooid? Doen ze dat niet zelf als je maar lang genoeg wacht, zoals ik er ook op reken dat de tien jaar oude regenlaarzen achter in mijn kast hun eventuele lekken zelf zullen hebben geplakt wanneer ik ze weer nodig heb? 'Ik weet niet eens of ik hem wel ooit heb ontdooid.'

Hij overzag het troosteloze landschap van onder ijskorsten bedekte broden en gemummificeerde flessen wodka. 'Weet je wel dat het vacuümmechanisme niet goed kan functioneren door al dat ijs?'

'Pardon?'

'De deur sluit niet goed. De vriezer maakt dat geluid doordat hij aanhoudend probeert de koude lucht die weglekt te vervangen.'

Het zou in elk geval een verklaring zijn voor de tocht in de keuken. 'Dit betekent zeker niet dat ik een nieuwe vriezer krijg?'

'Nee.'

'En het ontdooien van vriezers is zeker jullie taak niet?'

'Nee.'

Jammer dat het verwaarlozen van huishoudelijke apparatuur geen garantie is dat de huurbazin me nieuwe geeft. Ik moet het contract echt eens goed bestuderen tegen de tijd dat het verlengd moet worden. Dus terwijl de arbeider tijdens zijn pauze toekeek, nippend van zijn thee en genietend van de vele, gevarieerde verrukkingen van een van de betere pulpbladen die het land rijk is, ging ik de ijsstorm te lijf met in theedoeken gewikkelde handen en een groentemes binnen bereik, als een onbevreesde poolreiziger of een gestoorde kannibaal – ijs en weder dienende. En die tegel is ook nog niet vervangen.

Vendredi, 20 février

A2 van de latexliefde, zo blij met zijn pas ontdekte fetisj, maakt zich buitengemeen veel zorgen om mijn romantisch welbevinden. Ik doe mijn best niet op te merken dat als ruiken naar een ontploffing in een rubberfabriek het alternatief is voor alleen zijn, ik die beker graag aan me voorbij laat gaan.

We gingen ergens koffie drinken en het talent in de stad bekijken. Of eigenlijk gluurde hij naar de talenten terwijl ik mijn best deed het onvermijdelijke koppelen te ontmoedigen.

'Achter mijn linkerschouder,' siste A2, en ik keek wie er ginder wachtte. 'Nee, kijk hem niet recht aan. Gewoon even snel kijken.'

Wat was dit, de brugklas? Wil je met me zoenen? Kruis ja of nee aan. 'Je begint net zo te praten als mijn moeder,' snoof ik. 'En trouwens, hij is te klein.'

'Hoe weet je dat nou? Hij zit.'

'Neem maar van mij aan dat ik het weet.' Blauw katoenen overhemd met blinde knoopsluiting in een broek die te hoog zat. 'Waarschijnlijk heeft hij ook alle boeken van Patrick O'Brian.'

'Dat meen je niet.' Het is wel duidelijk dat A2 door de rubberbomen het bos niet meer ziet. 'Je kunt iemand niet zomaar afwijzen op zijn smaak, of nee, op wat je dénkt dat zijn smaak is.'

'Kan ik wel, doe ik ook, heb ik al gedaan.'

Een paar minuten later, toen we samen aan een chocoladebroodje zaten te plukken, ontdekte hij weer een geschikte aanbidder. 'Links van je. Lang. Zit te lezen.'

Ik keek en ja, hoor, achter een groot glas water strekte iemand met een pocketeditie van *Requiem for a Dream* zijn benen onder een tafel.

'Niet slecht,' zei ik peinzend. Of wacht, nee. 'Oeps, hij rookt, laat maar.'

'Maar je hebt wel vaker vriendjes gehad die rookten.'

'Daar heb ik zo ontzettend genoeg van,' zei ik. 'Als iemand een dure, nutteloze hobby wil hebben, vind ik dat hij beter kan gaan skiën. Of, nog beter, dure nutteloze dingen voor mij kopen.'

'Als je zo doorgaat, sterf je alleen.'

En dat uit de mond van iemand die me op zijn drieëntwintigste vertelde dat hij een halfjaar geen seks had gehad en zichzelf daarom definitief uit de markt terugtrok. Uit de mond van iemand die eeuwig blijft smachten naar zijn eerste geliefde, die hij voor het laatst heeft gezien toen ze allebei zeventien waren. Wie zulke vrienden heeft, heeft toch geen familie meer nodig? 'Wat, heb ik het op deze gerimpelde hoge leeftijd al gehad? En trouwens, mijn betalkpoederde vriend, we sterven allemáál alleen.'

Samedi, 21 février
Er is een klant die ik nu twee keer heb ontmoet. Harde kop, hoge jukbeenderen, kristalheldere ogen en wimpers om jaloers op te zijn. Een cool mens, wreed knap, vriendelijk. Slim. We praten over boeken, hij is een soort ingenieur en baalt van zijn werk, en we praten over toneelstukken en films. Ik praat enthousiast over Ben Kingsley in deze of gene rol, over Anthony Sher. Hij glimlacht scheef. Geen idee waarom hij vrijgezel is. Misschien wil hij gewoon alleen zijn?

Ik kwam uit een flatgebouw en liep naar de rivier op zoek naar een taxi. Op weg naar de standplaats kwam ik langs de ingang van een station van de ondergrondse waar een man zonder benen om giften vroeg. 'Help de gehandicapten, help de gehandicapten, alstublieft,' herhaalde hij telkens.

Er rolde een zweetdruppel langs de binnenkant van mijn dij, misschien het enige stukje van mijn lichaam dat echt warm aanvoelde. Toen het de boord van mijn kous bereikte, voelde ik dat het erin trok en vervloog. Een ogenblik later begon de man zonder benen weer. 'Help de gehandicapten, help de gehandicapten, alstublieft.' Zijn cadans was vlak maar zangerig, op de maat van het ritme van de voetstappen van de mensen die om hem heen stroomden. 'Help de gehandicapten, help de gehandicapten, alstublieft.'

Ik ging in de rij staan, maar er kwamen een paar minuten lang geen taxi's. Er kwam een gedrongen man met uitpuilende plastic tassen naar me toe. 'Hebt u Jezus als uw verlosser aanvaard?' vroeg hij. Het klonk als een automatisme, ontdaan van elke betekenis, zo gedachteloos als 'hallo'.

'Ik vrees van niet, joods,' zei ik. Mijn vaste antwoord. Voor mij is het meer iets cultureels dan iets godsdienstigs, maar meestal is het voldoende om de gekken te verjagen.

Hij knikte begrijpend. Zijn ogen kwamen nooit hoger dan mijn schouders. 'De joden wilden een koning en God gaf ze een koning, maar hij was manisch-depressief, zie je, en hij verstopte zich in de bosjes en dan schreeuwde hij naar de mensen.'

'Niet zo'n geschikte koning, zou je kunnen zeggen,' zei ik.

'Ik bevries hier nog op de brug,' zei hij. Hij raapte zijn boodschappentassen bij elkaar en liep weg.

Dimanche, 22 février

Wat ik vandaag heb gekregen:
- een munt van een pond (terug van een van twee; bus genomen)
- een paar witte sokken (uit de sportschool, waar ik ze had laten liggen)
- een persoonlijk alarm (van een vriend, gewoon... daarom)
- een zilveren armband met amber (van een klant)
- vijf van die rare fluorescerende margrieten (van een niet-betalende bewonderaar)
- de rekening van de werklieden (zou de huisbazin die niet afhandelen?)
- vreemde blikken van een taxichauffeur (o, wat had hij me door)
- een koutje (zie eerste punt van de lijst)

Ken Livingstones luid aangeprezen verbeterde openbaar vervoer blijkt dus zeer goed aan het criterium 'openbaar' te voldoen, maar minder aan dat van 'vervoer'. Nou ja, een mooi moment om met een paar goede boeken in bed te kruipen en pannenkoeken van mijn dierbaren te eisen.

Lundi, 23 février
De mysterieuze auto is terug; ik wil niet kijken maar kan mijn ogen er niet van afhouden; ik ben er niet zeker van dat het niet alleen maar paranoia is; moet erom denken alle sloten op slot te doen; de werklieden kijken me vreemd aan; ik overweeg een enorme pruik en een reusachtige Jackie O-zonnebril te kopen, en niet alleen vanwege de retrolook.

Overigens voel ik me al iets beter, fijn dat je het vraagt.

Mardi, 24 février
Hij: 'Eh, je hebt... Ik weet niet...'

Ik (over mijn schouder naar de achter me geknielde man kijkend): 'Gaat het wel, lieverdje?'

'Je hebt... Ik weet niet goed hoe ik het moet zeggen...'

Opeens maakte ik me ernstig zorgen – wat had ik? Een scheerbult? Een pluk over het hoofd gezien haar? Een tampon van een week oud? Een staartstompje? 'Ja?'

'Je hebt blauwe plekken op je dijen.'

'O, dat. Dat zegt alleen dat jij niet de eerste bent die daar tekeergaat, lieverd. Vind je het erg? We kunnen het ook anders doen.'

'Nou,' zei hij, terwijl hij stijver en dwingender werd. 'Je zou me kunnen vertellen hoe je eraan bent gekomen.'

Mercredi, 25 février
A1 vierde een kroonjaar. Zijn partner reserveerde een tafel in een overschat Indiaas restaurant in Clerkenwell, wat acceptabel was, want ze heeft geen smaak.

Ik verheugde me op een uitje met een groot gezelschap. Het werk kan intens zijn. Het is alsof je telkens opnieuw naar een blind date gaat en je uiterste best doet om jouw deel van de afspraak moeiteloos en licht te houden, terwijl je weet dat er heel weinig van zal komen. Het zuigt je leeg. De huidige overvloed aan echte eerste afspraakjes heeft ook niet echt geholpen. En hoewel ik het leuk vind om met een klein vriendenclubje in kroegen en grand cafés te hangen, loop je altijd het risico dat alle bruikbare gespreksvaardigheden verloren gaan doordat je te veel van elkaar weet. Alleen mensen die je sinds je puberteit kent, kunnen je vermaken met:

'Weet je nog, die...' (vaag handgebaar)

'Ja, net als in de film.'

'O, god! En wat B altijd met zijn arm deed!'

Een willekeurig citaat uit *Star Wars*.

Een verwijzing naar de politiek van halverwege de jaren negentig.

Een voldaan zwijgen, of een onverklaarbare slappe lach van een halfuur.

Nieuwe kampioenen worden niet gemakkelijk tot onze vesting toegelaten, en vriendinnen van N en de A's blijven meestal buitenstaanders, hoe charmant ze ook zijn en wat ze ook kunnen. Er was er een die was opgegroeid in een commune in Zuid-Afrika, haar laatste huis zelf vanaf de grond had opgebouwd en nog nooit bij een McDonald's was geweest (een bewonderenswaardig trekje), maar ze kon niet uit de losse pols uit *The Princess Bride* citeren en belandde dus in een aanhoudende staat van verwarring, zeker toen A2 haar een aanzoek trachtte te doen (mislukt) door uit te leggen dat Leven Pijn is.

We moeten er vaker uit. Met andere mensen. Normale mensen.

Ik kwam te laat, chic in een zwarte zijden blouse op een maatbroek. Haar opgestoken, subtiele oorknopjes met parels. Oké, ik zag eruit als een punksecretaresse. Geeft niet. De stemming was levendig, de drank vloeide, de gesprekken waren pijnlijk, heerlijk, fantastisch normaal. Ik zat tegenover N, die met zijn vriendin Angel was gekomen, de collega die ik vorige maand tegen het lijf was gelopen. Ze leek tot rede te zijn gekomen en gedroeg zich aanminnig en vrolijk.

Halverwege de maaltijd vroeg Angel me of ze mijn mobieltje mocht gebruiken (haar batterij was leeg) om een sms te sturen. En ja, ik ben een goedgelovige ziel, en was druk aan het flirten met de blauwogige Adonis aan mijn rechterhand, dus controleerde ik niet wat ze aan wie had gestuurd.

Ik was dan ook verbaasd toen Eerste Afspraak bij het uitpakken van de cadeaus kwam opdagen. Hij glimlachte naar me. Ik glimlachte terug. Hij liet zijn blik langs de tafel glijden en ging naast Angel zitten. Boeiend. Ik had kunnen weten dat ze elkaar kenden, maar ik had nooit gedacht dat ze een stel zouden kunnen worden.

De Adonis glimlachte en stelde zich over de tafel voor. Eerste Afspraak gaf hem een hand. 'En jij bent hier met...?' informeerde Adonis.

'Haar,' zei hij, met een knikje naar mij.

Ik lachte nerveus. 'O?'

'Je hebt me toch net uitgenodigd?'

Ik keek Angel priemend aan. 'Daar zou het op kunnen lijken,' zei ik. 'Dit is niet mijn werk – sorry voor het misverstand.'

Tijdens het staartje van het maal overlaadde ik het bleke, verlegen meisje naast me met aandacht terwijl Adonis en Eerste Afspraak, die gezamenlijke kennissen bleken te hebben, over hun studietijd kletsten. N verontschuldigde zich snel, Adonis moest ervandoor, iedereen aan de andere kant van de tafel ging bij een willekeurig iemand doordrinken en ik bleef achter met Angel en Eerste Afspraak. Ze ging haar auto halen en opperde dat we naar een nachtcafé zouden kunnen gaan dat ze kende.

Eerste Afspraak en ik stapten naar buiten toen Angel de hoek om zoefde. 'Het spijt me,' zei hij.

'Dat is verleden tijd,' zei ik, hoewel het dat duidelijk niet was.

'Ik wist niet dat die sms niet van jou kwam.'

'Ik weet het.'

'Sta ik... sta ik je in de weg?'

Ik keek hem aan, kwaad om de toestand, kwaad omdat ik me gemanipuleerd voelde, al was dat niet zijn schuld. Kwaad om mijn eigen kwaadheid; waarom zou ik kwaad worden. Bovenal maakte ik me kwaad om zijn gekwetstheid, zijn behoefte aan mijn behoefte aan hem. Zijn stem had het timbre van...

'Want ik hou van je.'

Ja, dat.

Ik zuchtte en sloot mijn ogen. We stonden lang op de stoep te zwijgen. Ik keek naar mijn schoenen, hij naar mij. Dit was niet wat ik wilde en het was niet hoe ik wilde zijn. Een man vroeg de weg; we stuurden hem naar de volgende kruising. De angst daalde als een zwarte mist over me neer, het gevoel dat ik klem werd gezet door goedbedoelende vrienden, door het lot. 'Ik neem een taxi naar huis,' zei ik ten slotte. 'Alleen. Ga maar naar dat café, anders denkt Angel nog dat we haar in de steek hebben gelaten.' Of dat we samen naar huis zijn gegaan, dacht ik.

Jeudi, 26 février
Toen ik de volgende ochtend wakker werd, had ik drie telefoontjes en een sms gemist.

De eerste twee telefoonnummers kwamen me niet bekend voor. Er was niets ingesproken. Niet al te ongebruikelijk, maar ik rook onraad. Ik belde dus terug.

'Goedemorgen. Hebt u me toevallig gisteravond opgebeld?'

Beide mensen waren verbaasd, want ze kenden me duidelijk niet, maar als de nummermelder een onpartijdige scheidsrechter was, hadden ze geprobeerd me te bellen. Angel had blijkbaar meer dan één sms verstuurd. En de ontvangers hadden geprobeerd haar op mijn nummer te bereiken.

Wat ben ik ook een idioot. Het waren tenminste geen internationale gesprekken.

Het derde gemiste telefoontje kwam van Eerste Afspraak, ergens in de kleine uurtjes, en de sms was ook van hem: 'Heb je nog steeds iets met N? Zo ja, besef je dan dat ik dat niet wist?'

Zucht. Ik belde hem ook terug; hij zat al op kantoor. 'Hallo, sorry dat ik je op je werk stoor.'

'Geeft niet.' Hij klonk verbaasd.

'Ik heb je sms gelezen.' Hij zei niets. 'Ik heb niets met N. Al een eeuwigheid niet meer. Wie heeft je dat verteld?' Hij zei nog steeds niets. 'Laat maar, ik hoef het ook niet te vragen, hè?'

'Jullie lijken nog zo dik met elkaar te zijn, en aangezien jullie allebei alleen zijn...'

'Houdt dat automatisch in dat we meer dan vrienden zijn?'

'Nou, nee.' Hij zweeg even. 'Maar Angel keek ervan op dat wij iets hadden, en toen vroeg ze of ik het dan niet wist van N en jou.'

'Neem me niet kwalijk, maar wij... hébben iets?'

'Eh...'

'Oké, afgezien daarvan... Is iemand die je amper kent een betrouwbaarder bron van informatie over mijn leven dan ikzelf?'

'Tja...'

'Wat een lulkoek.'

'Hé, rustig. Ik hou van je. Ik geef om je.'

Argh, weer die stomme woorden. 'Ik voel niet hetzelfde voor jou. Als je dat nog niet wist, weet je het nu. Ik ga je gevoelens niet bagatelliseren door te zeggen dat je het niet moet voelen, maar je weet helemaal niks van me. En je gevoelens geven je hoe dan ook geen enkel recht.' Argh, niet doen, ik schreeuw en het komt er allemaal verkeerd uit. Niet dat ik hem wil, maar ik wil mijn standpunt duidelijk maken zonder dat hij gaat denken dat ik een trut ben.

Nee. Laat maar. Hoe eerder hij dit begrijpt, hoe eerder hij op zoek kan gaan naar iemand van wie hij echt houdt. Ik wil niet met hem praten. Ik heb hier geen zin in. Dan maar een trut.

'Het is gewoon een misverstand. Ik weet zeker dat we het met haar kunnen bespreken...'

'O, hou toch... op. Ik wil het niet bespreken. Ik wil niet met haar praten. Of met jou. Ik ben hier absoluut niet in geïnteresseerd.'

'Maar...'

'Het ga je goed.'

Stilte. Ik kon zijn gezicht voor me zien en ik wist wat ik in zijn situatie zou doen en heb gedaan. Proberen tijd te winnen of waardig accepteren? Het strekt hem tot eer dat hij voor het laatste koos. 'Tot ziens. Ik wens je het allerbeste. Ik zal je missen.'

'Dank je.' Ik hing op. En ging naar de computer om dat mens een laaiende mail te sturen over de raadselachtige telefoonnummers en haar gesprek met Eerste Afspraak. Ik voelde me een lafaard, zoals ik me achter het postvak verschool, maar ik was bang dat ik aan de telefoon zou gaan schreeuwen. Typen, nakijken, versturen. En toen ging ik ontbijten, en ik voelde me een beetje droevig, en een beetje een trut, en zelfs de gedachte dat het er allemaal niet toe doet kon me niet opvrolijken.

Vendredi, 27 février

Nadat er wat tijd overheen is gegaan, kan het moeilijk zijn je nog te herinneren hoe, waarom en wanneer je iemand leuk vond, en dan is het leuk om van een veilige afstand terug te kijken. De jongen die me in een zwembad betastte toen ik vijftien was. De relatie op school die werd beëindigd omdat hij een afkeer had van cunnilingus. Ai, wiens behendigheid in het manipuleren van mijn lichaam even grappig als beangstigend was. De eerste keer met iemand aan wie ik nog met genegenheid terugdenk, iemand voor wie ik als een blok viel, en de duizend en nog wat keren dat we daarna samen waren, en ook de laatste keer met hem.

De enkelingen van wie ik geen genoeg kon krijgen. Hoe ze roken, voelden en smaakten. Alle keren met de Jongen dat ik hoopte dat hij zijn mond eens zou houden en me zou neuken, omdat ik nog nooit op die manier met iemand was klaargekomen, echt nooit. De keren dat seks net zo sterk een spirituele roeping was als een biologische behoefte. En hoe ik nog weken op zulke momenten kon teren, alsof het parels aan het snoer van onze tot sterven gedoemde relatie waren.

Het is leuk, die schetsjes van mensen met wie ik heb geslapen. Je komt er trein- en taxireizen mee door.

Samedi, 28 février

Breng een fijne tijd door bij mijn ouders voor ze met vakantie naar het buitenland gaan. Ik hoor de laatste roddels, veroorzaak moeilijkheden en loop in de weg, want dat is het voorrecht van de oudste dochter.

Mijn moeder gaat dus volgende maand naar een bruiloft. Een verbintenisdienst met twee bruiden in het wit die ringen uitwisselen en nog lang en gelukkig leven. Oude huisvriendinnen. We zouden niet blijer kunnen zijn. Alleen kan mam geen afspraakje voor de afspraak vinden omdat haar gebruikelijke vrijer, mijn vader, wordt geacht niet de juiste houding te hebben.

Niet dat hij iets tegen het idee van lesbiennes heeft (welke man wel, althans in theorie?) of bizarre frustraties koestert aangaande de heiligheid van het huwelijk (memo aan wereldleiders: als de bestverkopende vrouwelijke artiest van de wereld dronken in een spijkerbroek en jarretelgordel naar het altaar kan wankelen en het huwelijk vierentwintig uur later nietig kan laten verklaren, maar elkaar toegewijde levensgezellen elkaar geen vrouw en vrouw mogen noemen, is er iets een beetje rot in Denemarken). Nee, het is juist paps overdreven enthousiasme voor het gezegende gebeuren dat ertoe heeft geleid dat hij van de gastenlijst is geschrapt.

Hij staat er namelijk op, volkomen ernstig, strippers voor de receptie te huren. Mijn vader is niet het soort man dat grapjes maakt en, nog erger, zijn sociale voelhoorns zijn legendarisch van tactloosheid. Hij vertelde het verhaal tot op heden terwijl we met onze bagels treuzelden. Moeder wendde de blik hemelwaarts alsof het een genetisch gecodeerde reflex was, wat het volgens mij ook is. 'Mannelijke of vrouwelijke strippers?' vroeg ik, net iets te belangstellend.

'O, lieverd, nee,' kreunde mam.

'Vrouwen!' riep pap. 'Overal blote dames!' Had ik al gezegd dat mijn vader een gênante perverseling is? Het zal wel erfelijk zijn.

'Ik vraag me af of dat wel echt geschikt is voor de bruiloft,' zei ik.

Mam knikte wijs. Haar gelakte zwarte bob danste op en neer. 'Je hebt gelijk.' Ze wendde zich tot pap. 'Zie je nou? Zie je nou? Geen méns vindt het een goed idee...'

'Nee,' zei ik. 'Absoluut niet. Maar een geitenavond met mannelijke strippers zou wel cool...'

'Moedig hem niet aan!' Mam wierp me een moordende blik toe en pap verkneukelde zich bij de gedachte aan de mogelijkheden.

Dimanche, 29 février

Gisteren ben ik met mam gaan winkelen. We zijn in geen jaren op een winkelpaleis losgelaten, maar geloof me, de winkelmeisjes zullen het nog aan hun kinderen en kindskinderen vertellen. We zijn luidruchtig, we zijn efficiënt, we zijn gewapend met goed geld en we trekken onstuitbaar ons rookspoor van schoenen naar lingerie.

Ze streeft de Palm Beach-look na (ja, welke matrone van haar leeftijd niet?). Lily Pulitzer-achtige motiefjes, felle kleuren, zijdeachtige truitjes, witte broeken. Ik ben genetisch zo geprogrammeerd dat ik dat ook wil, maar ik woon in een smerige stad en als er ook maar een kleine kans is dat je op iets vies gaat zitten, kun je geen crèmekleurige wol dragen.

We begonnen bij de schoenen. Zelfde maat, zelfde smaak: ze kocht de voorraad groene en blauwe sandalen met bandjes van drie winkels op; ik nam de versies in oker en zwart voor mijn rekening. Handtassen, mantelpakken, ondergoed: alles bezweek voor de macht van onze terreurcampagne. Ze moet zeker drie ensembles voor de bruiloft hebben gekocht, en ook genoeg vakantiekledij voor een heel leger mam-klonen. Ik moest haar met geweld bij de twinsets met pailletten en bloemmotieven weghouden en zij vertelde mij dat mijn enkels 'dik lijken' in retroschoenen.

Zoveel vermag de onvoorwaardelijke liefde. Alleen een moeder kan ongestraft zo hard: 'Ik zie je slipje door je broek!' tegen haar dochter krijsen dat het gebouw op zijn grondvesten schudt.

Zij: 'Lieverd, die groene staat je zo snoezig! Heb je dat niet door?'

Ik: 'Ik weet niet, mijn borsten lijken te groot.'

Zij (steekt haar eigen weelderige boezem naar voren): 'Je kunt nooit te grote borsten hebben. Wat, wil je op een puber lijken?' En ze gooide het kledingstuk terug op mijn berg.

Ik sidder in de schaduw van een superieur intellect.

Mars

Belles A-Z van de Londense seksindustrie, O t/m P

O staat voor olie
Nooit acceptabel als glijmiddel. Als je niet op de hoogte bent van de betreurenswaardige interactie tussen olie en latex, verwijs ik je naar alles wat er de afgelopen twintig jaar over HIV is geschreven. Nog afgezien van het feit dat olie condooms aantast, is het een waardeloos glijmiddel. Een man stelde me ooit voor (terwijl hij een potje vaseline tevoorschijn haalde) me te fistfucken met een hulpmiddel op petroleumbasis. Dat meen je toch niet? Het spul houdt hitte vast, zodat het lijkt alsof iemand je schaamlippen frituurt.

Toch is het geen slecht idee altijd een flesje massageolie bij je te hebben, voor een massage af en toe. Mannen houden ervan en geven vaak een fooi na afloop. Vaker dan voor de seks zelf. Vreemde wezens.

P staat voor plastic
Tieten, niet geld. Hebben mannen liever perfectie of je ware? Zijn alle andere meiden van het bureau van nature zo veerkrachtig of wordt er heimelijk gestut op het werk? Moet je je winst opsparen voor een opwaardering? Zelfs het nuchterste meisje zal zich afvragen of haar carrière niet wel zou varen bij het oppompen van het volume. Maar als je het niet in je echte leven zou doen, kan ik het je niet aanbevelen.

P staat ook (uiteraard) voor porno

Degenen die dikke boeken vol smaakvolle foto's van neolithische erotische rotstekeningen kopen, halen hun neus op voor degenen die in hardcore porno optreden. Neem maar van mij aan dat die minachting wederzijds is, schat. Een inheems Afrikaans beeld van een man met een erectie maakt je nog geen libertijn.

Het komt erop neer dat als er tijdens het scheppingsproces geen kans bestaat dat er een kwakje wordt gemorst, het porno van B-kwaliteit is. Sorry voor de desillusie. Jenna Jameson, meisjes in massagesalons en de jongen die de cabines bij de peepshow dweilt, zitten in de porno. Mensen in roze T-shirtjes met ruches die achter een toonbank organische, gerecyclede, niet-fallische vibrators verkopen niet. Gewaagde artistieke films die in Frankrijk ten tijde van de studentenprotesten van de jaren zestig spelen, zijn niet pornografisch. Tweevoudige vuistpenetratie terwijl je een hond pijpt, is dat wel. Vuistregel: hoe meer stellen geneigd zijn een seksartikel te zien als middel om hun relatie sterker te maken, hoe minder hardcore het is.

Lundi, 1 mars

Ben nog in het noorden, slaap op de bank van een van de A's, zoek een goede massagetherapeut in de buurt en drink te veel brouwsels op basis van tequila. Er is een poes, en telkens als ze me ziet, springt ze op mijn schoot, ratelend spinnend als een roestige motor. Voel me extreem knus en warm-donzig en speel vaag met het idee nooit meer naar Londen terug te gaan.

Geintje! Ik ga over een dag of twee naar huis. In mijn gloednieuwe, transparante, pastelblauwe ondergoed nog wel.

Mardi, 2 mars

Waarschijnlijk is iedereen gedoemd de ouderdom te vrezen. Als je jong bent, lijkt het onmogelijk dat je op een dag net zo stokoud zult zijn als je verwanten, en al net zo onmogelijk dat zij op hun beurt ooit zo jong zijn geweest als jij.

Pas als de eerste frisheid van de jeugd verwelkt, begint de angst erin te sluipen. De ogen van oude mensen op straat, mensen die je niet zo lang geleden niet eens zág, lijken dwars door je heen te boren. Tot gauw, lijken ze te zeggen.

Kortgeleden heb ik mijn eigen toekomst gezien. Of, preciezer gezegd, gehoord.

Ik was thuis. Mijn moeder en oma praatten in de keuken,

zich er niet van bewust dat ik in een aangrenzende kamer zat te kijken of ik mail had en elk woord kon horen.

Ik luisterde pas echt toen mijn oren het woord 'schaamhaar' registreerden.

Mijn moeder zei tegen haar moeder: 'Ik voel me oud. Ik zag laatst dat mijn schaamhaar bijna helemaal grijs is.'

Waarop mijn grootmoeder antwoordde: 'En dat vind jij erg? Wacht maar tot het allemaal uitvalt.'

Ik kan me beter nu van kant maken, voordat het te laat is.

Mercredi, 3 mars

Van de vier A's is er maar één met wie ik niet heb geslapen, namelijk A3. Bij onze eerste ontmoeting sprong er onmiddellijk een overweldigende vonk over. We foezelden wat, maar zijn nooit verder gegaan.

Hij woonde in een naburige stad en toen hij naar huis ging, voelde ik me eenzaam. Ken je dat gevoel als alle opgekropte energie regelrecht naar je benen gaat en je wilt rennen en rennen tot je van een klif springt? Ik nam A2 in vertrouwen en vertelde hem wat er was gebeurd. Ik was als een blok gevallen en móést A3 zien.

We beraamden een plan: ik zou zaterdag onverwacht bij A3 op de stoep verschijnen en zien wat er gebeurde. Toen had ik nog vier dagen om plannen te maken en te tobben. Dus deed ik wat elk meisje zou doen.

Ik ging met A2 naar bed. Snap je het nog?

Ja? Wat denk je hier dan van. Ik had in die tijd iets met A4. Het was een aflopende zaak, maar we waren nog een stel, nog net. Het zinkende schip verlaten stond hoog op mijn lijst, en dit leek een goede gelegenheid.

A4 was dus naar een congres buiten de stad. Ik ga met onze gezamenlijke vriend A2 naar bed en ben van plan me aan de voeten van A3 te werpen. Het wordt zaterdag en ik verschijn bij A3 op de stoep.

Hij had een vriendin, maar ik had er geen idee van. Tot ze opendeed. Haar verbaasde glimlach zei dat ze geen benul had van wat er speelde, en ik voelde me net zo beroerd als ik acteerde. Ik leek op Paula Radcliffe op speed.

A4 en ik maakten het definitief uit; A2 en ik probeerden het een tijdje maar het werd niets. Maar het is nu allemaal verleden tijd; ze zijn allemaal bevriend. De meeste mensen die ons net leren kennen, denken dat A4 mijn echtgenoot is, A2 mijn broer en A1 onze oom. Niet omdat hij er oud uitziet, verzekeren we hem, hij druipt gewoon van het mannelijk overwicht. Maar we zitten nog met het kleine, aanhoudende probleem van A3. Na al die jaren heeft hij nog steeds dezelfde vriendin. En soms, tijdens een avondje stappen, drinkt hij iets te veel en betoont hij me overdreven veel genegenheid.

Niet genoeg, schat. Jaren te laat.

Een paar avonden geleden gingen we naar een restaurant. A2 stelde me aan een collega voor. Alsof dat nodig was. Ik had hem gezien zodra hij binnenkwam.

'Leuk,' fluisterde ik A2 toe.

'Ik dacht dat hij echt jouw type was,' zei hij met een glimlach.

Dat was hij ook. Keurig gekleed, fit lichaam, handen die ik me overal op mijn lijf kon voorstellen. Slim, hoffelijk, fantastische mond. 'Waar komt hij vandaan?'

'De zuidkust, oorspronkelijk.'

'Hm. Waar heb je hem al die tijd verstopt?'

'Hij woont in San Diego.'

'Oef. Waarom?'

A2 schokschouderde. 'Zijn werk.'

Mijn gezicht betrok. Ik wilde geen herhaling van Eerste Afspraak. Een verhouding op tienduizend kilometer afstand is ondenkbaar, tenzij de reiskosten genereus worden vergoed. Ik ben al eerder de oceaan overgestoken voor een gouden hart, en toen bleek het de moeite niet waard te zijn. Maar om de sociale raderen te smeren, flirtte ik tijdens het eten toch met hem en de andere jongens. A2 was moe en ging meteen daarna naar huis, Dr. Californië in de bekwame handen van A3, A4 en mezelf achterlatend.

We gingen naar een café. A3 was duidelijk dronken. 'Leuke vlecht,' zei hij, het schellenkoord van mijn haar strelend. Zijn vingers omklemden het uiteinde en trokken. De huid in mijn nek begon te tintelen. Begrijp me niet verkeerd, ik ben nog steeds gek op hem, maar ik kan me niet meer met pijnlijke veelhoeksverhoudingen bezighouden.

'Dank je,' zei ik, en draaide mijn hoofd zodat de vlecht uit zijn greep glipte.

Dr. Californië legde de biljartballen klaar en gevieren draaiden we een paar uur rond het biljart. Ik vormde een team met Officiële Ex A4, hij met Onofficiële Liefde A3. Er kwamen een paar mensen langs die ik in geen jaren had gezien; we praatten elkaar bij en lachten. Mijn ogen volgden Dr. C's elegante gestalte door de zaal – hoe hij naar het biljart keek, zijn stoot voorbereidde, de zelfbewuste zwaai van de onderarm daarna. Competentie maakt me zo ontzettend opgewonden.

Bij het doorgeven van de keu liet ik mijn hand een paar keer over zijn onderrug glijden. Zo hard als.

A3, die zatter en humeuriger werd, keek me kwaad aan. Uiteindelijk mompelde hij iets over de laatste trein naar huis. Op weg naar buiten sloeg hij zijn armen ruw om mijn middel. Ik gaf hem een zoen op het puntje van zijn neus.

'Welterusten,' tjilpte ik.

Hij kneep harder, trok me op mijn tenen en kuste me vol

op de mond waar iedereen bij was. Hij was al jaren niet meer zo brutaal geweest. Ik schoof mijn gezicht voorbij zijn mond naar zijn hals. Zijn hete adem streek langs mijn oor. 'Pas op. Je wilt die nieuwe vent niet beschadigen,' zei hij, en ging weg.

We borgen de keus op. We dronken onze glazen leeg. A4 haalde de jassen en liep naar de deur.

Ik legde een hand op Dr. C's arm en hield hem tegen tot A1 naar buiten was. Ik wendde mijn gezicht naar het zijne, dat vrolijke, open gezicht. 'Mag ik je kussen?'

'Graag,' zei hij. We kusten elkaar in de deuropening. Er kon niemand meer langs. 'Waar slaap je?' vroeg hij. 'Bij A2 op de bank,' zei ik.

'Ik heb een reusachtig bed in het hotel,' zei hij.

'Perfect.'

A4, die buiten stond, nam bij de hoek afscheid van ons. Vlak bij het hotel keek Dr. C me aan. 'Je kent me niet meer, hè?'

'Nee.'

'We hebben elkaar drie jaar geleden ontmoet. Toen vond ik je ook al sexy.'

'Sorry, maar ik weet het niet meer.'

Hij glimlachte. We liepen door de schemerige bruine lobby van het hotel en gingen naar de eerste verdieping. Ik kwam een bekende tegen en knikte. Soms valt het me in hoe klein de wereld is. Tegen de ochtend, dacht ik, weten al mijn vrienden en familieleden hiervan.

De deur was nog niet dicht of we begonnen aan elkaars kleren te sjorren. Dr. C zag er naakt net zo lekker uit als met zijn kleren aan, en zijn handen waren zo goed als ik me had voorgesteld. Ik nam zijn penis in mijn mond. 'Ah, fantastisch,' murmelde hij. 'Amerikaanse meisjes weten niet wat ze met een voorhuid moeten doen.'

Hij voelde goed, en hij smaakte en rook verbluffend. De seks was goed, maar anders dan op het werk. Het schonk me vreugde me in zijn lichaam te verlustigen en het voelde goed het mijne met hem te delen. Ik kon niet ophouden hem aan te raken, aan hem te knabbelen en naar hem te verlangen. Het voelde alsof ik altijd al met hem samen was geweest. En hij nam me keer op keer met een verbijsterende intensiteit. Telkens als hij klaarkwam, zinderden de spiertrekkingen als geluidsgolven door me heen, waardoor ikzelf op scherp werd gezet en een orgasme van binnenuit kreeg.

We sliepen een paar uur, werden wakker en vrijden nog een keer. Luisterden naar het ochtendnieuws op de radio. De gebruikelijke verhalen: bomaanslagen, doden, buitenlandse verkiezingen. We praatten nauwelijks. Ik wist niets te zeggen. Dank je wel, dat was verrukkelijk, en je weet toch dat het bij deze ene keer moet blijven? Ik zou over een paar uur teruggaan naar Londen; hij zou later die dag terug naar San Diego vliegen. En toch was het een knusse stilte, zo een waarvan ik me kon voorstellen dat hij zich eindeloos in een verbintenis zou uitstrekken.

Ik poetste mijn tanden. Toen ik uit de badkamer kwam, was hij al aangekleed. Hij keek naar me terwijl ik mijn jas aantrok; ik moest een trein halen. 'Zal ik een taxi voor je bellen?' vroeg hij.

Hoe vaak heb ik die vraag al gehoord? 'Nee, dank je, ik ga wel lopen.'

'Is het niet ver?'

'Nee.'

Hij stond op, liep naar me toe. Legde zijn handen op mijn heupen en kuste me teder. Ik maak er te veel van, hè? Het was een kus die meer beloofde, als ik wilde. Een open vraag die het antwoord al wist. 'Goede reis,' zei hij.

'Tot ziens,' zei ik, en ging weg. Californië is duizenden kilometers hiervandaan. Ik glimlachte. De ochtend was warmer en lichter dan ik redelijkerwijs had mogen verwachten.

Vendredi, 5 mars

Terug in Londen op een redelijke lentedag – niet moordend heet, maar warm genoeg om buiten de krant te lezen en te overwegen zonder jas de deur uit te gaan. In de stad kwam ik S tegen, een vriend van de Jongen. Het laatste wat ik van hem had gehoord, was dat hij net aan de dijk was gezet door zijn roodharige deerne, die zich vermaakte met de huisgenoot van de Jongen. Ik neem aan dat S formeel gezien ook mijn vriend is, aangezien hij de Jongen niet beter kent dan mij, maar ik ging ervan uit dat iedereen die me niet binnen vierentwintig uur na de breuk had gebeld om me een kop thee aan te bieden en te zeggen dat alle mannen sowieso klootzakken zijn, vermoedelijk aan zijn kant stond.

Ik glimlachte en wuifde. Hij stak de straat over en gaf me een zoen op mijn wang. 'Dat is lang geleden,' zei hij. 'Hoe gaat het met je?'

'Nog altijd schaamteloos gezond,' zei ik. 'Om nog maar te zwijgen van alle andere schaamteloosheden. Hoe gaat het met je motorlessen?'

'Ontzettend goed,' zei hij. 'Ik ga vanmiddag naar een Ducati 996 T kijken.' Zo herken je de echte bekeerling: aan de onbegrijpelijke afkortingen die hij in het gesprek verwerkt. De schattebout.

'Gaaf,' zei ik. 'Althans, laten we het hopen.' We lachten.

'Hapje eten?' We gingen naar een troosteloos oriëntaals café en aten onherkenbaar vlees in een saus die onmiskenbaar was bereid met soep uit een pakje. De thee was gelukkig heet en gratis en vloeide rijkelijk. S had nu een vriendin die hij had ontmoet via wat voor leerdragende undergroundkringen dan ook waarin motorenthousiasten zich bewegen. Hij moest door en ik begon buikpijn van het ve-tsin te krijgen, dus liepen we samen naar het ondergrondse station Bayswater.

'Ik durf het bijna niet te vragen, maar...'

'Ik vroeg me al af of je over hem zou beginnen.'

We bleven op de stoep staan. De menigte van na de lunch week voor ons uiteen. 'Hm, ik vroeg me gewoon af waarom het volgens hem uit is tussen ons.' Om in elkaar te krimpen, ik weet het, maar nieuwsgierigheid kan een mens te machtig worden.

S wapperde hulpeloos met zijn handen. 'O, de gewone mannendingen,' zei hij. 'Te weinig tijd, de afstand... Volgens mij is hij heel onvolwassen.'

'Je bent niet verplicht dat te zeggen om mij een plezier te doen,' zei ik met een glimlach.

'Het is gewoon zo. Hij heeft niet veel ervaring met vrouwen.'

'Ik kom in de verleiding te zeggen dat dat zo zal blijven, als hij op die manier doorgaat.' Ja, wat had je anders van me verwacht?

'Dat heb ik ook tegen hem gezegd.' S zuchtte en keek nadrukkelijk op zijn horloge. Waarschijnlijk hield ik hem op, om nog maar te zwijgen van het feit dat ik een vervelende meid was die koste wat kost een mislukte relatie wilde analyseren. Niets jaagt een man zo snel naar zijn volgende afspraak. S gaf me een zoen op mijn wang. 'Hoe dan ook, het was leuk je te zien.'

'Ja, enig. Veel succes met de motor.'

(Slipje vandaag: vlindermotiefje met knalroze kant langs de pijpjes.)

Dimanche, 7 mars

Ben herstellende van een gekostumeerd feest en het dansen op de vreselijkste muziek van de afgelopen twintig jaar terwijl een rabbijn zich op de vloer liet vallen en deed alsof hij zwom en een als boom verklede man geil boven hem danste. Want joden schijnen letterlijk het gebod opgelegd te hebben gekregen dat ze met Poerim luidruchtig dronken moeten worden. Daar steekt het carnaval magertjes bij af, hè?

Grootste deel van de ochtend katterig nummers van de daklozenkrant zitten lezen, die ik vrijdag had gekocht bij elke verkoper die ik zag, knabbelend op de hapjes die een kennis vanochtend vroeg had gebracht.

Misschien kan ik beter weer in bed kruipen. Slipje vandaag: geen. Wie draagt er nou een slipje in bed?

Lundi, 8 mars

Soms ben ik bekaf, en dan zou ik het niet erg vinden als iemand anders het zware werk van me overnam, zodat ik hersteltripjes naar het noorden kon maken. Het selectieproces voor een dergelijke vervangster zou echter waterdicht moeten zijn.

Een eerste voorwaarde zou intelligentie moeten zijn. En buikspieren om een moord voor te doen. Ik kan van nu tot aan de enkelvoudigheid sit-ups doen zonder dat ik zichtbare buikspieren krijg. Mijn buik is plat, dat wel, maar ik heb geen sixpack. Nog geen fourpack droge cider. Waarom al die masochistische strafexercities in de sportschool? Ik zou mijn baan moeten uitbesteden aan een beter uitziende dubbelganger, dan kan ik zelf doorgaan met schrijven en koekjes eten.

Mensen die ik niet uit bed zou gooien als ze zich voor mij uitgaven:
– Carolina Kluft

- Karoline Kurkova
- in theorie: iedereen die Karolina heet
- Anna Kournikova
- Anna Nicole Smith
- veel, maar niet alle Anna's
- Lisa Lopes
- Lisa Simpson
- een redelijk deel van de Lisa's van de wereld
- Liz Taylor
- Liz Hurley
- Hare Majesteit Liz II

Zend alsjeblieft een korte brief (niet meer dan een A4-tje) waarin je uitlegt waarom jij mij zou moeten zijn, met je gegevens en referenties, naar het gebruikelijke adres. Ik zal de brieven door mijn ingebeelde secretaresse laten ziften en contact opnemen voor de sollicitatiegesprekken.

Voeg er een foto van jezelf in je mooiste ondergoed bij. Stijl gaat zoals altijd boven inhoud.

Mardi, 9 mars

De klant was een jonge man, vermoedelijk niet veel ouder dan ik. Toen ik de kamer binnenkwam, zag ik dat hij het soort vrijetijdskleding droeg dat mijn vrienden ook zouden kunnen dragen, een strak T-shirt en een wijde broek. Ik voelde me meteen overdreven opgetut met mijn chique mantelpak en make-up.

'Hallo,' zei ik met een glimlach, en liet hem zijn naam bevestigen. Er is altijd een kleine kans dat ik bij de verkeerde heb aangeklopt. Zou iemand een niet-bestelde hoer wegsturen? Waarschijnlijk alleen als er vooruitbetaling wordt geëist.

'Hallo,' zei hij. Hij had een prachtige, gladde, gave huid en een Amerikaans accent. De kamer lag bezaaid met onuitgepakte bagage en stapels boeken. Was hij hier voor zaken? Ja, zei hij. Hij ging morgen terug. Hij knikte naar het geld in een envelop op het bureau. Ik stopte het zonder het na te tellen in mijn tas.

Veel klanten zijn voor zaken in Londen. De meesten laten aan het begin van hun verblijf een meisje komen, niet aan het eind, en als ze bevalt, laten ze haar terugkomen. Als het tegenvalt, hebben ze nog tijd om het met een ander meisje te proberen. Dat hij tot de laatste dag had gewacht, gaf me het idee dat hij niet had verwacht tijdens het uitstapje voor een rendezvous te moeten betalen, en uit pure wanhoop of verveling een meisje had besteld.

'Rood of wit?' vroeg hij, in de minibar kijkend. Ik geef eerlijk gezegd de voorkeur aan sterkedrank, maar ik kies alleen uit datgene wat me expliciet wordt aangeboden. Als ze het vaag houden, zoals in 'wat wil je drinken', neem ik óf wat ze zelf drinken, óf een glas water. Mijn mond wordt snel droog, en het eerste lipcontact moet vochtig en gastvrij zijn, maar niet slobberig.

Hij reikte me het glas aan, we klonken half ironisch op 'de nieuwe vriendschap' en dronken. Ik zag dat de arm waarmee hij het glas vasthield getatoeëerd was. Een kleine, zwarte dolk die er onheilspellend echt uitzag.

'Mooi,' zei ik, en stak mijn hand uit om de tatoeage aan te raken. Het kan moeilijk zijn het eerste contact te bewerkstelligen. Met mannen die je bij de deur al kussen, kun je gemakkelijk intiem worden, maar het komt vaker voor dat de klant nerveus is, en dan verzin ik een excuus voor de eerste aanraking. Bijna per ongeluk, zoals het moment tijdens een afspraakje dat de nabijheid van de ander een impliciete toestemming is om hem te pakken en te zoenen.

Hij nam het wijnglas uit mijn hand en duwde me op het bed. Zijn onderarmen waren sterker dan zijn uitdijende middel, wat duidde op een voormalig sporter in verval. Ik keek met mijn mond een stukje open naar hem op. Zijn broek hing op zijn knieën en hij had geen ondergoed aan. Op hetzelfde moment kwam het in me op dat de manier waarop hij met me omging iets wilds had, en dat alle bescherming van de wereld hem niet kon tegenhouden als hij me kwaad wilde doen. Ik leunde naar voren en nam zijn lul in mijn mond.

Als meisje dat volgens de aanprijzing 'alle diensten levert', weet ik dat veel klanten die me boeken anale seks verwachten, en daar ben ik op voorbereid. Meestal laten ze zich eerst even pijpen, houden zich kort bezig met vaginale seks en vragen dan nerveus of de achterdeur open is of koersen er per ongeluk-expres op af. Deze man deed geen van beide.

Hij duwde me ruggelings op het bed terug, boog zich over me heen en tilde mijn benen boven mijn hoofd. Hij likte langs zijn vingers en werkte er drie in mijn kut. Ik pakte zijn hand en zoog aan zijn vingers. Ik wil graag weten hoe ik smaak, deels omdat ik het lekker vind, deels om te weten wat er daar gaande is.

Ik liet hem ophouden, rolde op mijn zij, pakte een condoom uit mijn tas en kneep een grote druppel glijmiddel op mijn vinger. Terwijl hij het condoom uitpakte en omdeed, smeerde ik mijn kontgaatje in. Hij begroef zijn vingers weer in me, draaide me op zijn pols op mijn buik en richtte zijn lul op mijn achteringang. De volle lengte gleed meteen naar binnen. Hij had er kennelijk over nagedacht: precies de goede hoek voor zijn lid.

In het halve uur dat hij erop los pompte, was ik letterlijk aan het bed vastgepind; ik kon alleen maar kreunen en bemoedigende geluiden maken. Hij wroette met zijn hand in me en wreef onder in mijn vagina om zijn eigen lul door de gespierde wand te voelen. Ik voelde de eerste sidderende spiertrekkingen en toen vulde zijn zaad mijn kont.

Hij wilde niet vastgehouden worden. Ik ging naar de badkamer, waste me, kwam terug en kleedde me aan. We praatten over Iris Murdoch en ik ging weg. Er stonden geen taxi's, dus liep ik naar Regent Street, waar de lichten van de winkels en de auto's in een illusie vervaagden.

Mercredi, 10 mars

Vanochtend zag ik kersenbloesems. Het moet lente zijn. Waarschijnlijk zijn er al weken bloesems, maar de boom bij mijn deur is plotseling in volle bloei gesprongen. En de dagen worden langer.

De werklieden zijn vandaag weggegaan. De rossige stond verlegen in de keuken terwijl de huurbazin de witte muren en blank grenen kastjes in ogenschouw nam. Het resultaat leek haar niet half zo goed te bevallen als mij, maar ze zette zonder een woord haar handtekening op de opdrachtbevestiging en ging weg.

De andere, de lange, knikte naar de reservesleutels, die hij op tafel had gelegd.

'Dank je. Ik ben aan jullie gewend geraakt, weet je,' zei ik, toen hij bij de deur was.

'Nee, ú bedankt,' zei hij met een Zuid-Londens accent dat ik niet eens durf na te bootsen, laat staan dat ik het schriftelijk zou reproduceren; laat ik ermee volstaan dat zij mijn uitspraak net zo komisch vonden als ik die van hen. 'U bent een echte dame.'

Ik lachte me slap. Mooie dame. In een groenfluwelen string nog wel.

Vendredi, 12 mars

Hij: 'Het is mijn eerste keer.'

Ik: 'Je eerste keer met een escort?'

'De eerste keer, punt uit.'

(volgt veel gehannes)

Hij: 'Zeg alsjeblieft wat ik moet doen. Daarom wilde ik door een callgirl ontmaagd worden. Vriendinnen zeggen nooit iets waar je wat aan hebt.'

(later)

Hij: 'Hoe was het? Eerlijk zeggen.'

Ik: 'Fijn. Je hebt mooie handen. Musicus?'

Hij (knikt): 'Wat vind je in het algemeen van me?'

'Leuk. Slim. Fit. Je bent een goede vangst.'

'Als je me op een andere manier had ontmoet, was je dan op me gevallen?'

'Hoe oud ben je?'

'Negentien.'

'Niet als ik dat had geweten.' Zijn gezicht betrekt. Ik zeg dat hij er ouder uitziet, maar dat ik zelfs op mijn negentiende niet met negentienjarigen naar bed ging. Het schijnt niet te helpen; hij kijkt nu nog neerslachtiger.

'Ik zou wel op je vallen. Je bent een gevaarlijk type.'

Hoezo? wil hij weten.

Nu moet ik oppassen. Wat ik nu zeg, moet waar zijn, maar ook aardig, en niet overdreven complimenteus. Het is verleidelijk. 'Ik zou niet de eerste willen zijn die je hart breekt.'

Zijn gezicht betrekt weer, maar hij hoeft niet bang te zijn. Ik weet zeker dat er genoeg vrouwen zijn die dat wél willen.

Samedi, 13 mars

Kroegspelletjes voor hoeren, deel een in een serie van een.

1. Vriendinnen of lesbiennes?

De regels zijn lachwekkend simpel: hecht je aan een vriendin en overtuig iedereen binnen een redelijke straal ervan dat je een stel bent, maar zónder – dit is belangrijk – je heil te zoeken bij kussen of geil dansen. Waarom dat verbod op lipklampen? Omdat dameswellust tonen in het openbaar datgene is wat heteromeiden doen om heteromannen aan de haak te slaan.

Het ging een keer zo goed dat ik een niet-echte-heer afschrikte die avances naar een vriendin maakte. Ik haakte mijn arm door de hare en verklaarde luid: 'Wegwezen, maat. Ze hoort bij mij. Zullen we het buiten uitvechten of zal ik je hier een trap voor je sneue reet geven?' Het trieste specimen verliet mokkend het etablissement. Helaas resulteerde mijn ridderlijkheid niet in een seksuele beloning van de jonkvrouw in kwestie.

Populaire variant: nestel je in een hoek van de zaal en vraag je af of de vrouwen die je met elkaar ziet praten vriendinnen of 'vriendinnen' zijn. Menig vrolijk uur op de universiteit werd aldus doorgebracht.

2. De gruwelijke zeur
Omhels de wauwelende klasse een avondje. Je bent freelance consultant; je bent geïnteresseerd in Zuid-Amerikaanse rode wijnen, de Japanse cultuur en het tweede seizoen van *Buffy* op dvd; je kunt meepraten over hypotheken, diëten met veel proteïne en waarom het verkeerscirculatieplan niet moet worden uitgebreid naar Kensington en Chelsea. Beveel enthousiast So Bar, de Front Room en dergelijke aan.

Ik heb de beste geesten van mijn generatie in een roes van tapa's over parkeerverboden in het centrum horen praten.

3. Ik neem wat zij heeft
Wie heeft nooit in het openbaar willen doen alsof ze klaarkwam? Doe als in de Baileys-reclame en geniet meer van je drankje dan betamelijk is.

4. Het onaannemelijke beroep

Als een man je aanspreekt en vraagt wat je doet (dat vraagt hij onvermijdelijk; mannen zijn in conversationeel opzicht voorspelbaar), verzin dan iets. Een paar beproefde favorieten zijn: luchtacrobaat, programmeur van ringtones voor mobieltjes, voetmodel, gamelanspeler. Kijk hoe lang je gespecialiseerde kennis voor je nep-cv kunt blijven bedenken. Je krijgt extra punten als hij toevallig hetzelfde doet. 'Echt? Ben jij ook epidemioloog? Wat een toeval!'

5. Ikke niet verstaan

Spreekt voor zich. Extra leuk als je niet zichtbaar allochtoon bent.

6. Heb je het tegen mij?

'... Ik smokkelde dus wapens uit Servië, oké? En toen werd ik bij de grens aangehouden door de VN-troepen. Wisten zij veel dat ik op de speed zat en een geweer met afgezaagde loop in mijn binnenzak had, ontgrendeld en doorgeladen...' De Travis Bickle-optie. Wees een engerd. Kruid het gesprek rijkelijk met verwijzingen naar kalasjnikovs, John Woo-films als manier van leven en het tijdschrift *Soldier of Fortune*. Negenennegentig procent van de mannen zal schreeuwend op de vlucht slaan voor een psychopathische, mogelijk gewapende vrouw. Hoe je dat resterende procent aanpakt... Tja, dat zou nog leuk kunnen worden, maar zorg dat je altijd rugdekking hebt.

7. Te veel informatie

Hoe extremer, hoe beter. Bespreek je seksleven uitgebreid, gedetailleerd en op vol volume. Rimmen, SM, masturbatiefantasieën waarin Michael Howard en een genetisch gemanipuleerd varken een rol spelen, alles is toegestaan. Degene die de meeste klanten verjaagt, heeft gewonnen.

Mijn gesprekken verlopen meestal zo.

8. Tik tak, tik tak

'Wat leuk je te ontmoeten... want volgens mijn rectaal opgenomen temperatuur van vanochtend ben ik de komende vierentwintig uur vruchtbaar. Woon je in de buurt of zal ik een taxi bellen?'

9. Slechtste beentje voor

Benader een willekeurige man. Verras hem met de onthulling dat jullie onlangs het bed hebben gedeeld, dat hij nooit terug heeft gebeld en dat je je dat zeer aantrekt. Doe luidkeels jullie nacht van lukrake hartstocht uit de doeken. Voorzichtige toespelingen op zijn tekortkomingen op diverse belangrijke lichamelijke punten zijn effectieve aanvullingen op het spel.

Pas wel op: als hij met een groep vrienden is, gaan de punten naar hem, niet naar jou. Zoek liever iemand uit die met zijn vriendin of alleen is. En laat je niet te veel meeslepen. Konijntje-koken is een verslavende sport.

10. Wat zullen we nou...

Begin een gesprek met een volslagen onbekende alsof jullie elkaar al jaren kennen en hij halverwege een zin het gesprek binnen is gevallen. Zorg dat je veel vertrouwelijke lichaamstaal gebruikt, zoals nonchalant een hand op zijn arm leggen, naar zijn ouders vragen en noem maar op.

NB: Zo heb ik A1 leren kennen.

11. De waarheid

Zeg tegen iemand dat je callgirl bent en schiet dan in de lach.

Geen mens die je gelooft. 'O, het was maar een geintje. Eigenlijk ben ik non.'

Dimanche, 14 mars

Het stond vanaf het begin al vast dat de relatie zou eindigen. Hij is een man die vrouwen huurt voor seks, ik ben de hoer, en op een gegeven moment zal hij iets nieuws willen.

Ik ben aan hem gewend geraakt, en hoewel ik niet van hem hou, geef ik toe dat ik net zo geïnteresseerd ben in de hele nacht met hem praten als in de vleselijke transactie.

In de badkamer boven staat een grote kuip met goudkleurige kranen. Erboven hangen vier tekeningen van een Frans dorp. Hij zegt dat hij ze van de kunstenaar heeft gekregen. Ik heb er zo vaak naar gekeken tijdens het baden na afloop dat, toen de schilders die de muren hadden gewit, ze in de verkeerde volgorde hadden teruggehangen, ik dat eerder zag dan hij.

'Inderdaad,' zei hij, naar de pasteltekeningen turend. 'Goed gezien.'

Hij weet veel van me, deze. Hij kent mijn echte naam, weet wat ik heb gestudeerd en zegt vaak (hij werkt op een verwant terrein) dat mocht ik in de toekomst ooit werk zoeken, nu ja... en dan stopt hij voor de zoveelste keer zijn kaartje in mijn zak.

Alsof je een oom hebt die voor je zorgt. En je neukt.

Soms neuken we niet als zodanig. Hij houdt niet van latex, maar ik zoek het gevaar niet op, dus trekt hij zich boven me af. Ik ga op een bed, een bank of soms op de vloer liggen, met mijn hoofd op een kussen of twee, en hij gaat op me zitten, onder mijn borsten. Ik speel met mijn tepels en zijn ballen tot hij op mijn gezicht klaarkomt. Daarna pakken we een spiegel en analyseren we samen het resultaat; er worden punten gegeven voor consistentie, accuratesse en hoeveelheid. En omdat hij me graag wast, laat hij het eerst een beetje drogen en dept dan het grootste deel van de schade met een vochtig washandje.

De afgelopen weken waren de afspraken moeilijk te organiseren. We hadden nooit een vaste dag en tijd, maar we zagen elkaar meestal doordeweeks en meestal na tien uur 's avonds. Ik heb het druk gehad. Hij ook. Als hij mij niet als eerste bereikt, neemt hij een ander meisje van het bureau.

Ik zie dat ik zijn oproep heb gemist en sms terug. Dat gaat zo een paar weken door. Ik begin het glas mousserende Pol Roger te missen dat hij altijd inschenkt zodra ik binnenkom.

Hij heeft drie keer gebeld tijdens mijn afwezigheid. Hij begint nerveus te worden. Het is als het eind van een relatie: het claimen, de ongegronde achterdocht.

Dan wordt de knoop doorgehakt. Op een ochtend krijg ik een sms: 'Ik neem aan dat we gedoemd zijn elkaar nooit meer te zien. Zal je missen. X'

Ik zal hem ook missen.

Lundi, 15 mars

Ik weet niet of het op een significante ommekeer in mijn manier van denken wijst of iets over mijn huishoudelijke kwaliteiten zegt, maar ik neem niet meer de moeite de werkonderbroeken van de thuisonderbroeken te scheiden. Dat wil niet zeggen dat ik in een saaie, sportieve string op mijn werk verschijn, maar het kan voorkomen dat er in de supermarkt per ongeluk een paar centimeter kanten ruches en gestreept satijn uit mijn spijkerbroek piepen. Ik heb begrepen dat dit in sommige culturen voor begerenswaardig doorgaat. Ik moet er niet aan denken.

Mardi, 16 mars

N belde op. 'Ik heb je een tijd niet gezien.'

'Nee.'

'Alles goed?'

'Ja, hoor.'

'Jokkebrok.' Hij had gelijk, zoals gewoonlijk. 'Wat is er?'

'Ik weet het niet. De eerste echte lentedag, misschien. Ik liep in de zon langs de rivier en toen schoot het me te binnen dat ik daar een jaar geleden had gelopen met iemand van wie ik hield, en dat ik dacht dat we zouden gaan trouwen.'

'Het zal in de lucht hangen. Ik moest vandaag ook aan mijn ex denken.' Hij doelde op degene die hem zomaar had laten vallen, zonder fatsoenlijk afscheid. 'Zal ik naar je toe komen?' Ik slaakte een diepe zucht. 'Tot over tien minuten dan.'

N klopte kort aan en liet zichzelf binnen. Ik zat somber op de bank. 'Hé, kanjer,' zei hij, en hij woelde door mijn haar. 'Zullen we een hapje gaan eten?' Ik had geen honger, maar we gingen.

'Als je je ex en degene met wie hij nu is zou kunnen zien,' zei N bij de salade en een glas bier in een pretentieus eetcafé, 'hoe zou ze er dan uitzien?' Dik, vermoedde ik. 'Ik zou de mijne graag willen zien met iemand die perfect is, behalve dan dat hij impotent is.'

'Nee, niet dik. Stom.'

'Iemand die volmaakt is, maar impotent, en met een afschuwelijke familie.'

'Ze is stom en ze ruikt raar.'

'O, dat is een goeie. De ultieme fysieke belediging. Hij is impotent, hij heeft vreselijk ouders en ze mag van hem niet buiten de deur werken.' Hij dronk zijn glas leeg en begon aan het mijne, dat nauwelijks aangeroerd was.

'Ze is stom, ze ruikt raar en ze heeft een verschrikkelijke smaak voor muziek.' Ik overwoog mijn glas weer op te eisen, maar het was duidelijk een verloren zaak; hij had minstens de helft in één teug achterovergeslagen. 'Of nee, laat maar. Hij zou nooit iets beginnen met iemand die geen smaak had. Dat zou hij meteen checken.'

N slikte een mondvol bier weg. 'Impotent en kaal.'

'De mijne is over vijf jaar kaal. Dat geloof ik. Ik moet het wel geloven.'

'Hij is impotent en kaal en hij bedriegt haar. Want ze weet dat ik haar nooit zou hebben bedrogen.'

'Ze is stom, ze ruikt raar en ze is hopeloos in bed.'

'Loeislecht in bed. Nu zijn we tot de kern doorgedrongen.' N glimlachte. 'Hij is kaal en impotent en hij wil haar niet fistfucken.'

'O? Vond ze dat leuk?'

'O, nou,' zei hij. 'Heb ik je nooit over de vuist en de komkommer verteld? Tegelijk?'

'Nog erger, je hebt zeker nooit foto's gemaakt?'

'We zeiden altijd dat als het helemaal niets werd met haar carrière, ze altijd nog geld kon verdienen in de filmindustrie.'

'Talent. Geen wonder dat je op haar viel.' Ik plukte aan de vochtige rand van een bierviltje. 'Stom, en niet alleen intellectueel gehandicapt, maar ook nog eens niet in staat haar klep te houden – en ze doet het met een van zijn broers.'

'Wie?'

'Maakt niet uit. Nee, nog beter – met zijn vader.'

'Maar ze moet nog steeds raar ruiken, toch?'

'Absoluut.'

'Kaal, impotent, wil haar niet fistfucken en is klein.'

'Wat is er mis met kleine mensen?' Ik steek zelf niet al te ver boven de aardbodem uit en ik vind niet dat dat iets zegt over iemands waarde. En ik word nooit duizelig als ik te snel opsta. Lekker puh.

'Niks, maar zij was lang. Ik wil dat ze zo vaak als menselijkerwijs mogelijk is op die kale kop moet neerkijken.' Hij zette het lege glas weer aan mijn kant van de tafel.

'Moet kunnen.' Ik glimlachte. 'Je mist haar nog steeds, hè?'

'Nou en of. Je houdt nog steeds van hem, hè?'

'Dat weet je wel.'

'Vreemd,' zei hij. 'In theorie ben ik eroverheen, maar als het echt zo is, zou ik nu waarschijnlijk mijn best moeten doen om een andere vrouw te vinden in plaats van vrouwen helemaal te mijden.'

'O, ik ken die fase,' zei ik. 'Ik zit meer in de fase dat ik prima potentiële relaties saboteer.' Om nog maar te zwijgen van mijn angst dat net op het moment dat ik iemand heb gevonden die de moeite waard is, de Jongen zijn opwachting weer zal maken.

N klopte op zijn buik. Het café was leeg. Er waren alleen nog een paar personeelsleden en een stel dat vol afgrijzen naar hun lusteloze, veel te dure eten keek. 'Zullen we gaan?' Ik knikte. 'Ik heb genoeg bier gedronken; ik kan thuis over je heen pissen, als je daarvan opknapt.'

Ik tuitte mijn lippen, deed alsof ik het overwoog en begon over iets anders. Kon je beter een gebroken hart hebben of niet weten hoe dat voelde? Nu hij wist hoe het voelde, zei hij, wilde hij nooit meer iemand die pijn bezorgen. Je weet het maar nooit, zei ik. Je zou mijn hart nog eens kunnen breken. Hij sloeg zijn armen om me heen en begon me te kietelen. Ik kronkelde.

'Malloot,' zei hij. 'Ik kan je hart niet breken. Je houdt niet van me.'

'Ophouden,' zei ik. Streng, maar nog steeds glimlachend. Hij wist dat ik het meende. Stond op, trok zijn jas aan en liep naar de deur. Ik zei dat ik thuis meteen mijn bed in ging duiken.

'Nadat je dit gesprek in je computertje hebt ingetikt,' verbeterde hij me. Hij wenste me welterusten en ging weg.

Mercredi, 17 mars

O, dit is een van mijn lievelingsbroekjes: roze zijde met ruches en antieke kant en een bijpassende beha. Zonde om die gewoon onder een spijkerbroek en een trui te dragen als ik even melk ga halen.

Ik ging een keer regelrecht van een sollicitatiegesprek naar een klant. Het kon, maar het was niet ideaal; de kleding was bijna goed voor een middagbespreking en de make-up zeker, maar het was een beetje vreemd om met mijn cv naast een pakje condooms in mijn tas te lopen. En ik was bang dat iemand tijdens het gesprek een blik in mijn tas zou werpen en de condooms zou zien.

Zou het mijn kansen op een baan bevorderen of schaden? vroeg ik me af. En ja, ik kreeg de baan aangeboden, maar uiteindelijk nam ik hem niet – het was weer administratieve kantoorflauwekul waar ik niets mee opschoot.

Een andere keer bereidde ik me op de wc van een museum voor op een bezoek aan een klant. Het was in het prille begin, toen ik er nog van overtuigd was dat de klanten zich een weg naar mijn deur zouden banen en ik rondliep in een lichte zomerjurk, op hoge hakken met enkelbandjes, met rubber en een schone onderbroek in mijn tas voor je kunt nooit weten. Dat was voordat ik doorkreeg dat ik me niet over de kop hoefde te werken om mijn onkosten en rekeningen te betalen en dat de klanten ook wel een of twee uur op me wilden wachten, als ze me echt wilden. Zo niet, dan waren er genoeg andere vissen in de zee te huur.

Ik bracht lipgloss en mascara aan terwijl tientallen toeristen de toiletruimte in en uit liepen. Als er een uniform is voor mensen die een busvakantie houden, en dat is er vast wel, dan moet dit het zijn: te lange korte broek, witte gympen, grote T-shirts van de laatst bezochte plek, zonneklep, vlechtjes en een schoudertas.

Ik kan me niet voorstellen waarvoor ik me volgens hen stond op te tutten.

Jeudi, 18 mars

De klant stond, met zijn broek uit. Ik zat op een stoel voor hem. Mijn blouse (wit, zoals verzocht), was half open geknoopt. 'Ik wil mijn naam met sperma over je heen schrijven,' zei hij.

Ik lachte schamper. 'Mij hou je niet voor de gek. Die zin heb je uit *London Fields* gejat.'

Hij keek me vreemd aan. O, nee, dacht ik. Ik kan beter mijn grote mond houden. 'Ben je een fan van Amis?' vroeg hij ongeïnteresseerd terwijl hij zich met één hand aftrok.

'Hij is niet slecht,' zei ik, terwijl ik in de blouse tastte om mijn borsten uit mijn beha te wippen.

'*Time Arrow* zat wel geraffineerd in elkaar.' Er hing een druppel voorvocht aan zijn eikel.

'Heel conceptueel. Goed boek voor een lange treinreis.' Ik trok aan mijn tepels en hij knikte goedkeurend.

Het was warm en benauwd in de kamer. Het was niet zulk slecht weer en ik overwoog te vragen of de verwarming uit mocht. 'Ik wil ruiken hoe jouw zweet zich met mijn zaad vermengt,' zei hij, alsof hij mijn gedachten had gelezen.

Later had ik nog een klant. In een groot hotel in Lancaster Gate. De kamer was klein en druk ingericht, waardoor hij nog kleiner leek. Ik vond het nogal benauwd voor het geld dat ze daar moesten vragen. Ik vond het nogal hokkerig. Een kamer aan het eind van de gang.

Hij was in hemdsmouwen. Korte mouwen onder een blazer – ik haat dat, het vloekt net zo erg als witte sokken in herenschoenen. Het raam stond open.

'Je tepels zijn nu al hard,' zei hij (zwartkanten balconetbeha met bijpassende jongensachtige onderbroek). Het raam stond wijd open.

Ik sloeg mijn armen om zijn schouders. 'Heb je het niet koud?'

'Nee, hoor.'

'Je armen zitten vol kippenvel.' Ik glimlachte en liep naar het raam op de begane grond om de gordijnen dicht te doen.

'Goed voor de spijsvertering.'

'Wedden dat ik iets beters kan verzinnen?' zei ik.

Vendredi, 19 mars

Ik geloof dat ik vandaag maar binnen blijf. N kwam uit België terug met een waarachtige ton porno om door te nemen, waaronder de nieuwe aflevering van de altijd betrouwbare *Lady Anita F (Hotter Than Hell!!)* en een ander tijdschrift waarin een smaakvol meisje met een bob een arme jongen onderpieste die het ongetwijfeld verdiende. Ik laat het je weten als er zich nog iets belangrijks, eh, afspeelt.

Samedi, 20 mars

Een van die eerste zeldzame gouden dagen waarop mensen hun jas thuis laten en er vissenbuikwitte armen tevoorschijn komen. Ik ging een krant kopen en kon, bezield door de zon, niet meer ophouden met lopen.

Na een uur wandelen kwam ik bij een mooie etalage. Ik had de winkel vaker gezien, maar alleen vanuit een taxi en na sluitingstijd. De naam van de winkel, die suggestief naar mijn baan verwees, had me altijd getrokken. Op de dichte deur

hing een bordje met de tekst OP BEIDE BELLEN DRUKKEN S.V.P.
Ik belde en wachtte.

Een man liet me binnen en glimlachte. Het was klein binnen, volgepropt met kleding, nepsieraden en vergulde cherubijntjes. Ik voelde aan de kleren op de rekken. Best leuk, als je je wilde verkleden, misschien een tikje gothic. En duur. Het soort winkel waarvan ik me vaak afvraag hoe ze het volhouden. Er moet zo weinig vraag naar de producten zijn, dat je radeloos hoopt dat de stuk of tien mensen voor wie deze winkel de hemel op aarde moet zijn, binnenkort langs komen lopen.

De man ging naar achteren en er werd weer gebeld. Het was een jong tienermeisje, vermoedelijk zijn dochter. Ze droeg een korte rok met een topje en roze regenlaarzen en sprak hem bij zijn voornaam aan.

Voornaam-vader vroeg zijn kroost iets in te pakken. Ze zuchtte en stampte wat rond. Nu zijn mijn ouders niet bepaald het toonbeeld van conventionaliteit, maar ze stuurden me altijd een flinke tijd weg als ik geen school had. Dat is voor alle betrokkenen het beste: de ouders hebben even vrij en jij bent niet gedwongen je blik hemelwaarts te wenden en meer dan, o, hooguit twee keer per dag te verzuchten dat het leven niet eerlijk is. 'Goed,' zei ze bits, en ze begon een broche in kilometers zwart vloeipapier te mummificeren. Ik herkende meteen die cadans in haar stem die duidt op een kruising van kostschool, toegeeflijke ouders en algemeen zuidelijke boventonen. Van niets gaan mijn stekels zó overeind staan als van een puber die denkt dat ze een ster is en naar alle waarschijnlijkheid op een dag als zodanig binnen zal worden gehaald.

Er werd weer gebeld en Voornaam-vader verdween op slag. Nu was het een piepklein vrouwtje, van top tot teen in kleding uit de winkel gestoken. Waarmee ik bedoel dat ze op een schuimgebakje in blauwe-plekkleuren leek. Het meisje en zij begonnen luid te klagen over de kou binnen en toen liep het weerspannige trutje naar achteren om van haar verwekker te eisen dat hij er iets aan deed. Ik was eigenlijk wel onder de indruk – ik geloof dat mijn gesproken repertoire op die leeftijd niet verder reikte dan 'weet niet' en 'ga weg'.

'Wordt u al geholpen?' vroeg de vrouw. Ik ben niet zo vreselijk lang, maar ik was minstens een kop groter dan die miniatuur Morticia die er in haar lagen kanten korset en wijde rokken uitzag als een neo-romanticus na een onfortuinlijk ongeluk in een behangfabriek. Een jaar of vijftig geleden.

'Dank u, ik kijk alleen even rond.'

Morticia hing aan mijn elleboog terwijl ik beleefd brokaten jassen en hoepelrokken bevoelde. Ze hadden nog mooi kunnen zijn ook, met een kilo of zes fluwelen linten minder. 'Mooie etalage hebt u,' zei ik, in de hoop haar met een gesprekje te verjagen. 'Ik kom hier vaak langs op weg naar mijn werk, maar ik was nog nooit binnen geweest.'

'Waar werkt u dan?'

Denk na, meid. 'Het V&A,' zei ik.

'Het wat?'

'Het Victoria and Albert.' Het leek niets te verhelderen. Hoe kon ze het kostuummuseum niet kennen? Vreemd voor een zo schreeuwerig uitgedost iemand. 'Het museum.'

'O, het muséum,' zei ze toegeeflijk. Jezus, mens, dacht ik. Het is vlak om de hoek.

'Zijn dit, eh, uw ontwerpen?' waagde ik het erop.

'Ja,' zei ze effen, en ze draaide haar hoofd om haar dochter uit te foeteren. Ze vonden het nog steeds onaangenaam koud. Ik vroeg me af of ze bloedarmoede had, en opperde bijna een herstellende koestersessie op een warm rotsblok.

'Prachtig,' kraste ik.

'Kan ik verder nog iets voor u doen?' vroeg ze ongeduldig. Ik bekeek net een exquis, niet absurd overdadig bewerkt paar vlinderoorbellen, maar besloot uit principe ze niet te kopen. Morticia dreef me naar de deur, schoof de grendel opzij en zwierde me de warme buitenlucht in. Getraumatiseerd als ik was door die ervaring, besteedde ik prompt zestig pond aan een paar vrolijk gekleurde glazen oorbellen in een winkel aan de overkant.

Dimanche, 21 mars
Ik wil eigenlijk maar zo weinig van het leven. Een meisje wil niet meer dan:
- een kapsel dat er altijd hetzelfde uitziet, los van windrichting of -snelheid
- dat mensen naar wie ze glimlacht, ook naar haar glimlachen
- schoenen die je langer maken en die er leuk uitzien, waarop je echt kunt lopen
- dat alleen gehandicapten op plaatsen voor gehandicapten parkeren
- kant-en-klare kennis van alles wat verband houdt met de keuken
- een beetje zon zo af en toe
- een wereldwijd verbod op polyfone ringtones
- een wereldwijd verbod op telefoons die je geen andere opties bieden dan een polyfone ringtone
- een eind aan al het lijden, met terugwerkende kracht tot aan het begin der tijden

Lundi, 22 mars
A4 en ik hadden een lunchafspraak in een Pools restaurant. Het was van harte aanbevolen als tegengif voor de arrogante bitterkruid-trattoria's en über-koosjere bagelleveranciers van

Londen-Noord. Ik ben altijd te sceptisch voor de eerste en te ongodsdienstig voor de tweede. Het restaurant was somber ingericht, met zware aardtinten uit de jaren zeventig, slechte reproducties van historische Poolse veldslagen en een laag vet die nog heel goed afkomstig zou kunnen zijn uit de keukens van mijn jeugd. Het eten leek recht van het fornuis van mijn moeder te komen: bietenborsjtsj met room en groenten; aardappellatkes met appelmoes en zure room. De serveersters waren ook authentiek bonkig en nors met hun strakke blonde vlechten en om de vetrolletjes om hun middel geknoopte schorten. Als ze al een klant te woord wilden staan, was het in diezelfde gromtaal die ik tijdens reizen naar het noordoosten van Europa in restaurants had gehoord. Alles, maar dan ook alles was gefrituurd en werd met een koolgarnituur opgediend. Ik was diep onder de indruk.

We zaten aan het raam. We keken naar de drukke stoep en het lunchverkeer: zakenmannen die patat aten; mensen in lange rijen bij de bank en de apotheek; een goedkoop Chinees eettentje bomvol studenten. Binnen was het echter een wereld apart, afgeschermd van het moderne rumoer buiten met niet meer dan het gekraak van een dienstlift als achtergrondmuziek.

We moesten lachen om een vrouw een tafel verder die met de kaart worstelde. Dit was geen kost voor calorie- of imagobewusten (ik had zelf uit voorzorg het ontbijt overgeslagen). In afwachting van het hoofdgerecht wenkte ze een van de trage serveersters. 'Hebt u cappuccino?' vroeg ze. A4 en ik onderdrukten een proestlach. De blozende serveerster fronste haar voorhoofd. 'Cappuccino?' herhaalde de vrouw. Ze maakte het geluid van stomende melk door een apparaat. 'U weet wel: *ssj, ssj, ssj?*' De serveerster schudde haar hoofd en liep weg. A4 en ik huilden bijna van het ingehouden lachen.

Ik liep naar de vitrine met desserts. Appelstrudel in lagen bladerdeeg, met suiker bestoven. Compact uitziende taartjes. Toen ik naar mijn stoel terugliep, gebaarde een man naar mijn middenrif.

Ik keek naar zijn tafel. Vier middelbare mannen in pak die een zakenlunch gebruikten. Ken ik die man? vroeg ik me af. Ik kon zijn gezicht niet thuisbrengen. Een klant?

'Eh, breng eens een mandje brood, ja?' gebood hij.

Ik lachte kort en blaffend. 'Sorry, ik werk hier niet,' zei ik, en liep door. Hoogst merkwaardig.

Mardi, 23 mars

Ik ben een koopje.

Hoe durf ik het te zeggen? Ik kost een paar honderd pond per uur. En toch is het waar. Gezien de economie van de seks, verzekeren klanten me, die inhoudt dat een man wat tijd en geld aan geschenken en vermaak besteedt om een vrouw het bed in te lokken, is een callgirl niet duurder dan een vrouw oppikken tijdens een zakenreis. En een callgirl zal niet snel later terugkomen om je konijn te koken.

Maar ik heb het niet over mijn werk, waar het vaststellen of mijn diensten het geld waard zijn ongetwijfeld een wiskundig niveau zou vereisen dat ik niet bezit. Ik ben in het echte leven een koopje.

Op papier lijkt het fantastisch. Een vrouw die haar eigen vervoer regelt, haar eigen drankjes en misschien ook een paar glazen voor jou betaalt en die, mocht er een relatie uit voortkomen, niet al te moeilijk doet over het ontvangen van cadeaus, vakanties of andere kleinigheden die van je genegenheid getuigen, los van die genegenheid zelf. Als jullie samen weggaan, draagt ze haar steentje bij; als je geen tafel in een restaurant bij een van de talloze grote bezienswaardigheden boekt, zegt ze glimlachend dat ze liever thuisblijft. Ze vraagt niet lukraak om glimmende dingen in lichtblauwe Tiffany-doosjes; als ze iets ziet wat haar aanstaat, koopt ze het zelf, en als jij eens extra in de buidel tast, zal ze natuurlijk dankbaar zijn, maar ze vindt het geen vanzelfsprekendheid.

Ik ben een tuin die veel onderhoud vergt, maar huur mijn eigen hoveniers, bij wijze van spreken.

Het heeft enige tijd gekost om erachter te komen dat dit niet is waar mannen zich toe aangetrokken voelen. Ze houden van de jacht, nietwaar, het idee dat de waarde van een vrouw wordt afgemeten aan de moeite die je moet doen om een glimlach of een kus te veroveren. Zelfs als ze een dweil in bed blijkt te zijn, ben je zo dankbaar tegen de tijd dat je haar aan elkaar vastgekluisterde dijen open hebt gewrikt met weekendjes op Sardinië en een flonkerend brokje koolstof op een ring, dat het je niets meer uitmaakt.

Volgens mij houdt dit in dat mensen steeds slechter in bed worden dan hun voorouders, aangezien de behoefte aan een partner met tongtalent uit de bevolking wordt gefokt (NB: dit is niet wetenschappelijk bewezen). Het zou ook kunnen betekenen dat vrouwen met reeënogen, iets naar binnen gedraaide tenen en de gave zelfvoldaan te glimlachen uiteindelijk zouden moeten overheersen.

De film noir heeft ons een term gegeven voor de onderhoudsvriendelijke, goedkope vrouw zoals die is gepersonifieerd door Ingrid Bergman en andere koele blondines. Zij werden gemelijk 'Class Acts' genoemd. Een Class Act bombardeert je niet met drenzerige telefoontjes in de trant van 'waarom ga je voetbal kijken met je maten terwijl je ook samen met mij sisalmatten kunt gaan uitzoeken?' Een Class Act vat een breuk niet al te zwaar op, en als ze dat toch doet, geeft ze geen kik. Een Class Act is het in de nacht verdwijnende silhouet dat je je ongetwijfeld zult herinneren, maar nooit meer zult aanspreken.

Een Class Act zal vaak in haar eentje aan de whisky zitten.

Een Class Act zal nooit in een dwarreling van bloemblaadjes uit een kerk tevoorschijn komen. Een Class Act wordt nooit een mammie, super of anderszins.

Een Class Act zal nooit een echtgenoot hebben die naar de hoeren gaat.

Vergeet maar wat ik allemaal heb gezegd.

Mercredi, 24 mars

Toen ik gisteren keek of ik e-mail had, bood Hotmail een link aan naar 'versiertips uit het dierenrijk'. Verwachten dat dit stuk me zou verrukken en vermaken leek me zo vruchtbaar als de tekst op een shampooflacon uitpluizen op hoge literatuur, dus bied ik in plaats daarvan een alternatieve lijst met versiertips uit het dierenrijk:

– Onze trouwe vriend en samen met ons geëvolueerde *Canis familiaris* (de huishond) bewijst dat wanneer je niet weet op welk gat je moet mikken, je in het wilde weg moet wroeten. Je zult meestal op iets goeds stuiten.
– Garnalen hebben hun hart in hun hoofd zitten. Mannen hebben hart noch hoofd.
– De tong van de giraffe (*Giraffa camelopardalis*) is een halve meter lang, zo lang dat het dier zijn eigen oren schoon kan likken. Als jij dat ook kunt, heb je wellicht een carrièremogelijkheid over het hoofd gezien.
– Dolfijnen doen aan groepsseks. Wat die piepende, grijze viseters kunnen, kun jij ook.
– De vrouwtjes van de bonoboapen (*Pan paniscus*), die nauw verwant zijn aan de mens, verlenen seksuele gunsten om sta-

tus en voedsel te verwerven. Iets om aan te denken wanneer je weer eens zonder geld bij de buurtwinkel staat.

- Sommige lintwormen eten zichzelf op wanneer ze geen voedsel kunnen vinden. Helaas zijn mannen die geen seks kunnen vinden zelden zo getalenteerd.

- Katten, genus *Felis*, gebruiken hun geurklieren om hun territorium af te bakenen en zich aan andere katten kenbaar te maken. Of die verklaring het hotel ertoe zal overhalen geen extra waskosten in rekening te brengen, staat nog te bezien.

- De zeilvis, de zwaardvis en de makreelhaai kunnen allemaal harder dan tachtig kilometer per uur zwemmen. Ontmoet jij een onaangenaam persoon in een disco, dan is het onwaarschijnlijk dat je ook zo snel zult kunnen vluchten.

- Leeuwen kunnen meer dan vijftig keer per dag paren. Waarschijnlijk is de leeuw zuiver op grond hiervan tot koning van de jungle uitgeroepen.

- De hoorn van de neushoorn bestaat uit haar. Mannen die niet over een hoorn des overvloeds beschikken, wordt echter niet aangeraden dit te compenseren door hun haar langer te laten groeien.

- De pil voor mensen werkt ook voor gorilla's. Als jij gemakkelijker voorbehoedmiddelen en een vrouwtjesgorilla kunt vinden dan een partner, is er iets gruwelijk misgegaan.

- De tijd vliegt en sommige kansen komen misschien nooit meer terug. Neem een voorbeeld aan de zwaluwen van de genus *Hirundo*, die in volle vlucht paren, ongeacht de bezetting van de vlucht.

Terzijde: terwijl ik onderzoek deed voor deze lijst, kwam ik een site met dolfijndildo's tegen. Ik doel niet op dildo's in de vorm van dolfijnen. Ik bedoel dildo's in de vorm en met het formaat van een dolfijnenpenis. Jakkes.

Jeudi, 25 mars

N en ik gingen ontbijten in een cafetaria (hij: complete vette hap met patat; ik: roerei op toast). Hij slaapt slecht, en dat is te zien ook, maar hij weet niet waarom. Misschien maakt hij te lange dagen op zijn werk, misschien komt het door familie-problemen en mogelijk is het een verlaat besef dat het lente zou moeten zijn, maar dat het zo koud en nat is dat de inner-lijke klok nog op de wintertijd staat. Een kennis bracht vorige week het gerucht in omloop dat de klok op moederdag al vooruit was gezet in plaats van het komende weekend, en dat bracht hem van de wijs. Sindsdien heeft hij geen nacht meer lekker geslapen.

Hij heeft dingen gehoord, dingen over mij. Verhalen die de ronde doen. Niets wereldschokkends, alleen een paar opmer-kingen van een paar mensen die hem hebben bereikt. Had ik al gezegd dat N de geheime spil van alle kennis in Londen lijkt te zijn? Je noemt een naam – hij kent iemand die iemand kent. Je hebt iets gehoord, maar is het waar? Hij ritselt het antwoord voor je. Hij is een dealer, en zijn drug is informatie.

Er komt jaloezie bij kijken, doorgaans de motor achter de ergste, meest schadelijke geruchten. Andere dingen. Ik haat die *Sturm und Drang*. Iemand met wie ik had geslapen, en die mij had gevraagd het geheim te houden (ik heb er niet eens over geschreven) heeft zich bedacht en het aan zo ongeveer de halve stad verteld. Een paar persoonlijke dingen. Dat vind ik niet erg. Wat ik erg vind, is dat iemand om discretie vraagt en mij dan zo flagrant te kijk zet. Slechte beleefdheidsvormen voor een minnaar.

'Misschien moet ik hem erop aanspreken,' zei ik.

'Slecht plan,' vond N. Hij wees me erop dat de man in kwestie jong en slap is, en dat ik hem waarschijnlijk eerder een aai over zijn bol en mijn kirrende vergeving zou schenken dan de oorvijg die hij zo duidelijk verdient. 'Hij heeft de blaam op zichzelf geladen. Híj zal zich ongemakkelijk voelen wanneer hij een van ons ziet.'

'Misschien moet ik zelf een paar roddels in omloop brengen.'

'Hou de eer aan jezelf. Dat is op de lange duur het beste.'

'Ik voel mijn slechtheidsvoelsprieten trillen,' zei ik, en wiebelde met mijn wijsvingers in de lucht.

'Niet doen.'

'O, shit, nu ik eraan denk...'

'Wat?'

'Toen hij wegging, vroeg hij of het waar was dat ik een trio met jou en nog iemand had gedaan.'

'Wat heb je gezegd?'

'Ja.'

Hij kromp in elkaar. 'Nou, mij kan het niet schelen, en jou kennelijk ook niet, en ik denk dat het andere meisje het ook niet erg vindt, maar waarom vroeg hij ernaar? Als ik hem was, had ik het aan mij gevraagd, niet aan jou.'

'Ja. Of hij had kunnen vragen of ik ooit een trio had gedaan, om te zien of ik er eventueel een met hem zou willen doen.'

'Precies. Ik vraag me af waarom hij zo benieuwd was naar een trivialiteit uit mijn privé-leven terwijl hij net uit jouw bed kwam.' N krabde aan zijn stoppels. 'Een wipje voor één nacht te veel,' zei hij. 'Pas op wat je over het seksleven van anderen vertelt.'

Ik haalde mijn schouders op en nam een slok heel sterke, heel verse koffie. Hij vroeg of ik de auto nog bij mijn huis had gezien. Dat had ik. Hij vroeg of hij iets voor me kon doen. Ik zei nee.

'Doe er afstand van als je kunt,' zei hij.

'Van mijn werk, mijn huis of mijn ex?' vroeg ik.

'Van alle drie,' zei hij. 'Ik weet niet wat je van plan bent, maar zorg hoe dan ook dat je een uitwijkmogelijkheid hebt.'

Hij schoof een korst toast over zijn bord. De cafetaria, die vol had gezeten toen we binnenkwamen, was nu vrijwel leeg. Ik kocht een stuk worteltaart voor later. Hij gaf de serveerster een fooi en bracht me met de auto naar huis. Zijn linkerhand lag de hele rit op mijn knie.

'Als je maar oppast,' zei hij.

Ik wuifde hem na en ging naar boven.

(Onderbroek vandaag: transparant zwart met randjes van crèmekleurige kant en een kijkgaatje aan de achterkant. Deze staat momenteel boven aan de lijst van favorieten.)

Vendredi, 26 mars

Krijg dit weekend gasten en N komt stofzuigen. Hij bood het zelf aan. Als ik de afwas laat staan, zou hij die dan ook doen?

Ik zie mijn buren zelden, meestal als ik net wegga. Ze denken dus óf dat ik een onzegbaar glamoureus leven leid en van het ene feest naar de andere première ren, óf ze weten alles. Of ze denken dat ik me gewoon graag optut. Hoe dan ook, ik hoor zelden iets uit die hoek. Tot vannacht, toen ik om twee uur thuiskwam en nog een uur uit mijn slaap werd gehouden door het onmiskenbare geluid van boeken die een voor een tegen een muur werden gesmeten.

Vreemd.

En op de sportschool is het me opgevallen dat mijn achillespezen de laatste tijd stram lijken te zijn. Heb te horen gekregen dat dit het gevolg is van altijd op hoge hakken lopen. Ik weet dat we elk seizoen worden overstelpt met de propaganda dat platte schoenen ook snoezig en sexy zijn, maar mij overhalen platte schoenen onder een rok te dragen is een bekeringsproject dat gelijkstaat aan een schikking voor de westelijke Jordaanoever. Zal gewoon meer rekoefeningen moeten doen.

Samedi, 27 mars
Hoeveel goede raad ik in de loop der jaren ook heb gekregen, niemand heeft zich ooit uitgesproken over datgene wat weleens de grootste uitdaging van mijn werkende bestaan zou kunnen zijn: de omgang met de afwijkende lul.

Penissen kunnen om allerlei redenen vreemd zijn. De verhouding tussen lengte en diameter kan ongebruikelijk zijn, er kan een rare bocht in zitten of ze kunnen je herinneren aan de voorkeur die de broer van je vader had voor coltruien. In feite zijn er waarschijnlijk meer vreemde dan niet-vreemde penissen. Zo krijgt de ouwe jongen ruimschoots de gelegenheid om zijn persoonlijkheid te bewijzen.

De afwijkingen laten zich voor het grootste deel onderbrengen in de hokjes 'vreemd, maar niet gekmakend vreemd' en 'vreemd, maar medisch gezien niet abnormaal'. En als een lid buiten die classificaties valt, weet ik nooit wat ik moet zeggen.

Er luchtig over doen en bijvoorbeeld vrijpostig spinnen: 'Goh, wat een bijzonder apparaat heb je daar'? Enige medische belangstelling tonen en vragen: 'Ben je daar ooit mee naar een dokter geweest?' Vol afgrijzen achteruitdeinzen? Hem vragen wat hij me ermee wil laten doen? Of heeft meneer liever dat ik er niets over zeg?

Ik had het genoegen een klant met een hoogst normale penis te treffen. Normaal in elk waarneembaar opzicht. Het was zijn voorhuid die abnormaal was. In plaats van aan de bovenkant te openen, zodat de eikel zijn kopje erdoor kon steken, ging de beschermhoes van deze meneer aan de zijkant open.

Aan de zijkant. Van zijn penis. Halverwege de schacht. Een opening die te klein was om een eikel doorheen te wringen.

Wat betekende dat hij altijd ingepakt zat, zelfs als hij opgewonden was.

Ik glimlachte. Keek ernaar, keek naar hem. Zei niets. Hij bood geen advies aan. Moest ik me op de (volledig bedekte) eikel richten of op de opening (waaruit voorvocht lekte, maar centimeters lager)? Hij was ouder dan ik en gescheiden, dus iemand moest die anomalie eerder hebben gezien. Was het een akelig gevoel als hij stijf was? vroeg ik me af. Zou hij problemen hebben met bepaalde standjes? Zou het de werking van het condoom beïnvloeden? Was het beledigend om ernaar te vragen?

Ik overlaadde zowel de eikel als de opening met aandacht en zorgde ervoor dat ik mijn hand niet te strak om de schacht klemde. Toen we aan de gemeenschap toe waren en ik hem een condoom omdeed kneep ik het tuitje voor het zaad dicht, maar ik vroeg me af of het iets zou helpen. Hij nam me van achteren, maar zei niet of er een andere reden voor was dan persoonlijke voorkeur. Na afloop deed hij het condoom zelf af. Ik kreeg het resultaat niet goed te zien.

Dimanche, 28 mars

Ik word weer eens gekoppeld, deze keer aan iemand die me alleen beschreven is als 'je toekomstige echtgenoot'. Ik word niet onder druk gezet of zo.

Lundi, 29 mars

Ik heb een vriendin, oké, alleen is het niet echt een vriendin, maar meer een bondgenoot of een kennis die maar blijft plakken. En ik ben meestal geen onvriendelijk mens, echt niet, ik zweer het.

Ik leerde haar kennen via A3, die een paar jaar geleden min of meer zo ongeveer iets met haar had gehad, wat wil zeggen dat hij op haar viel tot hij erachter kwam hoe godvergeten afschuwelijk ze was, en toen kon hij niet meer terug. Zoals Churchill al zei: als je door de hel gaat, ga dan door.

ALGRALJH, noemen we haar. Een afkorting van ALlebei zo GRoot ALs Je Hoofd. Aangezien die verwijzing naar haar enorme... landerijen bijna onuitspreekbaar is, heeft de afkorting zichzelf vereenvoudigd tot een tweehandig ballongebaar op de borst dat voor een al te weelderig gemoed staat. Voorbeeld: 'Ik kwam [ballongebaar] pas tegen; ze schijnt het koolhydraatarme dieet te volgen.'

'O? En helpt het?' Daar de verworvenheden van Ballongebaar allemaal natuurlijk zijn, past de achterkant bij de voorkant. Om nog maar te zwijgen van haar middel. En ze heeft enkels waaraan je veilig een rondvaartboot kunt vastleggen.

Het antwoord is een opgetrokken wenkbrauw die aangeeft dat ze, als er al iets is veranderd, hooguit nog weelderiger is geworden.

Ballongebaar zou weleens de hoogste omgekeerd evenredige verhouding tussen werkelijk afgevallen ponden en mislukte diëten en lidmaatschappen van sportscholen kunnen hebben van iedereen die ik ken.

Begrijp me niet verkeerd. Het is niet beleefd iemand om zijn gewicht te bespotten. A4 zeult ook weleens een paar pondjes te veel met zich mee en daar zeggen we niets van, maar Ballongebaar heeft het recht van bespotting verdiend door automatisch iedereen die dunner is dan zij van een eetstoornis te betichten. Dat is per definitie de hele levende wereldbevolking, minus de griezeliger buurten van Glasgow en een paar enclaves in Miami. In gesprekken met Ballongebaar duikt doorgaans een zin op in de trant van: 'Ik kwam Ruth pas tegen, ja? Ze is net bevallen en heeft nu haar oude figuur al terug, eetstoornis... En ze vertelde me dat haar vent in een nieuwe band speelt...' enzovoort, enzovoort. Eindeloos. Heeft ze je moeder laatst gezien? Eetstoornis. Die blonde uit *Teachers*? Eetstoornis. De nieuwe, slanke Vanessa Feltz? Trut met boulimie. Daar staat tegenover dat je maar een kaakje hoeft te eten waar ze bij zit of je bent je al ongans aan het vreten.

Maar goed. A3 was vorige week in de stad en belde op om te vragen of ik met hem wilde lunchen. Het was wat rommelig – hij had eerst twee vergaderingen, een in Bayswater en een in de City, maar mijn rooster bij daglicht is gemakkelijk om te gooien, en we spraken af op vrijdagmiddag, drie uur. Kocht een uur van tevoren een broodje, lummelde wat in winkels en arriveerde in het restaurant. Het personeel leek wat knorrig te worden van gasten na lunchtijd, wat me geen greintje schuldgevoel bezorgde. Een puisterig studententype bracht me zwijgend naar de tafel.

Hij zette me tegenover Ballongebaar en haar magnifiek bevleesde borst. Verdomme, ik wist niet dat zij ook zou komen. Als ik het had geweten, had ik waarschijnlijk niet de moeite genomen naar de afspraak te gaan. Ze was de enige andere aanwezige en ze zat het brood en de olijven van de zaak naar binnen te harken. Hoezo, koolhydraatarm dieet?

'Dag schat,' zei ik met een glimlach, maar zonder iets van de hartelijkheid te voelen waarvan ik hoopte te druipen. 'Wat een leuke verrassing.' Ik vroeg naar haar familie en ze praatte me bij: wie er te mager uitzag, wie eens iets zou moeten eten en – al was er geen fysiek bewijs ter bevestiging – hoe de kilo's er de laatste tijd gewoon af vlógen door haar dieet en lichaamsbeweging. Ze bood me een homp brood aan, die ik afwimpelde omdat ik nog vrij vol zat van het broodje.

'Zeker weten?' vroeg ze. Ze liet haar ogen over mijn borsten glijden, die op geen stukken na zo groot zijn als mijn hoofd, laat staan het hare, al laat je je fantasie nog zo op hol slaan. 'Je hebt toch geen...'

Ik zette een gekweld gezicht op en fladderde met een hand bij mijn borst. 'Nee, ik heb coeliakie,' zei ik, met mijn mondhoeken trekkend alsof ik moest huilen. 'De diagnose is vorige maand gesteld. Mijn darmen vallen letterlijk uit mijn lijf, ik verdraag geen gluten en ik zit onder de uitslag.'

'Mijn... nee. Echt?' vroeg ze, met openhangende mond.

Ik leunde samenzweerderig naar haar over. 'Het ergste zijn nog wel die diarree-uitbarstingen,' fluisterde ik, net toen de rest van ons gezelschap arriveerde en ging zitten. 'Je kunt je gewoon niet voorstellen hoe erg dat was. Jij boft maar. Ik zou dolgraag weer echte dijen willen hebben.'

Zo was ik natuurlijk wel gedwongen die lunch uit te zitten op gepocheerde vis en een afschuwelijke salade, maar het was het waard: een vol uur kwam er geen woord en geen hap over haar lippen. Ik ben meestal geen onvriendelijk mens, echt niet, ik zweer het.

Mardi, 30 mars

De klant leunde over me heen, als een razende aan zijn lid trekkend. 'Ik ga over je gezicht klaarkomen,' zei hij. Het was de zesde keer binnen tien minuten dat hij het zei, grauwend, alsof hij zichzelf wilde overtuigen.

Dat was alles: 'Ik ga over je gezicht klaarkomen.' Geen instructies voor mij, al speelde ik met mijn borsten en tepels en zoog ik op mijn eigen vingers nadat ik mezelf had aangeraakt in de hoop dat het zou helpen. Vóór de afspraak had ik niet meer te horen gekregen dan waar ik naartoe moest en dat ik me dik op moest maken.

Mijn moeite leek niets te helpen. Hij keek naar de muur, niet naar mij. Zijn fanatieke hand minderde een paar keer vaart en hij schoof naar mijn lippen. Hij verslapte en ik zoog hem weer stijf. Hij keek niet naar me, niet één keer. Toen begon het masturberen weer. En de mantra: 'Ik ga over je gezicht klaarkomen.' Ik kronkelde kreunend over de lakens. Geen reactie. Ik hief mijn hoofd en likte de binnenkant van zijn dij. Weer geen reactie.

Een halfuur later was hij nog steeds niet klaar. Ik murmelde en tastte, dwalende vingers, voorzichtige vragen, maar hij leek niets anders van me te willen dan dat ik het doek was dat hij beschilderde. Zo moest ongeboetseerde klei zich voelen: ik wilde een vorm aannemen, een fantasie, maar het mocht niet. Zijn schouders zakten en hij viel zweterig op mijn borst. 'Sorry, schat, het zit er niet in,' zei hij, alsof ik iets van hém had gewild.

Mercredi, 31 mars

Gek genoeg verliep de afspraak met 'mijn toekomstige echtgenoot' niet volgens plan. Ik vind dit een schoolvoorbeeld van waarom mijn vrienden geen mannen voor me moeten uitkiezen, maar AI laat zich niet afschrikken en blijft vastbesloten niet alleen zijn sporen als koppelaar te verdienen, maar ook de kern van mijn problemen met partners te vinden.

Hij zat dus wat op het web te surfen terwijl ik op jacht was naar desnoods een kruimeltje taart in huis. Het diende zich niet aan, en ik sloot een pact met de duivel en brouwde een kop warme chocolademelk van het door de warmte wit uitgeslagen eind van een chocoladestengel, het grootste deel van een wasachtige chocoladereep uit een legerrantsoen en instantkoffie. Het kolkte vettig en kwaadaardig in een witte beker. 'Wanneer en waar ben je geboren?' vroeg AI.

'Hoezo?'

'Je horoscoop.' Online-astrologie is een van de zekere tekens dat de maatschappij op instorten staat. Ik vertelde het hem toch. 'O, jee. O, jee, o, jee.'

'Wat is er?' Ik nipte van de vettige imitatie chocoladedrank. Smerig, dat wel, maar niet onbevredigend. Toch zal ik een betere methode moeten vinden om met de hormonale cyclus om te gaan, want het is lente, en dan krijgt een jonge vrouw zin in bikini's.

'Je Mars staat in Kreeft.' (Of wat hij ook maar zei. Ik ben niet op de hoogte van dit soort bijgeloof.)

'Wat houdt dat in?'

'Je manipuleert mensen.'

'Bel de pers. Zou er iemand zijn die dat nog niet weet?'

Avril

Belles A-Z van de Londense seksindustrie, Q t/m S

Q staat voor *qualité*
Word niet lui. Je gedachten mogen best afdwalen tijdens het werk, maar de bedragen op je creditcardreçu's optellen terwijl een arme klant je van achteren neukt zal niet onopgemerkt blijven. Belangstelling veinzen houdt de raderen van de maatschappij draaiend, en voor een uurtje per dag is het niet te veel gevraagd. Zie het als een vergroting van de kansen op een fooi en nieuwe afspraken.

Q staat ook voor quatsch
Sommige mensen zeggen dat wanneer je je eenmaal voor seks hebt laten betalen, je het vak nooit meer echt achter je laat. Ik zal in 2037 laten weten of dit waar is.

R staat voor relaties
Dit is geen film of sprookje. Je zult niet trouwen en nog lang en gelukkig leven met een rijke, aantrekkelijke vrijgezel die je op je werk hebt ontmoet. Ga niet privé met klanten uit, zie de relatie voor wat ze is. Geniet van de man als hij leuk is, maar vergeet nooit waar de grens ligt. Denk je dat een personal trainer een klant van de sportschool naar huis zal volgen of gezellig een weekendje met een klant wil doorbrengen? Nee. Geen sprake van.

S staat voor sexy

Sexy word je niet door de juiste verhouding tussen textiel en huid. Sexy-zijn is niet het onvermijdelijke resultaat van blond, bruin en slank zijn (al lijkt het voor tv-presentatoren wel op te gaan). Sexy ben je als je jezelf bent en lekker in je vel zit. Je buik inhouden zodra de kleren uitgaan is niet neukbaar. Een klets op je ruimbemeten kont geven en hem uitnodigen de schommel te bestijgen is dat wel.

Jeudi, 1 avril
Haai
Woordsoort: zelfstandig naamwoord
1. Roofzuchtige kraakbeenzeevis met fusiform lijf en laterale kieuwspleet.
2. Doortrapt iemand die anderen door woekeren, afpersing of list berooft.
3. Iemand die op een bepaald terrein uitblinkt.
4. Iemand die anderen, die doorgaans jonger en onervarener zijn, in de luren legt.

Ik hou de afgelopen paar maanden iemand in de sportschool in de gaten.

Het is geen gewoonte van me. De sportschool is om te trainen en mogelijk eens een praatje te maken, maar het wijdverbreide idee dat het een vleeskeuring zou zijn, is naar alle maatstaven gruwelijk. Het voordeel is dat als je iemand ontmoet in een steer van in lycra gestoken, van endorfine doordrenkte krankzinnigheid, je er gerust op mag zijn dat hij je op je allerslechtst heeft gezien, bezweet en met warrig haar, en je toch aantrekkelijk vond.

Anderzijds zou ik geen relatie willen met iemand die me regelmatig op mijn allerslechtst zag.

Aan het begin van dit jaar trok echter een man in het bijzonder mijn aandacht. Schuchtere glimlach, zacht uitziend haar, indrukwekkend gespierd postuur. Ik deed navraag. Ving zijn naam op.

'Homo,' blafte N, die zelf geen homo is, maar beweert de fijnst afgestelde hetero homoradar van het zuiden van Engeland te hebben. Onzin, maar dat durf ik niet te zeggen. 'Geen twijfel mogelijk.'

'Ik denk het niet,' verzuchtte ik, terwijl ik probeerde niet naar het object van ons gesprek te staren, dat de vrije gewichten afwerkte.

'Ik wed om tien pence dat hij homo is.'

Zo'n uitdaging tot de strijd laat je niet lopen. 'Top.'

'Het zou me werkelijk een genoegen zijn,' zei N handenwrijvend, 'de meesterhaai deze prooi te zien verliezen.'

Vendredi, 2 avril

Gesprekken met klanten zijn niet bepaald wat je 'normaal' zou noemen, maar toch zijn ze aan strikte conventies gebonden. Het is prettig om te weten waar iemand vandaan komt en in grote trekken te horen wat hij doet. De meeste mannen zijn zakenreizigers of maken onregelmatig gebruik van seksdiensten. Een gesprek over koetjes en kalfjes stelt beide partijen op hun gemak.

De grens tussen belangstelling en nieuwsgierigheid is haarfijn, en hoewel het ontmoeten van een werkende vrouw een beetje op een eerste afspraakje lijkt, zijn bepaalde verzoeken om informatie domweg verboden. Hieronder vallen vragen naar de ouders van het meisje, de locatie van haar woning (ik werk alleen buiten de deur), het kenteken van haar auto...

Anderzijds betekent het feit dat je elkaar waarschijnlijk nooit meer zult zien dat de klant vragen kan stellen waarmee iemand anders al snel gestrekt op de stoep zou belanden. Context is alles.

Voorbeeld 1: 'Denk je dat je ooit zult trouwen en kinderen krijgen?'

Ik vind kinderen best leuk. Ik vind ze vooral leuk wanneer ze terug naar hun ouders gaan.

Soms, heel soms, word ik getroffen door de charme van een voorlijke *bébé* en kom ik op de gedachte dat het opvoeden van een kinderschaar een goed idee zou zijn. En als iemand de kinderen tussen hun elfde en zestiende zou willen overnemen, zou dat de pil immens vergulden.

Klanten zijn misschien de enigen die ik een eerlijk antwoord op die vraag kan geven. Mijn ambivalente houding jegens een toekomstig gezin en twijfel of deze wereld wel een geschikte plek is om je aan een ander wezen of andere wezens te kluisteren, baren me eerlijk gezegd zorgen. Aangezien veel klanten getrouwd zijn en kinderen hebben, appreciëren ze dit. Soms geven ze me advies.

Sommigen aanbidden hun kinderen en gezinsleven. Anderen... nu ja, ze betalen voor seks, immers?

Mijn ouders begaan soms de stommiteit naar mijn toekomstige plannen voor het krijgen van kinderen te vragen en krijgen dan steevast het antwoord: 'Ik heb de juiste man gewoon nog niet ontmoet.' Minnaars die het wagen deze vraag over hun lippen te laten komen, krijgen een enkeltje naar de speeddating- en singleshel.

Voorbeeld 2: vragen over mijn smaak op het gebied van films, boeken en muziek.

Potentiële partners krijgen een eerlijk antwoord. Mijn kennis van culturele details mag dan wankel zijn, het is míjn kennis, en iedereen die hoopt zijn materiële bezittingen met de mijne te versmelten in een tevreden heropvoering van homo erectus die een huishouden in de Olduvai-kloof opzet, zal moeten leven met een muziekverzameling die zich het best laat omschrijven met de term 'voor de fijnproever'.

Ben ik bij een klant, dan probeer ik erachter te komen wat zijn smaak is en niet te ver van de platgetreden populariteit af te wijken. Als ik de fijnere punten van free jazz uiteen ga zetten terwijl ik iemand tussen mijn ingezeepte tieten laat komen, maak ik mogelijk te veel aanspraak op de privileges van mijn positie.

Voorbeeld 3: 'Met hoeveel mensen ben je naar bed geweest?'

Geen klant heeft er ooit naar gevraagd. Er vraagt weleens iemand hoe lang ik dit werk al doe, maar of ze proberen het aantal minnaars uit mijn antwoord af te leiden, is mij niet bekend. Gezien het feit dat ik bij tijden slechts sporadisch werk, is het onwaarschijnlijk dat ze tot een kloppend totaal zouden komen.

Niet-klanten vragen er altijd naar. Als ik denk dat iemand een goed gevoel voor humor heeft, noem ik een aantal dat grofweg correct is. Of althans binnen dezelfde orde van grootheid valt. Ik weet het zelf niet. Nerds met een extreem goed gevoel voor humor krijgen van mij een totaal in wetenschappelijke of binaire notatie. Heeft iemand geen goed gevoel voor humor, dan probeer ik over iets anders te beginnen of de vraag terug te kaatsen.

Waarom doet het er iets toe? Kwantiteit is geen garantie voor kwaliteit. Frequentie al helemaal niet. Maar een laag totaal zegt ook niets over je persoonlijkheid. Veel ex-minnaars zouden net zogoed kunnen zeggen dat ik een goede gastvrouw ben, en dat de afwezigheid van stalkers impliceert dat mijn selectieve vermogens ermee door kunnen in plaats van de gangbaarder interpretatie dat ik een tochtige slet met een drankprobleem ben. Mannen (en vrouwen) die geschokt waren door mijn antwoord, heb ik dikwijls horen prevelen: 'Maar je lijkt zo'n nét meisje!'

Ik ben ook netjes. Bijzonder netjes zelfs.

Toen ik zeventien was, maakte een jongen het met me uit omdat hij mijn derde partner was en hij dat een onaanvaardbaar hoog aantal vond. De volgende man, nummer vier, beweerde dat mijn aantal eerdere minnaars onaanvaardbaar laag was. Sommige mensen kun je het nooit naar de zin maken.

De laatste keer dat ik een minnaar had die meer partners had gehad dan ik (voor zover ik weet) was op mijn negentiende.

Voorbeeld 4: 'We hebben maar een kwartier. Mag ik in je mond komen?'

In een normale situatie zou hier in het gunstigste geval een grimas en in het slechtste een contactverbod op volgen. Op mijn werk varieert mijn antwoord daarentegen van 'toe dan!' tot 'goed, maar ik heb liever dat je over mijn gezicht spuit.'

Dimanche, 4 avril

Een jaar of twee geleden werd duidelijk hoe definitief ik de eerste bloei der jeugd achter me had gelaten. De Maginotlinie was nota bene muziek. Toen ik na een lange afwezigheid uit de popcultuur weer eens clips keek, merkte ik tot mijn afgrijzen dat degenen die niet oud genoeg zijn om zich de eerste versie van Lionel Richie te herinneren, hem als een soort ereblaaskaak van de pop zien. Lionel was overal met zijn minidreads, gouden kettingen en geloofwaardigheid. Fout, helemaal fout! Is er dan niemand meer wiens eerste herinneringen aan muziekzenders onherroepelijk getekend zijn door de aanblik van meneer Richie die zijn eigen geklede kop ernstig toezingt? Soms houd ik mijn hart vast voor de jongere generatie, heus.

Wat me eraan doet denken dat de verjaardag van mijn moeder nadert en ik echt niet mag vergeten die Neil Sedaka Tzedakah-box voor haar te maken die ik haar altijd beloof – of dreig ik ermee?

Lundi, 5 avril
Hars
Woordsoort: zelfstandig naamwoord
1. Kleverig product dat wordt gewonnen uit planten, en met name uit naaldbomen.
2. Substantie die aan hars doet denken, kunsthars, giethars.
Harsen
Woordsoort: overgankelijk werkwoord
1. Met hars behandelen of inwrijven, bijv. haren van strijkstok.
2. Methode om lichaamshaar op de pijnlijkste en toch meest bevredigende manier te verwijderen.
3. Het object van je genegenheid overal volgen in een poging zijn aandacht te trekken.

Ik bleef bij de automaat met papieren handdoeken het zweet van mijn hals staan deppen tot Tien Pence Weddenschap in beeld kwam. Hij voorzag een bankdruk- annex martelwerktuig van gewichten. Toen hij zich afwendde om nog een gewicht van het rek te pakken, besloop ik hem van achteren.

'Mag ik tussendoor?' Sportschooljargon om te vragen of je om beurten met het toestel kunt werken. Wordt nooit als versierpoging opgevat: mensen die je harsen, staan meestal van een afstandje naar je te kijken.

Het was natuurlijk een bespottelijk verzoek. Het gewicht dat hij met zijn kleine teen kon optillen, was waarschijnlijk nog te zwaar voor mij. 'Hoeveel gewicht?' vroeg hij. Zachte, prettige stem.

'Misschien de bar plus twintig,' zei ik. Verdomme, ik klonk echt alsof ik wist waar ik het over had.

Hij knikte. We deden ieder drie setjes. Ik stond achter hem terwijl hij drukte en keek hoe zijn shirt met lange mouwen om zijn borst spande. Tijdens mijn eigen setjes deed ik mijn uiterste best cool en serieus over te komen, niet als het giechelende, zwakke wezen dat ik speel als N in de sportschool is. We waren klaar en gingen elk naar een andere kant van de zaal. Speel het cool, meid, dacht ik. Volg hem niet door de zaal. Niet harsen.

Een uur later liep ik naar de cardiozaal. Hij zat op een roeiapparaat, al een paar minuten – het zweet begon net langs zijn haargrens te sijpelen. Ik ging een paar apparaten verderop zitten en gespte mijn voeten in.

'Hard getraind?' vroeg hij.

Ik glimlachte. 'Ik doe alleen even een warming down.' Ik roeide vijf minuten vol, waarbij ik heimelijk naar hem keek in de spiegelwand voor ons. Zijn zweet begon nu echt te gutsen. Hij had het shirt met lange mouwen uitgetrokken. Ik hield ermee op en toen ik achter hem langs wegliep, ving ik een glimp op van zijn rug, die bij elke slag samentrok. De druppeltjes gleden door de sleuf van zijn ruggengraat.

Ik was alleen in de gang naar de kleedkamers. Wacht nog een paar minuten, dacht ik. Dan komt hij ook en kun je iets zeggen.

Niet doen. Dan weet hij dat je hem hebt opgewacht.

Lafbek.

Trut.

Wat zou ik trouwens moeten zeggen? 'O, was ik maar degene die dat zweet van je af mag likken,' en dan weglopen? De deur ging open. Ik wilde niet zien wie het was en dook sneller dan een gesmeerde gans de kleedkamer in.

Mardi, 6 avril

N en ik gingen pizza eten en bier drinken. We zaten buiten op het eten te wachten. Het was een zoele avond, ik was een beetje moe van het langdurig wegtrainen van frustraties op de sportschool en de drank steeg regelrecht naar mijn hoofd. We praatten over de komende maand, hoe het met zijn werk ging en over vrouwen in wie hij geïnteresseerd was. Ik bekende dat ik wat speurwerk op internet naar de Jongen had verricht.

We moeten synchroon lopen, want N, die zo dapper afstand had genomen van zijn eigen ex, onthulde dat hij hetzelfde had gedaan. 'En, heb je iets gevonden?' vroeg ik als eerste. Niets, zei hij. Misschien was ze getrouwd. Misschien was ze verhuisd. Daar leek het me te snel voor. Ze was een impulsieve meid, maar dat ze nu al een gezin wilde stichten kon ik niet geloven, zelfs niet in haar geval. N vroeg of ik iets had ontdekt.

'Iets,' zei ik. 'Genoeg.' Hij is verhuisd, hij is waarschijnlijk nog alleen. Niets wereldschokkends. We nipten van onze glazen. Het eten kwam. De eerste gang was groter dan we hadden verwacht en hij at mijn bord leeg. De tweede gang kwam. Ik had alleen een salade besteld. Ik zal wel het gevoel hebben dat ik inbreuk op de privacy van de Jongen heb gemaakt door te zoeken, maar ik kon me er niet van weerhouden.

'Wederzijds onvermogen los te laten,' zei N.

'Ja.' We zaten een tijdje zwijgend te kauwen en wuifden de alomtegenwoordige versgemalen-peperjongens met hun molens van pornoformaat weg.

'En, heb je de laatste tijd nog leuke meiden met grote tieten gezien?' vroeg hij opeens. Ik lachte zo hard dat ik bijna stikte in een hap raketsla.

Mercredi, 7 avril
Kind
Woordsoort: zelfstandig naamwoord
1. Jong persoon tussen babytijd en jeugd.
2. Iemand die zich sterk laat beïnvloeden door anderen, plaatsen of situaties.
3. Product of resultaat.
4. Iedereen die is geboren in een jaar waarin ik een verjaardag met twee cijfers vierde.

'Raad eens?' zei N gnuivend.
'Wat?' Ik was niet in de stemming voor raadseltjes.
'Ik heb je kleine vriend gesproken,' zei hij.
'Welke kleine vriend?' N bedoelde Tien Pence Weddenschap. 'Nou, wat ben je te weten gekomen?' vroeg ik.
'Hij studeert.'
'Er studeren zoveel mensen tegenwoordig. Wat wil je zeggen?'
'Hij is áchttien.'
O, nee, dat meen je niet. Niemand van achttien ziet er zo uit. 'Je maakt een geintje.'
'Eerstejaars technisch dit-of-dat.'
Ik fronste mijn voorhoofd en dacht aan Tien Pence Weddenschap, hoe glad en ongerimpeld zijn gezicht was. En hoe beleefd hij was. Er begonnen belletjes in mijn achterhoofd te rinkelen: aantrekkelijke mannen blijven niet lang aardig. 'Natuurlijk. Ze zouden het moeten verbieden,' verzuchtte ik. 'Ze zouden geen tieners naar bouwtekeningen van volwassenen mogen maken. Het is gewoon niet eerlijk.'

Samedi, 10 avril
'Was het nog leuk gisteren?' vroeg N. We waren in de sportschool. Ik leunde tegen de deur naast de mannenkleedkamer

terwijl hij zijn sportschoenen strikte. De prikborden waren behangen met folders. Yoga, fysiotherapie, zaalvoetbal en iets dat *Ultimate* heette. Ultieme wat? vroeg ik me af. Ultieme rekoefeningen? Ultieme watersport? O, leg die rubbermat klaar.

'Ging wel,' zei ik. A3 was gisteren jarig. Ik wilde er niet heen omdat ik bang was dat de Jongen zou komen. Toen ik dat aan N vertelde, zei hij dat ik gek zou zijn als ik me daardoor liet weerhouden. Ik tobde dus over wat ik aan zou trekken, speelde met het idee niet te gaan en ging toen toch.

N begon warm te lopen op de loopband. De apparaten aan die kant van de zaal kijken uit op een raam. Ik kan me niet voorstellen wie er ooit heeft kunnen denken dat het uitzicht op foutgeparkeerde auto's en wankelende tieners beneden op straat iemand zou inspireren. 'Was je ex er ook?'

'Ja.' De Jongen kwam laat opdagen, vlak voordat het verjaardagsgezelschap van het café naar de disco ging. Ik was met A3 aan het praten. We namen mensen in het café op en gaven ze cijfers voor neukbaarheid. 'Die vent in dat rode shirt?' 'Alleen dronken.' 'Hij of jij?' 'Allebei.'

Toen kreeg A3, die met zijn gezicht naar de deur stond, de Jongen in het vizier. 'Die in dat blauwgeruite overhemd?' vroeg hij.

Ik draaide me om, zag wie het was en huiverde onwillekeurig. 'Rot op.'

'Sorry, dat was niet eerlijk,' zei A3.

'Geeft niet.'

'Zei hij nog iets?' N zette de snelheid hoger en begon te draven.

'Nee, hij hield afstand.' Niet weten of de Jongen zou komen was veruit het ergste deel van de avond. Ik vond het moeilijk een gesprek te voeren, want mijn ogen bleven continu naar hem zoeken. Als ik iemand zag die op hem leek, kreeg ik een droge mond en begon te hakkelen. Toen ik eenmaal zeker wist dat hij er was, kon ik me ontspannen.

De Jongen keek niet naar mij, ik keek niet naar hem. Hij drentelde langs de rand van de groep en praatte met bekenden.

N en ik renden inmiddels in een redelijk tempo. Het zweet begon tussen mijn sleutelbeenderen te prikken. 'Heb je nog gescoord?' vroeg hij.

'Niet echt,' zei ik. 'Maar er was een man die uit het niets opdook, keihard aan mijn haar trok, in mijn nek beet en weer wegliep.'

'Echt waar? Wat deed jij toen?'

'Niets.' Maar ik had knikkende knieën gekregen. De onbekende hield mijn haar lang vast en keek me strak aan. Ik keek terug. Hij trok harder aan mijn haar. We bleven elkaar aankijken. Ik wist dat al mijn vrienden keken. Ze konden doodvallen. Toen liep de man die me had gebeten terug naar zijn vrienden. Hij had geen woord gezegd.

'Wat deed hij toen?'

'Niets.'

'O?' N rende even door. 'Misschien was het een weddenschap. Hoe laat was je thuis?'

'Heel laat.' We gingen naar een disco. Ik praatte met een vriendin van vroeger van A3, een heel knap, klein meisje met piekhaar. Ik vond haar wel leuk en ik was me ervan bewust dat de Jongen (wiens stem ik achter me hoorde) waarschijnlijk keek. We gingen in de rij staan en werden binnengelaten. Er werden gouwe ouwen gedraaid, en zelfs Vanilla Ice. Ik kon niet ophouden met dansen. De Jongen bleef zich in de marges ophouden.

Ik plofte in een stoel, uitbundig zwetend van de inspanning op de dansvloer. A3 tilde mijn voeten op, legde ze in zijn schoot en masseerde mijn wreven in de open zwarte naaldhakschoenen. Iemand maakte een foto van ons. Ik sloot mijn ogen voor de hitte en neveligheid. Muziek heeft altijd de macht gehad mijn stemming te veranderen. Het kon ook door de drank komen. Ik kon alles om me heen gemakkelijk vergeten.

N sprong van de loopband af en begon zijn spieren te rekken. 'En dat was het? Je hebt een tijdje gedanst en toen ben je maar huis gegaan?'

'Nee, er hebben zeker vier mannen een versierpoging gedaan.' Er was er een bij die voor me knielde terwijl ik met mijn ogen dicht van de muziek zat te genieten. 'Ik heb nog nooit iemand gezien die er zo verzaligd uitzag,' zei hij. Ha, dacht ik. 'Dank je,' zei ik. We raakten aan de praat. Hij wilde dansen, ik niet.

'Nog telefoonnummers gekregen?' N probeerde nog meer lengte uit zijn hamstrings te persen en grimaste.

'Maar één van iemand die de moeite waard was. Een stoeipoes van British Airways.'

'Man of vrouw?'

'Man.'

'Knap?'

'Dat zijn ze toch altijd?'

De Jongen bleef lang hangen, maar zelfs hij was om drie uur weg. Een harde kern van ons gezelschap bleef voor de jarige Job het ene rondje na het andere bestellen. De steward was vasthoudender dan de andere mannen die me hadden benaderd, en hij gaf me zijn kaartje. Ik wuifde naar hem toen we naar buiten strompelden om de nachtbussen te zoeken.

'Gewichten?' zei N, en hij schoof naar het beangstigende bankgeval in de hoek.

'Ga maar.'

Dimanche, 11 avril
Ik zocht mijn tas en haalde er een pakje condooms uit. Hij hield het lid voor mijn gezicht terwijl ik de verpakking open-

scheurde. Ik pakte het en balanceerde het onafgerolde rubbertje op de punt van de eikel.

'Moet dat?' vroeg de klant.

'Ik ben bang van wel,' zei ik met een zucht. 'Het beperkt de risico's voor ons allebei.'

'Ik vertrouw je wel,' zei hij.

'Heel vriendelijk van je,' zei ik met een glimlach. 'Het probleem is dat ik niet weet waar dit...' – ik wees naar het apparaat dat hij dreigend voor mijn gezicht hield – '...is geweest.'

'O,' zei hij, en hij was even stil. 'Alleen, ik hou niet van de geur die die dingen achterlaten.'

Ik dacht even na. 'Ik zou hem goed met warm water en zeep in de badkamer kunnen boenen in plaats van een condoom te gebruiken,' bood ik aan. 'Is dat goed?' Tegen mijn beleid, maar hij liep weinig risico en ik bijna geen.

Hij slaakte een zucht van verlichting. Het was een grote, vlezige zwarte dildo – zijn eigen lul bleef stevig achter de rits. Ik liep met de dildo naar de wasbak en spoelde alle zeep zorgvuldig af, zodat hij niets zou proeven wanneer hij mijn sappen later oplikte.

Lundi, 12 avril

Naar de disco gegaan. Zag Angel, die een rok droeg die meer een verheerlijkte ceintuur was. Ze heeft ongelooflijke benen, die meid. De muziek was hard; we wisselden geen woord, en ik had toch niet geweten wat ik tegen haar moest zeggen. We dansten samen, sprongen op en zongen mee toen de dj 'That's Entertainment' van The Jam draaide. Keek naar de jongens die naar ons keken en besefte dat ze geen van allen oud genoeg waren om het nummer te kennen.

Tering. Waarschijnlijk waren ze toen nog niet eens geboren. Ik glimlachte malicieus.

Ik koos een jonge vent uit, lang, dun en met sproeten, die op een langgerekte versie van de Jongen leek. Ik loodste hem mee naar de toiletten, waar we wat foezelden. Ik trok zijn donkergroene shirt omhoog en likte zijn tepels. 'Woon je hier in de buurt?' vroeg hij verbaasd. Ik schudde van nee en vroeg of hij in de buurt woonde. Nee. Ik nam de achterdeur en we neukten op de stoep naast de vuilniszakken.

Mardi, 13 avril

Het is wijdverbreid en algemeen bekend dat alle waar naar zijn geld is. Ik ben het er niet mee eens. Sommige dingen zijn gratis en voor andere moet je betalen, maar het een is niet beter dan het ander.

Onbetaalde losse seksuele contacten hebben natuurlijk ook nadelen. Dat is toch altijd zo? Als je je overgeeft aan echt lukrake verbintenissen voor één nacht, stel je je open voor stalkers, relaties en alle andere soorten seksueel overdraagbare aandoeningen. Om de een of andere reden hebben we als natie collectief besloten dat een dronken vrijpartij in een volle disco een aanvaardbare inleiding is tot eeuwigdurende liefde. Dat is niet waar. Laten we dat meteen even rechtzetten.

De mannen die ik in mijn werkende bestaan ben tegengekomen, worden gekenmerkt door een enkele eigenschap: beschroomdheid. Of ze nu gouden regen of de achterdeur willen, de klanten lijken niet goed te durven vragen naar datgene waar ze als betalende partij impliciet recht op hebben. Als één ding voorspelbaar is, is het wel dat hoe exotischer het verzoek is, hoe vaker de klant de manager voor de afspraak zal bellen om het te bespreken. Mannen voor één nacht, daarentegen, pakken gewoon wat ze pakken kunnen.

Begrijp me niet verkeerd. Ik vind het charmant wanneer de klant zijn diepste verlangens niet goed in woorden kan vatten.

Aandoenlijk zelfs. Vraag ik een man echter waar hij zin in heeft en hij antwoordt 'wat jij wilt', dan is dat lachwekkend.

Bedoelt hij soms naar huis gaan en met een kop warme chocolademelk in pyjama tv kijken?

Ik denk dat hij mijn honorarium dan niet echt gerechtvaardigd zou vinden. Nog beter is het gemompelde antwoord: 'O, je weet wel, gewoon.'

Nee, dat weet ik niet. Wat hij gewoon vindt, kan bondage in de openlucht zijn in een kring ponymeisjes. Want dat vind ik nou gewoon.

De typische discoversierder daarentegen voorziet in een voor mij verfrissend directe manier in zijn behoeften. Jij bent er, hij is er, de dj speelt de 'Carmina Burana', een onmiskenbaar sein om je jas te pakken en op te hoepelen, en jullie zijn de enige twee mensen die elkaars amandelen niet knippen in de rij voor de taxi's. Het staat al vast wat er nu gaat gebeuren, en het is zeker dat iemands kreukzone binnen een halfuur door een bewakingscamera zal worden geregistreerd. En eerlijk gezegd pik ik geen vreemde mannen op omdat ik de ware zoek. Ik neem alleen genoegen met een bont en blauwe baarmoederhals, en ik word zelden teleurgesteld.

Of, zoals N het stelt: als je toch zeker weet dat je haar nooit meer zult zien, waarom zou je de grenzen dan niet verleggen?

Wie anders dan een niet-betalende onbekende zou de daad pertinent alleen willen bedrijven nadat mijn vrouwelijkheid eerst gedeeltelijk met ijsschaafsel was belegd? Wie anders zou (vruchteloos) trachten me onder het rijden te fisten (NB: niet ideaal in het stadsverkeer)? Geen klant zou het durven, bang als hij zou zijn dat ik een rekenmachientje tevoorschijn zou halen om de bijkomende kosten van zo'n dienst te berekenen.

In escortkringen wordt veel gepraat over de 'Girlfriend Experience' (GFE). Dat komt doordat het veruit het vaakst verzochte nummer is dat we aanbieden. Ik ben bijna doodgeknuffeld door goedbedoelende kerels die me alleen via een website kenden. Ik heb rode wijn gedronken en tv gekeken met alleenstaande heren tot de taxi buiten claxonneerde. En voor zover ik me kan heugen, heeft niet één oppikkertje zich ooit op de sprei gevlijd en me verhalen over zijn jeugd in Afrika verteld.

De laatste heer voor de jongen in de disco (het woord 'heer' wordt hier heel los geïnterpreteerd) die met me mee naar huis ging, bleef exact anderhalf uur. We bedreven de daad, overwogen het nog eens te doen en toen begon hij over zijn recente ex te tobben, kleedde zich aan en vertrok. Ik was een beetje in mijn wiek geschoten toen hij zelfs voor de aangeboden kop thee bedankte. Desondanks had de nacht me gegeven wat ik ervan wilde, namelijk een lekkere harde beurt.

Klanten zijn van een heel andere orde. Zij hebben me vakanties aangeboden, gevraagd hoe ik de mogelijkheid van buitenaards leven inschatte en mijn schoenen gepoetst terwijl ze lyrische uitspraken deden over de proporties van mijn profiel. Het best ingeklede compliment dat ik daarentegen ooit van een oppikkertje heb gekregen, was: 'Koffie? Een schone handdoek? Gaaf! Het lijkt wel een hotel bij jou thuis.'

Welnee. Ik heb genoeg hotels van binnen gezien. En de mannen betalen niet voor de donzige handdoeken.

Jeudi, 15 avril
Ik had de klant vaker gezien. Hij werkte bij de politie, en de eerste keer had hij me meegenomen naar een semi-officiële avond van zijn werk. Te oordelen naar de verhouding tussen huwbare snoepjes en buikige rechercheurs was ik wellicht niet de enige betaalde vrouw daar. Of de pr-pogingen van de Londense politie lonen op onverwachte wijzen. Ik zat naast mijn

afspraak en een van zijn collega's, een Schotse jongeling, gluurde in mijn topje, en minder steels dan hij waarschijnlijk zelf dacht.

Deze keer had ik bij de klant thuis afgesproken en stelde hij me veel vragen, vermoedelijk omdat we alleen waren. Dit kan heikel zijn: is het gewoon belangstelling of heb je met een potentiële stalker te maken? De waarheid is als de zon, zoals ze zeggen: de weldaad is geheel afhankelijk van de afstand die we ervan bewaren.

Ik heb dus een verleden gefabriceerd dat grotendeels, maar niet compleet waar is. Kleine, maar aannemelijke verschillen in geboortestad, gestudeerd vak, huidige woonplaats. Andere vragen zijn gemakkelijk te beantwoorden.

'Ben je ooit meesteres geweest?'

'Lieverd, zo ben ik in dit vak begonnen.' Toen ik tijdens mijn studietijd korte tijd als meesteres werkte, genoot ik er niet bijzonder van en was niet van plan ermee door te gaan, voornamelijk omdat ik het lastig vond mijn persoonlijkheid af te leggen. Maar misschien dat ik, doordat ik privé eerder onderdanig ben, meer sympathie kan opbrengen voor mensen die gedomineerd willen worden, want ik heb het in mijn huidige werk ook meer dan een paar keer gedaan.

'Echt?' De klant knikte en tuitte zijn lippen.

'Echt.'

Hij was lang, ruim een meter tachtig. Stevig gebouwd en sterk. Ik schatte hem halverwege de veertig. Kaal. En alleenstaand, zoals, voor zover ik het kan beoordelen, voor de helft van de klanten opgaat. 'Wat vind ik dat... fascinerend.'

Wat is dat toch met die mannen die zeven manieren kennen om je met hun blote handen te vermoorden, maar in de slaapkamer een watje willen zijn?

'Heb je ooit iemand de leiding laten nemen?' vroeg ik. Hij

zat in een fauteuil en ik zat opgekruld aan zijn voeten shiraz te drinken en zijn kuiten te strelen.

'Ik wilde het altijd wel, maar...'

'Liefje,' zei ik, en ik stak mijn hand op om over zijn kin te aaien, 'niet zo verlegen. Daarvoor ben ik hier.'

Iemand die voor het eerst onderdanig is, is doorgaans gemakkelijk te hanteren en wil alles doen om je te behagen. Het duurt maanden voordat ze op slinkse wijze gaan proberen de actie van onderaf te bepalen. Ik vroeg of ik hem mocht vastbinden en hij zei ja, maar waarmee? Ik was niet voorbereid, dus vroeg ik hem een handvol stropdassen. Hij nam me mee naar de slaapkamer boven en pakte ze voor me.

Ik gebood hem zich uit te kleden en ging met gekruiste benen op het bed zitten. Hij kleedde zich uit en ik commandeerde hem op het bed. Hij weifelde even. 'Ga op je rug liggen, met je benen en armen recht,' zei ik. Hij gehoorzaamde. Ik stroopte mijn rok op en kroop met mijn hoge hakken nog aan over hem heen. Schrijlings op zijn borst gezeten bond ik zijn handen aan het bed vast. Aan het voeteneind zaten geen spijlen, dus wikkelde ik de einden van de stropdassen om de wieltjes onder het bed en hoopte dat ze het zouden houden. Ik voelde dat hij reikhalzend probeerde zijn mond dichter bij mijn billen te brengen. 'Liggen,' blafte ik. 'Als ik door je aangeraakt wil worden, zeg ik dat wel.'

Het was standaard SM, niets moeilijks. Plagen en (extreem) licht martelen. Maar uiteindelijk had ik wel de schoonste schoenen buiten een Russell & Bromley.

Dimanche, 18 avril

N ziet tijdelijk af van zijn doorlopende commentaren op sport en tieten om zich volledig op poes te richten.

Zijn kat, bedoel ik.

In tegenstelling tot mijn dierbare heengegane katachtige, die nesten vol kleine vogeltjes zonder vliegvermogen als een kat besprong, haar katachtige reflexen gebruikte om kattig van tak naar tak te springen en alle boombewoners een kat gaf, sleept N's poes zich voort, niet eens in staat zichzelf de trap op te hijsen.

Ze kwam uit de dierenkliniek terug met een verbonden poot en een genepen kopje, werd me verteld, nadat er een doorn ter grootte van een andere kat uit haar voetkussentje was getrokken. Het was een abces geworden en, nu ja, het is eigenlijk te walgelijk en te technisch om over uit te weiden, maar ik begreep dat er ook 'gedraineerd' was, en ik veronderstel dat het niets met akkerafwatering te maken had. N verzorgt haar met de tedere genade van een afdelingsverpleegster. Lief.

Gisteravond toen we uit de sportschool kwamen bood hij me geen lift aan en stelde ook niet voor nog ergens iets te gaan eten of drinken. Hij mompelde iets over verband verschonen en rende bijna naar het parkeerterrein.

Ik grijnsde. 'Als ik niet beter wist, zou ik zeggen dat je de kat in het donker knijpt.'

Mardi, 20 avril

Koffie met N en A1 gedronken, zuiver om mijn liefdesleven te ontleden. Alweer. 'En, hoe is het met de steward afgelopen?' vroeg N, en hij nam een slokje americano.

'Het had iets kunnen worden, maar hij heeft dit weekend gebeld dat het er niet in zat,' meldde ik. Het was ergerlijk. Toegegeven, waarschijnlijk zat hij vaker in de lucht dan in de stad, maar dat mag geen belemmering zijn. Volgens mij kun je een relatie vaak goed houden door elkaar nooit te zien.

'Gaf hij ook een reden op?' vroeg N.

'Te druk met zijn werk. Te veel moeite.'

'Heeft hij dat laatste echt gezegd?' vroeg N verbaasd.

'Nee, ik geef het vrij weer.' Waarschijnlijk moet je te goed van vertrouwen zijn om te kunnen geloven dat een man in alle argeloosheid kan zeggen dat hij het te druk heeft met zijn werk en het nog echt meent ook.

A1 haalde zijn schouders op. 'Nou, als hij maar weet wat hij mist.'

'Ik betwijfel het. We hebben alleen maar wat gekust.' Drie afspraakjes, veel gepraat, een stortvloed mailtjes. Met niet meer resultaat dan een paar schutterige omhelzingen en wat tonggekwispel voordat Assepoester naar huis moest. Ik was op mijn hoede voor hoe het de laatste paar keren was gegaan en wilde hem dus niet onder druk zetten, maar kennelijk had ik geen enkel drukpunt gevonden.

'Nee toch?' sputterde N. 'Ik had je minstens eerst gepakt.'

'Goed zo, schat,' zei ik, en gaf hem een ironisch kushandje.

'Ik heb een vriend,' opperde A1. 'Een beetje aan de kleine kant, maar...'

'Is dat een eufemisme? Ik heb je kleine vriend al gezien, dank je,' zei ik met een blik op het kruis van zijn spijkerbroek.

'Au,' zei A1, en hij wendde zich tot N. 'Ze begint vals te worden,' zei hij. 'Als ze een vaste wip heeft, heeft ze nooit zo'n scherpe tong.'

Mercredi, 21 avril

Ik ken een meisje. Een net meisje, een welopgevoed meisje, met ronde, beschaafde klinkers en exquise manieren.

Ik ken dat meisje al jaren, uit onze studietijd. Zij kon net als ik vrijwel geen kant op met haar titel en net als ik verhuisde ze naar Londen om haar weg te vinden. En merkte dat het voor-al een aanslag op haar financiën deed. Ze ging van uitzendbaan naar uitzendbaan of werkte aan twee of drie deeltijd- en freelance projecten tegelijk om haar piepkleine, niet al te dure flat te kunnen aanhouden.

En dit meisje weet niet goed wat ze wil. Ze ziet misschien wel iets in het academisch bestaan, maar dan meer om voor de rest van de wereld te vluchten dan omdat ze oprecht van de wereld der letteren houdt. Wanneer ik haar met vrienden in het café zie, zo om de paar weken, ziet ze er altijd uit als een enigszins verslonsde bibliothecaresse, maar ik heb gezien hoe ze zich beweegt en ze zou veel opwindender kunnen zijn. Ze heeft fantastische benen. Ik weet ook dat ze al een tijdje met een depressie worstelt en daar letterlijk de littekens van draagt. En de mannen in haar leven zijn óf geweldenaars, óf voetvegen.

Ik geef haar een biertje in de wetenschap dat het al zo laat is dat zij niet nog een heel rondje kan bestellen, wat niet geeft omdat ze het zich eigenlijk niet kan permitteren. Het geld dat ze vrijelijk uitgeeft, gaat naar boeken. Ze is gek op lezen, die meid, en als je over het goede onderwerp begint, fladdert ze met haar melkwitte armen, met een brandende sigaret in haar ene hand, om deze of gene theorie uiteen te zetten of deze of gene auteur tot een onbezongen genie uit te roepen.

Het komt echter vaker voor dat ze zich door een gesprek heen mompelt, en dan doe ik twee keer zo hard mijn best als voor ieder ander om het op gang te houden. Want ze geeft altijd een eerlijk antwoord als ik vraag hoe het met haar gaat, en haar antwoord is altijd deprimerend.

Wat zou haar leven leuker kunnen maken? Wie zal het zeggen? Chronisch geldgebrek is een probleem. Dat ze zich geïntimideerd voelt door elke vrouw die binnen een straal van vijfhonderd meter van haar huidige vriendje komt, helpt ook niet echt (o, ja, waarschijnlijk heeft ze het een keer of twee met de ongewenste-zwangerschapslist geprobeerd. Ze heeft er natuurlijk niet over gelogen, maar een pil of drie overgeslagen zo hier en daar, als het zo uitkwam, als de teugels een beetje aangehaald moesten worden).

Dus misschien, valt me in, nu ja, het is geen panacee, maar misschien zouden een paar maanden in de prostitutie haar enorm goed doen. Je eens een keertje moeten optutten en glimlachen. De rode cijfers wegwerken. Eens een tijdje niet aan jezelf denken.

Maar ik kan niets zeggen. Ze krijgt binnenkort te horen of ze subsidie krijgt voor haar promotieonderzoek, waar ze deze herfst mee wil beginnen. Het onderwerp is zo goed als zinloos.

Jeudi, 22 avril
Resultaat
Woordsoort: zelfstandig naamwoord
1. Wat zich als consequentie, gevolg of conclusie voordoet
2. Gunstig of tastbaar effect.
3. Wat door berekening of onderzoek wordt bereikt.
4. Wat ik ga zeggen wanneer ik N voor de joker zet die hij is.
Want het gaat niet om het geld, maar om het principe.

N en ik gingen naar een disco waar hij een paar jaar geleden heeft gewerkt. Ze speelden de gebruikelijke popbagger, maar de portiers kenden ons en lieten ons door.

Het was er volgepakt met de gebruikelijke lijven. Een paar praalhaantjes op de dansvloer, meer meekijkers aan de bar. Een veemarkt, maar daarom nog niet onvriendelijk. Ik vlijde me neer op een witleren bank en keek om me heen. Een bekend gezicht in een groepje mannen: Tien Pence Weddenschap. Ik gaf N een por en wees.

'Had ik het niet gezegd?' zei hij. Of dat had hij gezegd als ik hem boven de muziek uit had kunnen horen. Nu mimede hij.

Ik wist wat hij bedoelde en trok mijn schouders op. Een man die met mannen omgaat is niet per definitie homo. En de weddenschap bleef hoe dan ook staan.

Ik zag dat Tien Pence Weddenschap zich uit zijn groepje losmaakte en in de richting van de bar draaide. Alleen. Mooi, want ik dacht niet dat een confrontatie met toeschouwers zou werken. Ik ging achter hem aan en klopte hem op zijn schouder.

'Ja?' Hij keek om, zag me en glimlachte.

'Dit zal wel vreemd klinken,' zei ik verontschuldigend, 'maar ik heb om tien pence gewed dat jij geen homo bent.'

'Pardon?' De muziek was snoeihard. Hij hield zijn hoofd vlak bij het mijne.

'Ik zei dat ik om tien pence heb gewed dat jij geen homo bent.'

'Met wie?' vroeg hij.

'Dat kan ik beter niet zeggen. Maakt het iets uit?'

Hij glimlachte. Dacht even na. Boog naar me over en kuste me. Zijn lippen, zacht en een tikje vochtig, draalden even. 'Je hebt gewonnen,' zei hij. Ik glimlachte. We liepen allebei een andere kant op.

Ik zocht N en leunde zwaar op zijn arm. 'Ik heb gewonnen,' toeterde ik in zijn oor. 'Haat je me?'

'Ik zal bewijzen dat je het mis hebt,' zei hij, en wroette in zijn zakken.

'Ja, dat zal wel.' Ik lachte zelfvoldaan. 'Geef nu eerst dat geld maar.'

Vendredi, 23 avril
Wijkplaatsen, een korte overweging:

Kyle of Tongue
Voor: geliefd oord voor kindermisbruikers en kouaanbidders. Ze gaan duidelijk voor het schitterende landschap.

Tegen: somber is het woord niet. Wat kun je nog zeggen over een plek waar de vloed de hoofdweg verzwelgt?

Gewesten rond Londen

Voor: zo geestvernauwend, zo saai, zo opzichtig ellendig dat niemand zou denken dat ik de nieuwe buurvrouw was.

Tegen: zo geestvernauwend, zo saai, zo opzichtig ellendig dat niemand zou denken dat ik de nieuwe buurvrouw was.

Het westen van Engeland

Voor: zuivelproducten, veen, stranden. Pasteitjes. Pony's. 's Zomers dromerig naar gebronsde surfers staren.

Tegen: er gaan wel treinen naartoe, maar ik ben er niet zeker van dat ze terugkomen.

Noord-Amerika

Voor: charmant accent zou algehele goede wil kunnen oproepen, gratis drank.

Tegen: het concept Texas jaagt me angst aan.

Zuid-Amerika

Voor: zon, boeiend eten, bergen.

Tegen: het gerucht dat hier een contingent gevluchte nazi's is ondergedoken, zou mijn sociale leven de das om kunnen doen.

Australië en omgeving

Voor: een paar bekenden, naar men zegt goed weer, redelijk gebak.

Tegen: het gerucht dat hier een contingent Britten is ondergedoken, zou mijn sociale leven de das om kunnen doen.

Het Middellandse-Zeegebied

Voor: uitstekend weer, weergaloos eten, goedkoop wonen, redelijke mogelijkheden tot vertier en niet al te ver van huis.

Tegen: de Costa del Croydon is niet echt de sfeer die ik zoek.

Fulham

Voor: het openbaar vervoer biedt goede verbindingen.

Tegen: wat zegt het over een plek als het ontsnappingsgemak het gunstigste verkooppunt is?

Israël
Eh, nee. Gewoon... nee. Nog niet.
East Anglia
Voor: lekker bier. O, wat kan ik op een zonnige middag naar een glas IPA smachten.
Tegen: esthetisch ergerlijke 'bult' op de kaart.
Afrika
Voor: geen idee.
Tegen: ik had ooit een klant uit Zimbabwe. Zo te horen is het er momenteel niet ontzettend leuk.
New York
Voor: hoogst menschelijk.
Tegen: als we op de televisie af mogen gaan, heerst er een alles verterende druk om uit te gaan en stelletjes te vormen. Ik ben hier het naaldhakkendragende, van lingerie bezeten, Pulitzer-lezende alfavrouwtje, en concurrentie zou ontmoedigend kunnen zijn. Zeker als de prooi een werkloze doctorandus in de economie is die nog bij zijn ouders in de Bronx woont.

De laatste tijd lijk ik vaker buiten de stad dan erin te zijn. Het huidige goede weer in Londen is prettig en welkom, maar het is helaas een geval van te weinig en te laat. Ik ben weer aan het pakken: ondergoed (in alle soorten), boeken (*Dodsworth*, *My Name is Asher Lev*, een paar onzinnige thrillers en het altijd betrouwbare *Princess Bride*) en zonnebrandcrème.

Op zoek naar de kust. Zal bij terugkomst gedetailleerd verslag uitbrengen over een aantal van bovengenoemde locaties.

Dimanche, 25 avril
Toen ik jong was, gingen we elk jaar met vakantie. Nooit naar al te exotische oorden en nooit met mijn vader erbij. Hij beriep zich op uitputting van zijn werk tot hij met pensioen ging

en dat excuus niet meer kon gebruiken. In mijn laatste school-
jaar was een van mijn neven mijn beste vriend. We hebben dezelfde teint, dezelfde scherpe trekken en sproeten en we worden voor een tweeling aangezien. We gedroegen ons nog als
kinderen; we pestten en sloegen elkaar. Maar dat jaar was er
een nieuwe onderstroom van spanning: we begonnen elkaar
scherp in de gaten te houden, zoekend naar tekenen dat de een
iets wist wat de ander niet wist.

Dat jaar gingen onze moeders met alle kinderen op vakantie.
We reden naar Brighton. Ik was nog nooit zo zuidelijk geweest.
En met zes man in de auto was het benauwd en leek de reis veel
langer dan hij echt kan hebben geduurd. De zus van mijn moeder, de moeder van mijn neefje, had een tas vol cassettebandjes
bij zich om ons bezig te houden. Ze had een heel andere smaak
dan wij, maar de hare was goddank lang niet zo ouderwets als
die van mam. We konden alle nummers meezingen en deden
dat luidkeels, met alle raampjes open. Het was een zonnige dag.
We dachten dat het een volmaakte vakantie zou worden.

Toen we aankwamen, bleek het strand vreselijk te zijn, nat
en winderig. De eerste drie dagen was er niets te doen. De
moeders bleven binnen tv kijken; wij kinderen gingen op zoek
naar een speelhal. Ik versloeg iedereen met luchthockey tot
niemand meer met we wilde spelen. We gaven al ons geld uit
aan suikerspinnen, spelletjes en patat.

Ik herinner me dat ik op een dag in het hotel terugkwam;
de moeders zaten nog steeds tv te kijken. Mijn neefje stond in
de badkamer te zingen, zich er kennelijk niet van bewust dat
de echo die maakt dat onder de douche zingen zo goed klinkt
ook maakt dat iedereen buiten je kan horen. Hij zong iets van
Madonna, en de openlijk seksuele tekst, om nog maar te zwijgen van zijn falsetstem, deed me iets. Zonder het te willen stelde ik me voor dat hij de dansers uit de clip nadeed.

Wat ik me ook realiseerde, was dat ik die ochtend zelf onder de douche had gestaan, terwijl de anderen stadskaarten en kranten zaten door te nemen, en dat ik 'I Touch Myself' van The Divinyls had gezongen.

Mardi, 27 avril

Ik zit in een hotel pal aan een rivier in Spanje; de rivier mondt een paar kilometer verderop in zee uit. Ik ga een wandeling maken, niet te ver van het hotel. Het is een heel warme, zonnige lente en mijn aandacht wordt getrokken door de bloemen. De lucht ruikt hier droger en schoner dan in het Verenigd Koninkrijk.

De batterijen van mijn camera zijn bijna leeg, maar ik kan nog een paar bloemen fotograferen. Violette wolken bougainville, oranje, stervormige bloemen die ik nog nooit heb gezien en piepkleine roze bloesems tussen de takken van een boom met een gladde stam.

Er zijn vooral heel veel terrassen. Ik ga ergens op een groene plastic stoel zitten onder een parasol met de naam van een plaatselijk biermerk erop, drink langzaam een glas sangria leeg en voel me een opvallende toerist. Passerende mannen zeggen soms iets tegen mij, vaker iets tegen elkaar. Ik maak eruit op dat ze het haar van een vrouw vóór al het andere opmerken.

Omdat ik schoenen aanheb waarop niet is te wandelen, moet ik vroeg naar huis, maar in plaats van dezelfde route over hoofdwegen terug te volgen, kronkel ik door de beklinkerde achterafstraatjes waar wit en geel pleisterwerk van vlakke gebouwen bladdert. Er zijn twee kerken met namen die in vrolijke mozaïektegels in het pleisterwerk zijn gedrukt. Ik wil er een fotograferen, maar de batterijen van de camera zijn nu echt leeg. Ik zou nieuwe kunnen kopen, maar ik ken het woord voor batterijen niet en ben me er al pijnlijk van bewust hoe vreemd de dorpelingen me vinden. Bij mijn terugkeer is het hotel een koele wijkplaats.

Jeudi, 29 avril

Ik ben dus zestien, of bijna zestien. Op een dag zijn mijn neefje en ik in het zwembad aan het watertrappelen bij de ladder aan de diepe kant. Hij vraagt naar meisjes die ik ken. Het misnoegt me vaag dat zijn smaak zo voor de hand liggend is: lange blondines en donkerharige meisjes met boezems waar iedereen naar staart. Die meisjes hebben genoeg jongens gunsten verleend, maar ze zouden mijn neef en zijn stomme vriendjes geen blik waardig keuren, en dat weet hij ook.

Onze vriendschap begint iets onbehaaglijks te krijgen. We zijn familie en kunnen elkaar dus alles vertellen en doen dat ook. Gezien onze leeftijd zouden we verliefd op elkaar kunnen worden, maar daar mag natuurlijk geen sprake van zijn. Wanneer het onderwerp seks ter sprake komt, verpakken we het, verlegen en slim als we zijn, zo neutraal mogelijk.

'Als ik niet je neef was en je niet kende, zou ik je vast leuk vinden.'

'Ik jou ook. Als ik je nicht niet was. En je niet kende.'

En we weten wat we bedoelen. Er heerst een ongemakkelijke stilte, doorgaans gevolgd door een scheetgeluid om naar aardse zaken terug te keren. Deze gesprekken zijn een voorbode van het soort relaties dat ik op de universiteit zal hebben, met een stoet bleke, zachtaardige jongens die te verlegen zijn om hun begeerte uit te spreken, tot ze te dronken zijn om zich er nog druk om te maken. Ze lijken eigenlijk veel op de paar jongens met wie ik op school verkering heb gehad, alleen kunnen ze gemakkelijker aan alcohol komen. Soms toont een vriend van mijn neef belangstelling voor me; hij schrikt ze af door met mijn stoerheid te schermen ('Als ze het hoorde, zou ze je doormidden breken') of met mijn volwassenheid ('Zo'n kind als jij ziet ze niet eens staan'). Ik was ook heel volwassen; ik had zelfs een keer een jongen in de bioscoop afgetrokken, asjemenou.

Er spelen meer dingen. We zullen het pas een jaar later weten, maar ik ga naar de universiteit en mijn neef niet. Zijn eindexamencijfers waren goed en hij kreeg aanbiedingen van universiteiten, maar hij ging er niet op in en zijn moeder drong niet aan. Hij wil bij de marine, of monteur worden. Ik vind het gestoord. Tien jaar later is hij hulpkok in een restaurantkeuken.

Ik hijs me langs de rand van het zwembad op, ren naar onze handdoeken, pak ze allebei en loop terug naar het water.

'Hé,' zegt hij iets luider dan absoluut noodzakelijk, 'je loopt anders. Ben je nou geen maagd meer?'

'Nee,' zeg ik met een uitgestreken gezicht. Hij klimt uit het zwembad en ik gooi zijn handdoek erin. Zo laat ik hem merken dat ik om hem geef.

Hij weet niet zeker of ik een grapje maak en vraagt niet door. Ik verzin toch maar een verhaal, voor je kunt nooit weten. Zijn moeder haalt ons op, en achter in de auto fluistert hij alleen maar namen.

'Marc?'

'Nee.' Marc zat bij me in de klas en hij was langer dan de andere jongens. Hij spreekt ook zonder het zelf te beseffen met consumptie en hij loopt te vaak achter me aan.

'Justin?'

'Nee.' Ik ben verliefd op Justin; mijn neef is de enige aan wie ik het ooit heb verteld; ik hoop dat hij het niet doorvertelt. Voordat ik ga studeren, zal ik dit allemaal in een brief aan Justin vertellen en hij zal nooit meer een woord tegen me zeggen.

Hij voelt mijn verlegenheid. 'Eric. Kan niet anders.'

De schertskandidaat. 'Nooit!' zeg ik, maar ik zie ervan af hem een tepeldraai te geven, want dan zou de pas verworven volwassenheid die ik aan mijn leugen te danken heb in het gedrang komen.

Het maakt niet zoveel uit. Binnen een maand gebeurt het echt, met de beste vriend van mijn neef. Ik kromp in elkaar, maar gaf geen kik. En voor zover ik weet, liep ik de dag erna niet anders dan de dag ervoor.

Vendredi, 30 avril

Ik vlieg oostwaarts, naar vrienden in Italië. Het vliegtuig is klein en vol en de dik opgemaakte stewardess schreeuwt naar een kind dat alsmaar door het gangpad blijft hollen, zelfs bij het opstijgen en landen. Het is niet duidelijk bij wie het jochie hoort; zijn ouders doen geen poging hem tot de orde te roepen.

Het eerste wat ik doe als ik mijn bagage in de koele, betegelde hal heb gezet, is kijken of ik mail heb. En dan is er een kleine verrassing, een bericht van Dr. C uit San Diego, die mijn e-mailadres van A2 moet hebben afgetroggeld. Het is een kort, maar liefdevol berichtje van een paar dagen oud. Ik antwoord met een even kort en opgewekt bericht.

Mai

Belles A-Z van de Londense seksindustrie, T t/m V

T staat voor taxi's
Ik bel doorgaans een snorder voor de heenweg en zoek op de terugweg een echte taxi. Snorders weten de weg niet altijd, en ik moet vaker wel dan niet de kaart voor ze lezen. Officiële chauffeurs brengen je soepel naar je plaats van bestemming, maar kunnen proberen je een rondleiding te geven om de prijs op te drijven. Soms houd ik op de heenweg een officiële taxi aan, maar ik mag er niet op rekenen er een in de buurt van mijn huis te zullen vinden, afgezien van in het weekend.

Het is praktisch de kaartjes van plaatselijke snorders te bewaren; telkens dezelfde chauffeur nemen is niet slim.

T staat ook voor tijdverspillers
In theorie zou je door via een bureau te werken spookboekingen moeten voorkomen: mensen die belangstelling voor je diensten tonen en zelfs zo ver gaan een tijd te reserveren en een prijs af te spreken. Waarna ze ontdekken dat de vergadering uitloopt, hun vrouw toch is gekomen of dat ze het nummer kwijt zijn (mijn persoonlijke favoriet – daar heb je toch een mobieltje voor?). Soms zul je dus alle voorbereidingen treffen en uiteindelijk alleen blijven zitten. Je kunt jezelf in elk geval nog troosten met de wetenschap dat het, in tegenstelling tot in echte relaties, niet aan jou ligt, maar wel degelijk aan hen.

U staat voor uitgaansondergoed
Setjes, sexy en luxueus. Voor het oog, niet voor het draagcomfort. De manager vertelde me al vroeg hoe zij haar meisjes graag ziet: in grote, dure broekjes met kant. Geen strings. Meer is meer. Jarretelgordels zijn clichématig, maar een leuk accent. Investeer niet in dingen die moeilijk aan en uit te trekken zijn. Alles moet schoon zijn en goed passen; niets is afstotender dan de rugkwabbetjes rond een te strakke beha of de uitpuilende borsten boven de cups van een te kleine.

V staat voor vagina
Hou hem schoon. Als je je daar niet helemaal harst of scheert, werk het haar dan bij. Let op vreemde zwellingen, roodheid, afscheiding of verkleuring, en als je dergelijke symptomen ontdekt, ga dan spoorslags naar een kliniek. Doe die knijpoefeningen waar gynaecologen altijd over zaniken. Mannen zijn er gek op.

Samedi, 1 mai

De flat waar ik logeer staat binnen ruikafstand van de vismarkt, wat op zich geen probleem is. Geen grappen over hoeren en vislucht, graag.

Het grote nadeel zijn echter de vrachtwagens die om vier uur 's ochtends aan komen rommelen om de vangst van die nacht af te leveren. De mannen staan tijdens het uitladen naar elkaar te schreeuwen. Dan is het een uurtje stil en komen de eerste klanten naar de markt.

Maar goed, misschien is het tijd dat ik eens leer wat met het ochtendkrieken opstaan je kan opleveren. De lekkerste vis, bijvoorbeeld.

Dimanche, 2 mai

Ik ging met een klein groepje mensen naar het strand. Ik zat bij het ene andere meisje; de jongens zaten een stukje verderop op het kiezelstrand. We lagen allemaal op onze badlakens te zonnebaden.

Ik ken het andere meisje niet goed. Een paar dagen geleden vroeg ze hoe oud ik was.

'Vijfentwintig,' zei ik, een paar jaar van mijn leeftijd aftrekkend. Zij kan hooguit negentien zijn.

'Wauw!' zei ze oprecht verbaasd. 'Dat had ik nooit gedacht.'

Ik schokschouderde. Toen ik jonger was, schatte iedereen me veel ouder; nu begint het omgekeerd te worden. 'Weet je, je hoeft niet te zeggen hoe oud je bent,' zei ze behulpzaam. 'Als je zegt dat je twintig bent, geloven ze je vast ook.'

Alleen als die 'ze' tieners zijn. Maar het was lief van haar.

Ik las een boek. Een van de jongens, een blonde, luisterde naar muziek en zong luidkeels – en vals – mee. Ik moest er wel om glimlachen. Een paar andere jongens gooiden met een frisbee en spatten in het ondiepe water. Toen ze er genoeg van hadden, kwamen ze naar ons toe.

Het andere meisje, dat een tijdschrift doorbladerde en naar muziek luisterde, richtte zich tot mij. 'Is mijn zonnebril erg donker?' vroeg ze fluisterend.

'Tja, hij is wel donker,' zei ik.

'Dus als ik ergens naar kijk, kun je mijn ogen niet zien?' vroeg ze.

'Ik zie ze niet, nee.'

'Mooi zo,' zei ze, en ze draaide haar hoofd naar de jongens, met haar kin op haar ene hand steunend. Ik zag dat ze naar een bepaalde jongen keek. Haar vriendje was thuisgebleven.

Lundi, 3 mai

De eerste vrouw met wie ik ooit naar bed ben geweest, was een vriendin van een vriend.

Op de universiteit was ik dikke maatjes met een vrij korte, vrij magere, knappe rossige jongen die gek was op Dr. Who en alle vrouwen kon krijgen. Ik kan niet uitleggen waarom. Het was gewoon zo, en we waren dol op hem.

We noemden hem de Dansende Jood, want hij doorkliefde de dansvloer op de bar mitswa van je broer als een heet mes de boter. Hij was een en al soepele heupen en zwoele blikken en bij Zeus, ik was smoorverliefd op hem. Ik had hem nog niet gehad, ofschoon hij in het eerste jaar alle vrouwen in onze groep had afgewerkt. Het leek voorbeschikt dat we die grens nooit zouden passeren.

Uiteindelijk kreeg hij een vaste relatie met een meisje. En ik kon niet wrokkig zijn om mijn verlies, want Jessica, zijn vriendin, was een overbegeerlijk heksje met karamelkleurige schouders en donkerblond haar dat altijd volmaakt krulde.

Op een avond vroegen DJ en Jessica mij en mijn toenmalige vriendje mee naar een disco. Het was een tent die ik niet kende in een buurt waar ik nooit kwam. Ik wist niet wat ik aan moest en trof de andere drie in een café in spijkerbroek, een dun, zwartsatijnen hemdje zonder beha eronder en op teenslippers. Jessica en ik stonden midden in de ruimte terwijl de jongens drankjes voor ons bestelden, en opeens merkte ik dat iedereen naar ons keek.

Na het indrinken gingen we naar de plaats van bestemming. Het bleek een homodisco te zijn. Mijn eerste. Het gezelschap was er gemengd, want het was zaterdagavond in een stad van gemiddelde grootte en de directie kon geen al te kritisch deurbeleid hanteren. Er waren mannelijke en vrouwelijke stellen, groepen studenten, oude vrijgezellen die troosteloos aan de bar hingen en mannen die zich hadden gekleed als vrouwen die zich kleden als een mannenfantasie van vrouwen. Er waren kooien met goudgeverfde tralies, maar niemand danste erin. Ik wist niet waar ik moest kijken. Mijn vriend wel, helaas: naar zijn voeten. De hele tijd.

De muziek was niet goed, maar opzwepend en hard, zoals alle discomuziek destijds. DJ en Jessica trokken me de dansvloer op. Zij tweeën waren een ongelooflijk stel om te zien. Te klein en te cool voor woorden. Haar enigszins knokige schouders schokten suggestief en ze droeg een mouwloos T-shirt met blote rug. Ik had me vaker tot meisjes aangetrokken gevoeld, maar nog nooit zo openlijk naar een meisje durven staren. Hier was het niet misplaatst.

DJ nam me apart. 'Weet je, ze wil je hebben,' zei hij. Nam hij me in de maling? Die kleine godin? Maar zodra hij het had gezegd, wist ik dat het waar was, en het was alsof er een schakelaar was omgehaald. Ik zag voor me hoe ik haar meenam naar de wc's, hoe ik haar tongde terwijl zij lachend op de stortbak zat. Ik kon me voorstellen dat ik dingen in haar stopte, mijn vingers, de hals van een bierfles.

'Het is jouw vriendin,' zei ik, en terwijl ik het zei, hoorde ik al hoe zeurderig en vreselijk het klonk.

Hij haalde zijn schouders op. Hij zei dat hij wel voor mijn vriendje zou zorgen. Hij zei dat hij dit vaker voor haar deed, meisjes voor haar oppikken. Ik was sprakeloos.

DJ bracht ons allemaal naar huis. Mijn vriendje woonde goddank het dichtstbij. Toen gingen we naar Jessica's huis. Haar ouders waren weg, of ze sliepen, of ze zaten er niet mee, ik zal het nooit weten. Ze pakte mijn hand en we liepen doodleuk naar binnen. Haar vriend wachtte tot ze zich in de deuropening omdraaide en naar hem wuifde en reed toen weg. Ze had de rankste, teerste nek die ik ooit had gezien. Haar lippen waren de zachtste die ik ooit had gekust.

Mardi, 4 mai

Laat in de ochtend liep ik een winkel binnen. De Siciliaanse zon, die al hoog stond, dreef de mensen naar beschaduwde plekken.

Op een plank stonden kleurig ingepakte vruchtentaarten. Ik reikte ernaar, maar zelfs als ik op mijn tenen ging staan, bleef het lekkers buiten mijn bereik. Er liep een man naar me toe. 'Kan ik iets voor u doen?'

'Mag ik er een van die?' vroeg ik hem.

'Dat hangt ervan af,' antwoordde hij. 'Mag ik er een van u?'

Jeudi, 6 mai
We zeilden naar Kroatië en ik kocht voor het eerst in twee
weken een krant. De kranten staan vol verontrustende beel-
den, het soort waarvan je aan politiek, oorlog en oorlogspoli-
tiek gaat denken, en dat zulke dingen altijd al gebeurden, maar
dat we ze nooit eerder konden zien. Dat gerechtvaardigde ver-
ontwaardiging en terugslaan soms het resultaat van onwetend-
heid lijken te zijn, want wie had dit niet kunnen voorzien?
Moesten we echt foto's zien om het te weten? Zijn we echt
boos op regeringen omdat ze doen wat we van tevoren al wisten dat ze zouden gaan doen?

En dan denk je wellicht dat er maar één ding zeker in is dit
leven (dat het eindig is) en dat je maar op één ding veilig kunt
gokken (dat het pijn doet) en dat vrijheid en bezit illusies zijn
die alleen in de geest kunnen bestaan. En dat slimmere mensen die gedachten al hebben gehad en ze hebben verworpen,
en waarom hou ik dan niet op met dat waardeloze gefilosofeer?
O, kijk, een vrouw met een gestreepte hoed die een champag-
nekleurige poedel uitlaat.

Ik wil niet luchtig over de gebeurtenissen heen stappen,
maar ik hoop dat de terreurseks aan zal trekken als ik weer
thuis ben. Het zou me oneindig veel goed doen.

Vendredi, 7 mei
Het is een krijtheldere middag en de afgelopen dagen heb ik
de hele dag gewandeld en naar muziek geluisterd. Het helpt –
niemand denkt dat je hem kunt horen met je koptelefoon op,
dus niemand spreekt je aan, wat prettig is. Ik versta de taal niet
goed. Wanneer ik de geluiden om me heen wil horen, zet ik de
walkman uit, maar hou de koptelefoon op. Ik glimlach veel. Er
glimlachen mensen terug. Zijn de mensen overal elders ter
wereld gelukkiger? Het lijkt er wel op.

Maar ik weet dat het niet waar is. Ik praatte in een café met een man van mijn eigen leeftijd, die voor zijn eenentwintigste al drie oorlogen had meegemaakt. 'Waarom doen mannen zo verschrikkelijk tegen elkaar?' vroeg ik naïef.

'Volgens mij doen alle mensen verschrikkelijk tegen elkaar.'

'Waarom zijn we dan zo?'

'We weten niet beter.' En we zwegen. Hij dronk zijn glas leeg en keek glimlachend naar mijn toeristengids. Zijn glimlach zei: waar wil je naartoe? Je weet dat je het daar niet in zult vinden. Niet dat ik die gids veel heb gebruikt, overigens, ik vind het leuk om een richting te kiezen en die gewoon te volgen. Zo heb ik de joodse wijk gevonden, een eeuwigheid geleden gedecimeerd en verlaten, als een vergeten filmdecor, en de waterkant, die ik niet zo dichtbij had verwacht. Zijn glimlach was zo vol begrip, zo vol verdraagzaamheid, dat ik de goede wil in golven van hem af voelde slaan, vermengd met een beetje medelijden jegens mijn persoon.

Of misschien probeerde hij me gewoon te versieren. Wij meiden hebben een absoluut weerzinwekkende reputatie in het buitenland. Is er de afgelopen tien jaar een folder onder mannen in het buitenland verspreid waarin staat dat de vrouwen van het kleine eiland er gewoon naar snakken?

(Ik bedoel, dat dóé ik ook, maar hé, ik ben op vakantie, dus laat me met rust.)

Samedi, 8 mai

Vakantieseks is altijd de beste seks. Ik heb het overal gedaan. In Poole, in Blackpool en op pooltafels.

Na afloop is er iemand anders die het bed opmaakt, de prullenbak met gebruikte condooms leegt en zelfs je natte stinkhanddoeken van de vloer raapt. Als de mensen onder je de hele nacht wakker liggen van de geluiden boven, is de kans groot dat ze niet weten wie de verantwoordelijken zijn, de volgende ochtend vertrekken of je ervan af laten komen met een lichte blos en een schaapachtige giechel, want je bent op vakantie, en alleen de zuurste der pruimen kan iemand wat gezonde, energieke vakantiegymnastiek misgunnen.

A1 ging altijd met me naar het strand als ik het niet meer zag zitten. Zelf genoot hij er niet van; alles komt vol zand te zitten, een doorn in het oog van iemand die zo pietluttig is als hij, en hij verbrandt snel, zodat het grootste deel van het uitstapje altijd opging aan het opnieuw insmeren van de stukken van zijn rug waar hij zelf niet bij kon. Hij vergat een keer zijn voeten in te smeren en ze verbrandden. Nog een volle week daarna kon hij geen sokken en schoenen dragen.

Maar hij deed het voor mij, om me mijn accu te laten opladen, zei hij altijd. En omdat hij wist dat hij beloond zou worden met een gigantische wip in willekeurig welk pension waar we die nacht zouden slapen.

A2 hield meer van de reis naar de bestemming toe dan van de vakantie zelf. Hij reed en reed, en we doorkruisten het hele land in een week en stopten wanneer we de geest kregen. Als we die nacht in de Highlands hadden geslapen, kon je er bijna donder op zeggen dat we binnen vierentwintig uur in een sjofel pension in Devon zouden zitten. Hij maakte ook graag foto's door het raampje van een rijdende auto, waar ik altijd om moest lachen terwijl ik naar het stuur dook.

We stopten en poseerden bij afgedankte gebouwen, malle borden langs de weg en grote bomen. We legden dekens tussen de bomen en deden het, en de muggen belaagden zijn rug. Ik pijpte hem in de vrijdagmiddagspits naar het noorden.

Ik dacht dat we tijdens al onze uitstapjes vast nooit twee keer op dezelfde plek hadden geslapen, tot we op een avond een kamer in een hotel in een negorij boekten, aangetrokken door de nogal antieke uithangborden. De vrouw achter de balie begroette ons joviaal. We hadden er al drie keer eerder een nacht geslapen en waren het glad vergeten.

A3 en ik gingen er een keer op uit om grotten te bekijken. In het pikdonkere ondergrondse, in de volmaakte stilte van het onderaardse hield hij voor het eerst mijn hand vast. Ik zou niet weten wat ik daarvoor of daarna ooit spannender heb gevonden.

A4 en ik gingen zo ongeveer binnen een week nadat we elkaar hadden leren kennen met vakantie naar het strand. De vriendin van zijn huisgenoot had om kokkels gevraagd. We kochten ze niet, maar zochten op drie stranden naar iemand die ze verkocht. Het was een snikhete ochtend. Het eerste strand waar we stopten, lag aan een ondiepe baai en leek meer op een berg schelpen. We liepen het water in, dat exact even warm was als de lucht. Het voelde als pootjebaden in zweet. We reden door.

In het tweede dorp konden we nergens parkeren. We gingen langs de kant van de weg staan en keken naar het strand en de zee. We waren nog niet zeker van elkaar en hadden nog niet veel om over te praten.

Het derde strand was perfect, een verlaten zandstrand waar A1 vaak met me was geweest. De wind werd sterker en de hitte trok weg. De onafzienbare zee had een sterke golfslag. A4 kleedde zich tot op zijn zwembroek uit. Ik had toen nog ontzag voor zijn lichaam en kon mijn ogen er niet van afhouden. Hij dook de branding in en spatte vrolijk rond. Ik liep naar de rand van het water en stak mijn voet erin. Het was ijskoud! Ik sprong achteruit.

'Ben je gek?' riep ik naar zijn dobberende hoofd. 'Heb je het niet koud?'

'Het is verkwikkend!' riep hij terug, en hoe ver weg hij ook was, ik hoorde hem klappertanden. Ik kwam niet meer bij van het lachen. Op de terugweg reden we langs de ene boerderij na de andere en keken naar de varkens die in het laatste licht van de dag wroetten. Een dj op de radio draaide oude nummers, swingende jazz, en we luisterden in een tevreden stilte. Af en toe zei hij: 'Verkwikkend!' om me aan het lachen te maken.

Maar de leukste vakantie met hem, en het waren er veel, was toen we gingen kamperen. We zetten een grote tent op in het bos, naast een koudwaterbron, en bleven daar een aantal dagen. Het water was ijskoud in de uitzonderlijk hete zomer en we baadden naakt. Er stak een reusachtige dode boom schuin uit het water waarop hij me keer op keer balancerend nam. Het voelde heerlijk oerachtig. Tot er een naturist langskwam die in het ondiepe water peddelde alsof we er niet eens waren.

Er gaat niets boven vakantieseks. Niemand die iets van je wil, geen werk en geen buren. En als je geluk hebt, geen telefonische ontvangst. Pure sensatie. Waarschijnlijk is het exact waar mijn klanten op uit zijn.

Lundi, 10 mei
Er waren geen directe vluchten terug. Sliep een nacht in Rome in een grote jeugdherberg in het centrum.

De winkel om de hoek moest de enige zijn die 's avonds open was, want het was er druk. Kocht brood, tomaten, ricotto al forno. Ik vind supermarkten in andere landen fascinerend. Langzaam door de gangpaden lopen en kijken wat een ereplaats in het schap krijgt. Eenpersoonsverpakkingen smeerworst in Tsjechië, de flessen sangria met schroefdop die in Spanje als priklimonade worden verkocht, en het vreemde allegaartje bij de supermarktkassa's in Amerika, met name scheermesjes, ballonnen en gedroogd vlees.

De keuken van de jeugdherberg was groot en goed geoutilleerd, en er zaten luidruchtige groepen jonge mensen aan de tafels. Ik ging op een hoek van een tafel zitten om mijn brood te eten en de krant te lezen en rolde twee broodjes en wat kaas in een stuk papier voor het ontbijt.

Er zaten een paar mensen vlak bij me. Het waren Engelsen, maar ze reisden niet samen in een groep. Ik vroeg er een waar hij vandaan kwam. Cheddar, zei hij. Aha, zei ik. Ik kende lang geleden iemand die daar ook vandaan kwam. Vroeg wat hij in Rome deed. Weinig, zei hij. Hij had met een vriendin afgesproken, maar ze was al verder getrokken. Beviel Italië hem? Ja. Hij liet me op een plattegrond zien waar hij in Rome allemaal had gelopen. Iemand had een zoet brood, colomba, in de gezamenlijke etenskast achtergelaten. We scheurden het aan stukken. Het boterachtige deeg kleefde aan de bovenkant van de kristalsuiker en gekonfijte schilletjes. Een van de anderen vroeg of we zin hadden om ijs te gaan halen.

'Welke smaak?' vroeg ik.

'Ze hebben alle smaken,' zei hij. De jongen uit Cheddar bevestigde het. Het was laat, maar de ijssalon zou nog open zijn.

We liepen bijna een uur. De stad kwam tot leven, overal liepen groepjes mannen en vrouwen. Ik was blij met het gezelschap van die mannen. Ze waren allebei grappig en slim, maar ik vond die uit Cheddar het leukst. 'Is het hier?' vroeg ik, toen we langs de zoveelste *gelateria* liepen. 'Nee, nog niet,' zei hij. 'De onze is beter.'

Het was waar. Ik moest wel lachen toen we eindelijk op de plaats van bestemming aankwamen. De grote, lichte zaak had ijs in alle denkbare smaken. Ik meen het. Ze hadden Nutella- en Ferrero Rocher-ijs, ijs dat naar pindakaas smaakte en vruchtenijs van vruchten waar ik nog nooit van had gehoord. Ze hadden meer smaken chocolade-ijs dan de meeste zaken in totaal hebben. Ik bestelde opgetogen een hoorntje met een bol kokosnoot- en een bolletje mango-ijs. We likten aan elkaars ijsjes en kochten toen meer en andere smaken.

We stonden buiten op een klein plein. De andere jongen ging weg, ik weet niet waarheen. Het stuk uit Cheddar en ik praatten over tweelingen, en seks, en tweelingen waar hij seks mee wilde hebben, het soort dingen waar eigenlijk alleen dronken mensen over praten, maar wij waren niet dronken. Misschien was het de kick van het ijs. Ik vroeg wat hij deed. Hij studeerde, zei hij. Een scheikundige richting. Arm, uiteraard. Al had iemand hem ooit een baan als stripper aangeboden. Heb je het niet gedaan? vroeg ik. Nee, zei hij. Jammer. Ik heb het ooit een tijdje gedaan. Toen ik nog studeerde.

'Echt waar?' vroeg hij. Ik knikte. De andere jongen kwam terug. We hielden erover op.

Ze wilden de Trevifontein zien. Nee, ze hadden hem allebei al gezien, maar ze wilden hem aan mij laten zien. 'Hoe vaak ben je in Rome geweest?' Ongelovig. 'En je hebt de fontein nooit gezien?' We liepen en liepen. Goedgeklede stellen slenterden naar verlichte restaurants.

Hoewel het rond middernacht moest zijn, wemelde het bij de fontein van de toeristen. Mensen die goedkope elektronica verkochten. Kleine oosterse meisje met rozenknoppen die bijna in je oksel kwamen staan. Het water zat vol munten en troep. Geld in de fontein gooien staat borg voor een veilige terugkeer naar Rome op een dag, zeggen ze; ik vraag me af waar het gooien van je snoepverpakkingen voor staat. We gingen weg.

Liepen langs de rivier, staken een brug over met aan weerszijden standbeelden van engelen. We bleven staan, praatten over beeldhouwkunst, over Titiaan. Dat de mannelijke vorm beter uitkomt in steen, maar de vrouwelijke in verf.

We keken op de kaart en sloegen een weg naar het Vaticaan

in. Stonden voor de Sint-Pieter. Er staat daar een obelisk, een enkele naaldpunt die de lucht in steekt. In Londen staat ook een obelisk. Vreemd, dat wij moderne mensen ze afzonderlijk over de wereld hebben verspreid, terwijl de Egyptenaren ze in paren neerzetten. Het zou zoiets zijn als het oprichten van een halve minaret of alleen het schip van een kerk. Je kunt de koepel van de Sint-Pieter in, zei ik. Op het dak is een souvenirwinkel die door nonnen wordt bestierd; je kunt er een ansicht van het Vaticaan kopen en hem op het dak posten. Dat is mijns inziens het mooiste van die religie, die geen gebrek aan wonderen kent.

We liepen terug. We liepen om ruïnes heen, Romeinse zuilen die uiteen waren gevallen in bergen stenen schijven. Iets, ik weet niet meer wat, herinnerde me aan een gedicht, en ik zei het op. De jongens praatten over kindertelevisie. Cheddar vertelde ons over de Singing Ringing Tree. Wij waren hem vergeten. Ze hadden geen van beiden als kinderen *Le Petit Prince* gelezen, dus vertelde ik hun het verhaal.

'Vreselijk,' zei Cheddar. 'Wat een verhaal om aan een kind te vertellen.'

Ik haalde mijn schouders op. We zagen voor een restaurant een scooter staan die helemaal met zijdebloemen was beplakt. We kochten een vieze, veel te dure punt pizza met artisjok die we samen deelden.

Terug in de jeugdherberg ging de andere jongen naar bed. Cheddar en ik bleven op en praatten en praatten, voornamelijk over Brighton. Ik tekende onzindingen op een papieren servet; hij bewaarde het. Hij had het erover dat hij de volgende ochtend vroeg terug wilde naar het Vaticaan om de paus te zien. In de rij staan voor de biechthokjes, die ook weer in lange rijen staan, op volgorde van de taal die de priester in het hokje spreekt. Hij vroeg of ik mee wilde.

'Mijn vlucht vertrekt om acht uur,' zei ik. 'Ik moet slapen.'
Het liep tegen vijf uur.

'Ik blijf maar op, denk ik,' zei hij.

'Je kunt beter eerst een dutje doen, anders ga je nog dood.'

'Ik heb nog niet in mijn logboek geschreven,' zei hij. 'Ik ga
wel slapen als ik dood ben.' Hij bracht me naar mijn verdieping. We wisselden e-mailadressen uit en kusten elkaar op de
trap op de lippen.

Mardi, 11 mai

Toen ik eindelijk thuiskwam, was ik nog net wakker genoeg
om te kijken of ik mail had. Een berichtje van Dr. C, die binnenkort naar het Verenigd Koninkrijk komt. En me wil zien.
Ik moet er een nachtje over slapen, alsof ik iets anders zou
kunnen.

Dimanche, 16 mai

Een paar dagen geleden, voordat ik naar Rome ging, had ik
een telefoontje van het bureau gemist en een sms van de manager om een klant om halfnegen te bevestigen.

Ik belde haar terug. 'Het spijt me heel erg, maar je zult moeten afzeggen, ik ben nog weg.'

'O, op die manier, schat. Weet je, deze man, hij is zo aardig...'

'Nee, ik ben echt weg. Het land uit. Ik kom pas maandagavond laat terug.' Zoals ik haar de afgelopen weken diverse ma-
len telefonisch en door middel van mailtjes had laten weten.

'Weet je het zeker? Want hij heeft speciaal naar jou gevraagd.'

Weet ik zeker dat ik niet thuis ben? Ja, vrij zeker. Tenzij het
noorden van Londen plotsklaps in een zonnige badplaats vol
bloeiende planten is veranderd. Het kan. 'Ik ben bang van wel.'

'Mag ik hem vragen of hij je dan voor morgen zou willen reserveren?'

Mens, ben je doof? 'Morgen kan ook niet. Ik kom maandag pas terug.'

Ze zuchtte. Lieve god... die man wil toch niet met me trouwen? Iemand anders van het bureau zou waarschijnlijk evengoed voldoen. Ik legde het zo tactvol mogelijk uit. 'Misschien moet je je werk iets serieuzer opvatten,' zei ze zuur, en ze hing op. Tien minuten later kwam er een sms door: 'KLANT KWIJT.'

Ik heb haar bij thuiskomst een sms teruggestuurd, maar ik heb nog steeds niets van haar gehoord.

Mardi, 18 mai
Zo. Ik zal er wel uitzien als de grootste debiel van de wereld, want ik ben zojuist benaderd door drie jeugdige collectanten, die alle drie hetzelfde goede doel dienden, allemaal in dezelfde straat. Sorry, jongens, hebben jullie niet gezien hoe ik de vorige afscheepte?

Collectant 1: 'Waar kom je vandaan?'

Ik: 'Raad eens?'

'Barnsley.'

'Sorry, nee. En jij?'

'Barnsley.'

Collectant 2: 'Hoe heet je?'

Ik: 'Linda.' (Uiteraard niet mijn echte naam.)

'Fantastisch, Lucy. Heb je er weleens over nagedacht hoeveel mensen tijdens hun leven een geestelijke aandoening zullen krijgen?'

'Nee, maar het is me duidelijk dat verlies van het korte-termijngeheugen een steeds groter probleem wordt.'

Collectant 3: 'Kun je raden welk percentage van de Britse bevolking ooit een geestelijke aandoening zal krijgen?'

Ik: 'Een derde deel. Ik heb het allemaal net een halve minuut geleden gehoord, dank je.'

Mercredi, 19 mai

Er is een klant die mijn echte naam en telefoonnummer heeft. Hij belde op om te vragen waarom hij me niet kon boeken. Hoorde hij, die tenslotte vaste klant was, het niet als eerste te weten als ik niet meer op de markt was?

'Ik ben niet van de markt,' zei ik. 'Heb jij iets anders gehoord?'

Hij zei dat hij een paar weken geleden had gebeld en van de manager te horen had gekregen dat ik met vakantie was. O, ja, maar dat is ook zo, zei ik verontschuldigend. Gisteren had hij weer gebeld, vertelde hij. En toen zei ze dat ik voor onbepaalde tijd afwezig was en bood hem een ander meisje aan.

Ben ik op weinig subtiele wijze afgedankt? Ik keek op de website en mijn beschrijving stond er nog op, zij het lager op de ranglijst dan voorheen. Geeft niet. Hij stelde een privé-afspraak voor, komende week. Ik zei dat ik erover na zou denken.

Jeudi, 20 mai

Dingen die je niet over Belle hoefde te weten, maar waar je mogelijk toch benieuwd naar was:

– Ik ben dol op zingen
Als ik alleen ben en niet naar muziek luister, zing ik meestal. Vrienden worden hier wreed en herhaaldelijk aan onderworpen. Ik zing altijd onder de douche. Ooit vergat ik mezelf en begon op de wc van een klant te zingen – toen ik terugkwam, zat hij te lachen. Ik zing heel graag, maar ben helaas geen goede zangeres.

– Ik ben dol op parfum
Zeker als het naar citrusvruchten of lavendel ruikt. Ik ruik het
ook heel graag (voorzichtig gedoseerd) op andere mensen.

– Ik hou meer van de textuur van eten dan van de smaak
Rauwe paddestoelen, kerstomaten, piccalilly en toffees voelen
allemaal lekker aan op de tong. Pasta, pindakaas en gekookte
wortelen niet.

– Ik kan eetbare van giftige paddestoelen onderscheiden
    (meestal)
Ik geef toe dat dit talent zelden van pas komt. Ik kan ook de
meeste soorten ereprijs (genus *Veronica*) identificeren. Hier
heeft echt niemand iets aan.

– Mijn geboortedag is voorspeld door de boezemvriendin van
    mijn moeder
Eng.

– Mijn droomfeest kan niet zonder...
William Styron, Katharine Hepburn, teenslippers, Noël Co-
ward, Iman, cashewnoten, Alan Turing, Margaret Mead, Dan
Savage, cocktails met fruit, Ryan Philippe en een kerker.

– Ik wil eigenlijk niet onafhankelijk van een bureau werken
Wat er ook gebeurt. De klanten worden door het bureau ge-
checkt en (de meesten) krijgen niet eens mijn telefoonnummer. Ik zit al vaak genoeg aan de telefoon, en ik heb meegemaakt dat de manager in het openbaar naspeuring moest
doen. Ik heb toevallig meer te doen dan wat ik hier meld. Het
regelen van mijn eigen afspraken zou daar inbreuk op maken.

– Ik heb nog steeds niets van de manager gehoord
Je zou denken dat ze toch minstens het fatsoen zou hebben om
me op een zonnige zaterdag te negeren.

– *Je ne regrette rien*
Als we op de wetenschappelijke boeken afgaan, ben ik een psy-
chopaat. Als we op de glossy's afgaan, ben ik een onafhankelij-
ke moderne vrouw.

Dimanche, 23 mai
De manager en ik schijnen het nog steeds met elkaar aan de
stok te hebben. Zij heeft mij niet gebeld en ik heb geen poging
gedaan haar te bellen. Hoewel ik me kan voorstellen dat een
dergelijke behandeling in het arsenaal van elke madam is opgenomen, krijg ik zin om haar op te bellen en te zeggen:
'Neem me niet kwalijk, kent u me nog?'

Maar ik moet de neiging weerstaan om haar op haar nummer te zetten. Ik heb me altijd afgevraagd waarom de beschrijvingen op de website af en toe door elkaar werden ge-
husseld zodat er andere meisjes bovenaan kwamen te staan. Ik
denk dat ik het nu weet.

O, die (betrekkelijke) vrijheid. Geen uitgesproken wens om
manicure-, hars- of wat voor afspraken dan ook te maken of
na te komen. Al durf ik te zeggen dat als de zon zich laat zien
en ik in bikini de tuin in ga, degene die me met een heggen-
schaar belaagt geen blaam treft.

Toen ik gisteravond van A3's huis naar de ondergrondse liep,
kwam ik langs een winkel die op de verschrikkelijkst denkbare manier was versierd: met gipsen babyvoetjes. In pastelkleuren beschilderd. Ze staken uit de muur. Wil iemand me alsjeblieft geruststellen met de mededeling dat de biologische
drang tot voortplanten géén voorbode is van het eind van de

goede smaak? Een meisje zou haar vibrator laten liggen uit angst met schuimpjes bevrucht te worden.

Mardi, 25 mai
En nog steeds geen woord.

'Ik wil niet meer,' kreunde ik tegen N. Ik begin eronder te lijden dat de manager me negeert. Er zijn genoeg andere bureaus, maar het idee me weer ergens in te schrijven lijkt me een doodlopende weg. Ik ben zelfs zo ver gegaan een stokoud cv op te diepen en me af te vragen hoe ik het zo zou kunnen bijwerken dat de gaten tussen de banen niet van die Grand Canyon-achtige afmetingen hebben.

'Oké, dan hou je ermee op, als je je principes maar niet verloochent,' zei N.

Ik wendde de blik ten hemel. Zijn we niet te oud om authenticiteit belangrijker te vinden dan solvabiliteit? Iedereen die ik ken heeft een carrière, een partner, een koophuis of een pensioenfonds. Of een combinatie van het bovengenoemde. Ik zette vraagtekens bij zijn woordkeuze.

'Wat is de definitie van je principes niet verloochenen?' zei hij. 'Nooit iets voor geld doen dat je niet ook gratis zou willen doen.'

'Ik zit vaak aan mijn nagels te peuteren.' Het kwam er vinniger uit dan ik had bedoeld. 'Ik geloof niet dat daar veel werk in is.'

'Niet zo sarcastisch,' zei N. 'Het past niet bij je.'

Uiteindelijk kan een vrouw in het uur van haar vertwijfeling maar één ding doen. Als al het andere is mislukt en de bankafschriften van de zwarte naar de rode cijfers zijn gekelderd, de kredietlimiet is overschreden en er zorgvuldig geformuleerde brieven van de bank komen, moet een vrouw het uiterste van zichzelf vergen en zich wapenen voor het onvermijdelijke.

De vacaturepagina's.

Ik begon met de administratieve functies. Algemene computerkennis? Ja. Organisatorische vaardigheden? Nou en of. Zelfstandig en hard kunnen werken? Min of meer. Toegewijd?

Waaraan, het plannen van vergaderingen en het faxen van brieven? Moet je tegenwoordig toegewijd zijn om enveloppen dicht te kunnen plakken en inkomende telefoontjes door te verbinden?

Misschien niets voor mij. In plaats daarvan nam ik de academische functies door.

Deprimerend. Hoe hoger opgeleid, hoe lager het bijbehorende aanvangssalaris, leek het. A2 en A4 zijn wetenschappers, en zij bevestigen mijn verdenking dat onderzoeksbeurzen een ondoorzichtig plan zijn van de heersende machten om slimme mensen ervan te weerhouden over zaken als de toestand in de wereld na te denken. Waarom zou je op politiek en andere gewichtige zaken letten als je een gevecht op leven en dood kunt voeren om een beurs van vijfduizend pond?

Jeudi, 27 mai

Ik heb me vast voorgenomen de moed niet op te geven, ondanks het feit dat kranten en websites doen vermoeden dat de Londense economie op exact drie dingen stoelt:

1. *Tekstschrijven en bureauredactie:* hoeven we niet te kennen, hebben we al gehad... of nee, niet echt. Ik heb het geprobeerd, maar ben door alles en iedereen afgewezen, van wetenschappelijke tijdschriften tot en met *De walrusweek*. De betere filatelieorganen van het land keurden me niet eens een afwijzingsbrief waardig.

2. *Uitzend- en secretaressewerk:* heb ik zeer zeker al gehad en wil ik nooit, maar dan ook nooit meer doen. Weer eeltige vin-

gertoppen krijgen van het dichtplakken van de nota's van een effectenmakelaar is een te deprimerend lot om over na te denken. Vergeleken bij de abjecte vernedering van het van de stomerij moeten halen van de schooluniformen van iemands dochter is scatten een fluitje van een cent.

3. *Prostitutie*: verdomme.

Ik zou in het vak kunnen blijven en voor mezelf beginnen. Dan hoefde ik nooit meer een derde van mijn verdiensten aan een bureau af te staan. Anderzijds zou ik mijn eigen klanten moeten natrekken, op de gekste tijden telefoontjes aannemen, een portfolio bijhouden, mijn bescherming organiseren en... ach, hou maar op. Veel te veel werk voor mij alleen. Ik zou amper tijd overhouden om me te laten harsen, laat staan dat ik aan mijn andere essentiële onderhoudswerkzaamheden toe zou komen.

Samedi, 29 mai

Brieven. Sollicitaties. Downloaden, printen, invullen. Enveloppen en postzegels op brieven waarop ik waarschijnlijk nooit antwoord zal krijgen. En toen, gistermiddag laat, een telefoontje van een personeelsafdeling. Ze willen me spreken. Voor een baan die ik dolgraag wil hebben.

Ik sta op de kandidatenlijst. En ik weet dat de lijst heel kort is. Ik heb een goede kans.

Nu weet ik het zeker: ik ga uit de prostitutie stappen.

Uit de beschrijvingen op de website van het bureau is duidelijk op te maken dat veel van de meisjes (misschien niet allemaal, maar wel veel) niet uit het Verenigd Koninkrijk komen. Oost-Europa, Noord-Afrika, Azië. De handel in geïmporteerde sekswerkers in Groot-Brittannië bloeit.

Ik vraag niet wat hun motivatie voor dit werk is. Het gaat

me niet aan. Ik ben niet gedwongen voor het bureau te gaan werken en ik hoop dat zij het ook vrijwillig doen. Als het bureau echt een stal vol illegale arbeidsters was die onder de duim worden gehouden door een gewelddadige pooier, zouden ze niet zoveel meisjes van hier aannemen.

Toch?

Ik besef dat ik, afgezien daarvan, momenteel niet in zo'n heel andere positie verkeer dan die meisjes uit Jordanië en Polen. Misschien zijn ze hier op een studentenvisum en zitten ze tot aan hun nek in de schulden. Ooit werd gesuggereerd – niet gegarandeerd, dat snap ik wel, maar toch gesuggereerd – dat de beloning voor goed je best doen op school en een studie afmaken een redelijke carrière zou zijn. Nu vraag ik me af of een halfjaarcontract als kleurcorrector van tijdschriftillustraties of assistent-bedrijfsleider bij een winkel geen betere carrièrezet zou zijn. En met honderden anderen hoogopgeleiden wedijveren om dezelfde schamele baantjes.

Maar nu moet ik blouses strijken en piekeren over de vragen die ze bij het sollicitatiegesprek gaan stellen.

Lundi, 31 mai

Ik stond vroeg op om de trein te halen. Het was een Londen dat ik alleen van horen zeggen kende: mannen en vrouwen in kantoorkleding die zich op perrons verdrongen, wachtend op een plekje in een overvolle coupé. De meesten zagen er lichtelijk verdwaasd uit, nog niet helemaal wakker; anderen waren zichtbaar vroeg uit de veren gekomen en kenden hun dagindeling op hun duimpje. Ik vroeg me af of sommigen van die fris opgemaakte vrouwen niet om halfvijf hadden moeten opstaan om er om acht uur zo verzorgd uit te zien.

De trein was op tijd, maar ik vond het kantoor sneller dan ik had verwacht. Ik ging om de hoek een kop thee drinken om de tijd te vullen. Een vrouw met een in het gunstigste geval gebrekkig begrip van het Engels zette thee en schonk de melk in mijn kopje ver voordat de thee was getrokken of ik haar kon tegenhouden. Ik zat aan een tafeltje bij het raam aan de straat. Iedereen om me heen, van bouwvakker tot directeur, zat over een krant gebogen. Ik had er geen, en keek uit over het menselijk verkeer.

Toen ik aankwam, waren de andere twee sollicitanten er al. We stelden ons voor en praatten even over de maatschappelijke en beroepsmatige connecties die ons bonden. Toen liepen we achter elkaar een kamer in en keken samen met de sollicitatiecommissie naar elkaars korte presentatie. Daarna werden we naar de wachtkamer teruggestuurd en een voor een weer binnengeroepen voor het echte gesprek.

De eerste die werd opgeroepen, was een donkerblond meisje met een bolle kop. Toen ze onder het mes ging, glimlachte de derde kandidaat mat naar me. 'Zodra ik je zag, wist ik dat ik kansloos was,' zei hij. Ik had hetzelfde van hem gedacht, want hoewel mijn opleiding en referenties beter waren, had hij een benijdenswaardige ervaring.

'Doe niet zo gek,' zei ik. 'We kunnen het alle drie worden.' Alle twee, verbeterde ik mezelf in stilte, want het stond vrijwel vast dat het andere meisje geen schijn van kans had. Haar opleiding was slechts oppervlakkig verwant aan het vakgebied, ze had geen ervaring en ze had zich mompelend door haar presentatie, die geen bijster imposante inhoud had, heen gesleept. De tweede kandidaat ging naar zijn gesprek en hij moet meteen daarna vertrokken zijn, want hij kwam niet terug naar de wachtkamer.

Toen ik de kamer in liep, zweette ik al. Niet tegen de tafel stoten, dacht ik. Niets laten vallen. Aan de andere kant van de tafel zaten drie mensen: een lange, magere man, een heer op leeftijd met een bril en een vrouw van in de dertig met kort zwart haar.

Ze stelden me om de beurt vragen. De taakverdeling openbaarde zich snel: de oudere man vroeg heel weinig en had duidelijk de hoogste functie. De magere man stelde vragen op het gebied van mijn persoonlijkheid – de gebruikelijke dingen, zoals wat ik mijn zwakke punten vond en hoe ik me mijn carrière over vijf jaar voorstelde. De technische vragen bleven voor de vrouw over, en die beangstigden me het meest, maar ik dacht telkens na voordat ik antwoord gaf. Soms merkte ik dat ik zo lang aan mijn antwoord werkte dat ze ongeduldig zaten te wachten, maar het leek me beter het goed te doen dan in het wilde weg iets te zeggen.

Na het gesprek stonden de andere drie samen met mij op. Ze zouden vrij snel iemand uitkiezen, zeiden ze, want ze wilden dat die iemand zo snel mogelijk begon. Ik kon een dezer dagen een brief of telefoontje verwachten. Aangezien ik de laatste kandidaat was, liepen zij ook de kamer uit. De oudere man en de jonge vrouw liepen een gang in. De lange man bood aan me naar beneden te brengen.

We stonden zwijgend in de lift. Ik glimlachte. 'Ik herinner me je nog van een congres van drie jaar geleden,' zei hij. 'Een indrukwekkende presentatie.'

'Dank u,' zei ik. Shit. Mijn presentatie voor de sollicitatiecommissie was grotendeels afgeleid van die van het congres drie jaar geleden.

We liepen over de vloerbedekking in de stille gangen. Hij begon over zijn eigen werk te praten, waar hij duidelijk een passie voor had. Ik hou van mensen met passies. Ik stelde vragen om hem uit zijn tent te lokken en speelde advocaat van kwade zaken terwijl ik hem liet voelen dat ik in feite aan zijn kant stond, en uiteindelijk bleef hij met me in de rij voor de taxi's staan wachten tot ik aan de beurt was. Hij gaf me een warme handdruk en sloot het portier voor me. Toen de taxi wegreed, zag ik hem nog op de stoep staan.

Mijn hart bonsde. Goed zo, dacht ik. Nu heb ik iemand die voor mij kiest.

Juin

Belles A-Z van de Londense seksindustrie, W t/m Z

W staat voor werkende vrouw
Werkende vrouw, prostituee, callgirl, vrouw van lichte zeden,
hoer. Ik vind de ene term niet vernederender dan de andere.
Het is maar een etiket: plak het op, vermaak je ermee. Veront-
waardiging om hoe anderen een hoer noemen is zo gedateerd,
zo politiek correct, zo jaren negentig. Je verkoopt seks voor de
kost – wat had je verwacht, dat je geafficheerd zou worden als
een 'erotisch amusementsconsultant'?
    Al zou 'sekstherapeut' niet zo erg zijn.

X staat voor Xerxes
Xerxes was een groot koning van Perzië in de vijfde eeuw voor
Christus.
    Ik kon geen goed onderwerp met een X bedenken.

Y staat voor *young*
Hoe jonger, hoe beter in dit vak. Dit is een ijzeren wet, tenzij
je over de veertig bent, want dan zal het bureau er waarschijnlijk een stevig decennium bij optellen om de stoute-omafactor
te verhogen. Verwacht niet dat je correcte leeftijd in je beschrijving komt te staan. Als actrices tot diep in de dertig naïeve
meisjes kunnen blijven spelen, waarom zou jij dat dan niet
kunnen? Maar je moet zelf onthouden wie je wat op de mouw

hebt gespeld en de schijn ophouden. De klant betaalt voor een illusie, en je laten ontvallen dat je oud genoeg was om John Major aan de macht te houden, is geen goed idee. Zeker niet als de klant een kamervertegenwoordiger van de Labourpartij is.

Z staat voor *zzip*
Iemand vroeg me ooit hem met alleen mijn tanden te ontkleden. Het klinkt in principe als een interessante opgave, maar er is één ding dat je niet met je mond alleen open kunt krijgen, en dat is de gulp van een mannenbroek. Je houdt je eigen broek toch ook aan de bovenkant vast als je de rits opentrekt? Dat lukt niet zonder handen. Het kostte me een minuut of acht om alleen maar zijn broek naar beneden te krijgen, en toen was de stemming finaal bedorven.

Mardi, 1 juin
Angel belde. Het was een verrassing; ik had tijden niets van haar gehoord, alleen zo af en toe een glimp van haar opgevangen, en ik had niet gedacht nog iets van haar te horen.

Ze huilde. Ik zat in een taxi en kon haar niet goed verstaan boven het geluid van de motor uit, maar zo te horen was zij ook in een rumoerige omgeving, op straat of bij een ingang van de ondergrondse. Ik zei dat ik op weg was naar een vriend en dat ze me later kon bellen of een keer koffie komen drinken als ze wilde praten.

Ze kwam koffiedrinken. Ze zeilde glimlachend door de deur, kalmer en beheerster, maar ik wist dat het alleen nog maar een kwestie van tijd was voordat ze weer zou instorten. Wat ze ook deed, magistraal. Iemand had haar net de bons gegeven. Een relatie – ik moest bekennen dat ik niet wist dat ze er een had – was beëindigd. Met een mailtje.

Ik was onthutst. 'Dat is geen manier om je te behandelen, wat er ook is gebeurd,' koerde ik. Ik schonk kokend water in een cafetière, liet het trekken (waarschijnlijk te lang), duwde de zuiger naar beneden en schonk haar een beker dampende troost in. 'Wie was het?' vroeg ik, een beetje nieuwsgierig.

'Wist je dat niet?' vroeg ze, met haar betraande gezicht naar me opkijkend. 'Niet lachen.' Het was Eerste Afspraak.

Godver.

'En het ergste is nog wel dat hij nog steeds verliefd op jou is.'

Godverdegodver. Hoe troost je iemand die net aan de dijk is gezet vanwege, ongetwijfeld onder andere, een herinnering, en dan ook nog zo'n onbenullige? 'Wat erg voor je,' fluisterde ik.

'Jij kunt van alles, jij hebt talent,' jammerde ze. 'Ik weet niets, ik val altijd tegen.'

'Je mag het niet persoonlijk opvatten. Als iemand vindt dat jij tegenvalt, is dat zíjn probleem.' Een hopeloze manier om iemand te troosten, ik weet het, maar ik wist niet wat ik moest zeggen. Die vrouw was meer een kennis dan een vriendin, en dan ook nog eens een die me veel stress bezorgde. Toch leefde ik met haar mee. Ik heb de situatie van beide kanten meegemaakt.

Jeudi, 3 juin

Een paar weken geleden zat er een uitnodiging bij de post. Ik heb er nog niet op gereageerd omdat ik niet weet wat ik moet doen.

Het gaat om een weekend buiten de stad om de verloving van een vriendin te vieren, en het belooft leuk te worden, met tuinfeesten en dronken gezang rond een kampvuur. En normaal gesproken zou ik er als een speer naartoe gaan, maar er is iets dat me weerhoudt. De Jongen.

De kans dat hij niet is uitgenodigd, is klein. De meeste exen wil ik wel terugzien, maar ik heb geen woord meer van hem gehoord sinds die bijna-misser op dat verjaardagsfeest een tijdje geleden, de raadselachtige auto is nergens meer te bekennen en ik weet dus niet of hij nog naar me smacht, of me haat, of me compleet vergeten is. En ik weet niet wat ik het ergst zou vinden.

Ik zou de aanstaande bruid kunnen bellen om het te vragen, zo gepiept, maar dan laat ik merken dat ik me zorgen maak en als ik ook maar iets weet van dit stel, is het dat ze van andermans onbehagen genieten. Ik kan dus beter niets zeggen.

Maar ik ben hard toe aan een weekend buiten de stad, en dit is de beste optie tot nu toe.

Dimanche, 6 juin

N en A3 en ik ontleedden mijn sollicitatie. N heeft geen idee wat ik nu eigenlijk heb gestudeerd, maar hij staat zoals altijd achter me en is ervan overtuigd dat ik de baan krijg. A3 daarentegen werkt op een vergelijkbaar terrein en is, het moet gezegd, in het gunstigste geval knorrig.

Ik heb het gevoel dat ik mijn eigen engeltje en duiveltje heb, net als in stripverhalen, al is het idee dat ik hun gezamenlijke gewicht van rond de tweehonderd kilo op mijn schouders zou moeten torsen lachwekkend.

Mardi, 8 juin

'Ze moeten je in elk geval in overweging hebben,' zei N. 'Ik ging een keer in Newcastle op gesprek en toen belden ze voordat ik in de trein naar huis zat al op om te zeggen dat ik was afgewezen.'

'Waarom wilde jij naar Newcastle?' vroeg ik.

N keek me vreemd aan. 'Gaat je niks aan,' zei hij. 'Waar het om gaat, is dat je meer geduld moet hebben. Ze laten het je wel weten als ze zover zijn.'

Hij zal wel gelijk hebben, maar ik pieker er niet minder om. Had ik een betere presentatie kunnen geven, vraag ik me af, of de vragen professioneler kunnen beantwoorden? Was er iets aan mijn kleding of mijn gedrag dat hun tegenstond? Hoe stak ik bij de anderen af? Als ik de baan krijg, pas ik dan in het team, word ik geen teleurstelling? Werken er gezonde mannen?

Mercredi, 9 juin
Mogelijke redenen waarom ik nog niets over de baan heb gehoord:
- Ze hebben iemand anders aangenomen en zijn vergeten het me te vertellen.
- Ze hebben besloten mij aan te nemen en zijn vergeten het me te vertellen.
- Ze bieden eerst iemand anders de baan aan, en pas als die hem heeft aangenomen, wijzen ze de andere kandidaten af.
- Ze wijzen eerst de andere sollicitanten af voordat ze contact opnemen met de geslaagde kandidaat (dat ben ik dus).
- De brief is zoekgeraakt bij de post.
- De brief is niet zoekgeraakt bij de post, maar op het verkeerde adres bezorgd.
- De brief is op het verkeerde adres bezorgd, en de bewoner is op weg naar de brievenbus plotseling overleden en de brief en hij zijn nog niet gevonden.
- De brief is op het verkeerde adres bezorgd en de bewoner heeft een hond die de brief heeft opgegeten.
- De brief is bij mij bezorgd maar, om mijn scherpzinnigheid te testen, listig vermomd als een van de duizenden folders die ik dagelijks door de bus krijg, en ik heb hem per abuis weggegooid.
- De brief is bij mij bezorgd, maar vergaan voordat ik hem kreeg.
- De brief is bij mij bezorgd, en kort daarna kreeg ik acuut hersenletsel, waardoor mijn herinnering aan de brief en het hersenletsel is gewist.
- En mijn hersenen hebben de gewiste herinneringen aange-

vuld, zodat ik me niet alleen niets van dit alles herinner, maar ook geen raadselachtige gaten in mijn geheugen heb.
– Het sollicitatiegesprek was een droom.
– De brief is nog niet verzonden.
– Ze hebben nog geen besluit genomen.

Jeudi, 10 juin

Ik kon het wachten niet meer aan en belde de personeelsafdeling. De vrouw die opnam was vriendelijk, maar ik moest haar drie keer het vacaturenummer geven. Ze bood haar verontschuldigingen aan. Er schenen problemen met de interne post te zijn geweest en de brieven waren nog niet verzonden, maar het besluit was al gevallen. Ik knaagde op de vingers van mijn linkerhand terwijl zij de informatie opzocht.

'Ha, daar heb ik u,' zei ze. 'Zo te zien hebt u de baan.'

Mijn hart sprong op. Ik grijnsde. 'Echt?'

'U heet toch Louise?'

En net zo snel zakte mijn hart onder in mijn maag. 'Eh, nee.' Het meisje met de bolle kop. Hoe hadden ze haar beter kunnen vinden dan mij?

'O, sorry,' giechelde de vrouw. 'Dan vrees ik dat u het niet bent geworden.' Ik bedankte haar en hing op.

Telefoontje van Dr. C, die bij zijn ouders logeert en volgende week langs wil komen. Ik neem aan dat mijn huidige situatie me in elk geval wat vrije tijd biedt. Zoek de zonzij en zo. En ik ga beslist naar dat verlovingsfeest. Niets heilzamers voor het gekwetste ego dan alcohol en flirten.

Ik zou dus het hele weekend weg moeten zijn. De wet van de pech: als ik zonder ontsnappingsmogelijkheid in de stad zit, is het gloeiend heet en zonnig; zodra ik een voet buiten deze stadssfeer zet, gaat het eindeloos regenen. En dan heb ik schoenen met open neuzen en een witte broek aan. Als je dit weekend slecht weer hebt, kun je ervan verzekerd zijn dat dat geheel en al mijn schuld is.

Dimanche, 13 juin

De voordelen van seks met een ex:
- Je kunt niet meer schrikken van hoe hij er naakt uitziet, de eerste keer. Die afstotende moedervlek zit nog precies op dezelfde plek.
- Je hoeft naderhand niet onhandig om adressen en telefoonnummers te vragen. Als je ze niet hebt, is dat niet per ongeluk.
- Hij weet wat je lekkere plekjes zijn, hoeveel het er zijn, hoe lang hij eraan moet zitten en of dat van links naar rechts, van boven naar beneden of in kringetjes moet.

En de nadelen:
- Er is vast een goede reden waarom jullie niet meer bij elkaar zijn, een heel goede reden.
- Een van beiden zal denken dat de relatie nu wordt hervat.
- Je kunt het met geen mogelijkheid aan je vrienden vertellen zonder de grootste idioot van de wereld te lijken. Zij moesten tenslotte jouw verdriet na de breuk opvangen, nietwaar?

Griezels. Ik ga nu contact tussen mijn hoofd en de muur bewerkstelligen. Ik meld me weer wanneer ik mezelf wat verstand heb ingebeukt.

Lundi, 14 juin

Dus ja, seks. Met iemand van wie ik eerlijk niet had verwacht er ooit nog seks mee te hebben.

De Jongen. De k** Jongen.

Ik moet het nog op een rijtje zetten. Het is een puinhoop. Hij heeft me een lift terug naar Londen gegeven en nu wil hij niet meer weg. Maar ik wil graag optekenen dat het goed was, althans voordat die ietwat roezige postcoïtale gloeifase voorbij was en de verschrikkelijke, vreselijke sluier van 'o, jee, niet wéér' neerdaalde.

Meer dan goed. Hij kwam op mijn borst zitten en neukte me in mijn mond, hij nam me van achteren, van boven en van onderen. Ik glimlachte en vroeg hoe hij zo goed met zijn tong was geworden, in de veronderstelling dat een geniale slet hem tegenwoordig de fijne kneepjes bijbrengt. 'Weet ik niet,' zei hij. 'Ik denk er gewoon vaak aan.' Ik kwam harder, sneller en langer dan gewoonlijk, en heel even dacht ik: als hij nooit meer iets stoms zei, zou ik hier heel goed mee kunnen leven.

Wet van de pech II: binnen een halve minuut nadat ik zoiets denk, doet hij zijn mond open en zegt iets stoms. En het regende buiten, dus kon ik niet met een smoes het pand verlaten, een stukje lopen en terugkomen wanneer er genoeg tijd was verstreken om er zeker van te kunnen zijn dat hij weg was.

Mardi, 15 juin

De seks met de ex heeft geen waarom, alleen een hoe (lang het gaat duren, gauw het voorbij zal zijn, snel ik weg kan). De meesten van mijn exen zijn vrienden, en de meesten van mijn vrienden zijn exen, en in de regel neuk ik niet met ze als het uit is, maar er zijn er een paar met wie ik geen contact meer heb, meestal omdat de relatie weinig bood dat het opbouwen van een vriendschap waard was, en hij is er een van.

Gisteren, toen hij wegging, bood hij me een lift aan naar een bespreking. Goddank, dacht ik, hij gaat dus weg en hopelijk voorgoed. Maar voordat we weg konden, vroeg hij of ik geld bij me had. Nee. Tenzij ik aan het werk ben, heb ik meestal minder geld bij me dan de koningin.

Hij reed langs een geldautomaat opdat ik geld kon opnemen en hem de tomaten terugbetalen die hij voor me had gekocht. (Let wel: het waren vervangingstomaten voor de tomaten die ik al had en die hij had opgegeten. Ik betaalde dus twee keer voor mijn eigen tomaten. Leuk, hoor.)

Ik stapte hoofdschuddend uit de auto. Liep naar de geldautomaat. Trok er een knisperend nieuw briefje van tien uit – zo duur waren de tomaten niet geweest, maar misschien wilde hij extra geld van me hebben voor mijn eigen pleepapier – en liep terug naar de auto. Stopte het geld in zijn hand.

Deed het portier dicht. Liep door.

Een minuut later kreeg ik een sms: 'Ben net aan het tanken als je nog mee wilt rijden kom dan terug.'

Ik gaf geen antwoord. Hij belde op. Wilde ik geen lift? vroeg hij. Ja, als je je normaal gedraagt, zei ik. Ik beschreef welke kant ik op liep en zei dat hij me kon oppikken als hij me wilde rijden. Een minuut later belde hij weer. Zei dat hij aan het eind van de straat was en me niet zag. Dat komt doordat ik nog steeds loop, zei ik. Hing op. Hij belde weer, vroeg waar ik was. Beschreef de straat, het gebouw waar ik net langs was gelopen, de route die ik volgde. Hing op.

Hij stuurde weer een sms: 'Dit is echt stom, ik zit de hele weg maar tien meter achter je. Precies wat ik verwachtte, zoals gewoonlijk.'

Een minuut later stopte hij rechts van me. Ik bleef staan. Hij leunde opzij en maakte het portier aan de passagierskant open.

'Ik heb je mailtje net gekregen,' zei ik.

'En?' zei hij.

'Tot ziens.' Ik sloot het portier gedecideerd en liep door. Zijn auto treuzelde nog een minuut, tot iemand claxonneerde, en toen reed hij naar de volgende rotonde en verdween. En dat was dat. Zette de koptelefoon op. Het nummer ging over iemand die de deur uit liep. Ik voelde me lekker en glimlachte zo breed dat de tranen me in de ogen sprongen.

Mercredi, 16 juin

Kreeg gisteravond laat een telefoontje. Geen werk – A1 zat in een soort crisis en zijn vrouw was nergens te bekennen. Ik kreeg vier gemiste oproepen en een verward bericht van hem. Toen ik terugbelde, werd ik regelrecht met het antwoordapparaat verbonden. Jongens. Het was laat, maar ik leverde me over aan de genade van de Londense ondergrondse en ging op weg naar zijn huis.

Tussen mijn huis en dat van A1 moet ik twee keer overstappen. En op dat uur ben ik bang dat ik de laatste trein zal missen en op Earl's Court blijf steken met een strippenkaart en een uitgesproken gebrek aan raad.

De ondergrondse is veruit het meest asociale vervoermiddel dat tot op heden is uitgevonden. In de bus kun je anderen tegen je ziektekiemen beschermen door tegen hun achterhoofd aan te niezen. In de ondergrondse ben je gedwongen je ademruimte te delen met elke rochelende ziektekiemendrager van hier tot aan Uxbridge. En hoewel je neus in oksel staat met volmaakt onbekenden en meer virussen uitwisselt dan in een boek van Crichton, is Staren Verboden.

Onder normale omstandigheden zou dat niet moeilijk zijn. Stadsbewoners zijn meesters in de Taxerende Blik, waarmee iemand in de fractie van een seconde dat hij in beeld is wordt beoordeeld en verworpen. Maar wanneer je in een razende koker over een hobbelig spoor naar Dollis Hill gevangenzit, kunnen je ogen letterlijk geen kant op. Je moet wel staren. Maar het mag niet. Daarom zijn pockets zo gewild; ze geven je niet alleen een schild om je achter te verbergen, maar ook een excuus om niet met een hand aan de stang over de sneeuwstorm *Metro's* die het gangpad verspert te strompelen.

Tijdens het wachten op de District Line voelde ik dat er iemand naar me keek. Ik deed alsof ik op mijn horloge keek en tuurde de rails in beide richtingen af. Een jeugdige man in pak. Waarschijnlijk keek hij uit verveling naar iedereen op het perron. Moet kunnen. Ik was aan een douche en slapen toe en was waarschijnlijk geen tweede blik waardig.

De trein kwam. Ik ging zitten. De man kwam tegenover me zitten. Keek hij weer? Nee. Geen aandacht aan besteden. Ik keek naar zijn hand. Het was een mooie, welgevormde hand. Heel aantrekkelijk. Ik legde mijn voorhoofd op een zijstang.

Vanuit mijn ooghoek zag ik hem nog een paar keer naar me kijken. Beslist vaker dan nodig was. Toch leek hij niet op jacht te zijn. Waarschijnlijk vroeg hij zich gewoon af waarom ik op weg was, zoals ik me dat altijd van iedereen afvraag. Waarschijnlijk dronken. Wie zit er op dit uur nuchter in een pak in de ondergrondse?

Ik keek op. Zijn blauwe ogen staarden me aan. Zo koud als wat. Ik grinnikte tegen wil en dank als een debiel. Bij hem kon er geen lachje af. We keken allebei snel een andere kant op.

Argh, dacht ik. Warrige malloot. Maar ik kan er niets aan doen: als iemand onverwacht naar me kijkt, schiet ik in de lach. Hij moet me een volslagen idioot gevonden hebben.

Twee haltes verder. Hij draaide zijn hoofd weer naar me om. Ik keek hem aan. Glimlachte. Stak mijn tong uit.

En hij lachte. Wendde zijn ogen weer af.

Oké. Nog twee haltes. We keken allebei nadrukkelijk een andere kant op. Een vrij obsceen mijden van oogcontact, zelfs.

Mijn halte naderde. Ik rekte me uit. Ik zag dat hij naar me keek, maar weigerde zijn blik te beantwoorden. Wat zou hij doen? Ik kon wuiven bij het uitstappen. Ik kon iets zeggen.

Ik stond op. De trein schoof het station in. De deuren gingen open. Kom op, knik dan tenminste, dacht ik. Toen: stap ook uit, stap ook uit. Ik stapte op het perron. Nee, wacht, niet doen.

Hij deed het niet. Gewoon een dronken vent in pak op weg naar huis. De trein reed de nacht in.

(AI maakte het trouwens goed. Een beetje moe en emotioneel, meer niet. Waarmee ik dronken bedoel.)

Samedi, 19 juin

Stond met een vriendin, C, aan de bar van een disco. N zou ook komen, maar had ge-sms't dat het later werd. We stonden met onze glazen aan de bar koel oogcontact te mijden en te doen alsof we de verschrikkelijke, ordinaire muziek die de dj op ons losliet niet hoorden.

Een man waggelde onze kant op. 'Zeg dames,' zei hij, en ik dacht: is het niet een beetje vroeg om zo dronken te zijn? 'Mijn vriend is jarig, en hij staat daar...' Hij wees in een woelige massa gezichten.

C zette haar masker met de beleefde glimlach al op. Was het niet duidelijk dat we niet versierd wilden worden?

Maar versieren was niet wat de jonge ridder in gedachten had. 'En nu vroeg hij zich af of jullie hem je tieten zouden willen laten zien.'

C's masker vertoonde nog geen haarscheur. 'Sorry, nee,' zei ze beleefd glimlachend, en ze richtte haar aandacht weer op haar cocktail. Ik gniffelde.

'Zeker weten, dames? Het is wel zijn verjaardag en alles.'

'Nee,' zei ik minder beleefd, en draaide me om. C en ik bestelden nog wat. N kwam wel heel erg laat. We probeerden over de muziek heen te praten, die nu veel harder stond, maar het lukte niet en uiteindelijk glimlachten we maar vaag naar elkaar. C speelde met de wollige franje van haar uitzonderlijk aaibare trui.

Er kwamen weer twee mannen op ons af geslingerd. We draaiden ons maar half naar ze om. Het was dezelfde jonge man van tevoren, nu met nog iemand. 'Hallo, dames,' zei de tweede man. Het viel me in dat mannen vrouwen alleen 'dames' noemen in een parodie op ridderlijkheid. 'Ik ben vandaag jarig, en nu vroeg ik me af of jullie me alsjeblieft je tieten zouden willen laten zien.'

Tja. Hij zei tenminste nog alsjeblieft. C's masker was ondoordringbaar. 'Nee.'

'Nee,' echode ik.

'Zeker weten?' vroeg hij, en trok een quasi-smekend gezicht.

Zou zoiets ooit lukken? vroeg ik me af. Hij bood niet eens geld, godbetert. Vrouwen worden dus geacht gratis de hoer te spelen, en dat wordt als sportief gezien, terwijl echte prostituees aan hoon en weerzin worden onderworpen? Nou vraag ik je.

'Nee,' zei een stem achter het tweetal, en het was N, die een kop boven hen beiden uitstak. Ze dropen af.

N gaf C en mij een lift. C is jong, bijna nog een tiener. Eigenlijk is ze in de twintig, maar ze gedraagt zich als achttien. Op een leuke manier.

We praatten over trouwen. Ze was nieuwsgierig naar N's situatie, waarom hij nog alleen was. Ze vroeg of ik ooit wilde trouwen en kinderen krijgen. Ik zei nee. Ze zei dat zij het ook niet wilde.

'O, je gaat wel overstag,' zei N tegen haar. 'Je vindt de juiste man en dan gebeurt het gewoon.'

Ze zette haar stekels op, maar ging er niet tegen in. 'En wat denk je dan van mijn toekomst?' vroeg ik aan N. 'Word ik een ouwe vrijster?'

Hij keek naar de weg. Hij woog zijn woorden op een goud-schaaltje. 'Ik denk dat jij je eigen pad hebt gekozen en je plannen door niemand laat doorkruisen,' zei hij. 'Je laat je vrijheid voor al het andere gaan. Dus ja, ik denk dat je alleen blijft als je dat wilt. Ik zeg niet dat je nooit op andere gedachten zult komen, maar dan zou je een heel bijzondere man moeten treffen, en ik denk dat je nog heel lang vrijgezel wilt blijven.'

Dimanche, 20 juin

Ik hing op bed te lezen. De telefoon ging. Dr. C.

'Aan het eind van de straat, zei je?'

'Aan het begin.' Eigenlijk weet ik nooit goed wat wat is, maar als hij het nummer niet zag, was hij vermoedelijk aan de verkeerde kant.

Een minuut later klopte hij aan. 'Begin van de straat?' Ik grinnikte terug. Zijn glimlach was mooier dan in mijn herinnering. Hij was met een weekendtas en een oude blauwe auto gekomen. Van zijn broer, zei hij. Ik liet hem binnen.

Hij zette zijn tas bij de bank. Ai, dacht ik. Ik had kussens en dekens moeten neerleggen. Hij mag niet denken dat ik ervan uitga dat hij bij mij in bed slaapt. We keken elkaar aan, zonder iets te zeggen, alleen maar glimlachend.

'Dus.'

'Dus. Eindje lopen?'

'We gaan lopen.'

We zwierven uren rond. Ik vergat de tijd tot de zon achter de bomen zakte. Hij praatte over zijn familie, zijn werk. Hij praatte met zijn fantastische mond en zijn handen. We gingen op een bank zitten en zagen ronde vrouwen die hun piepkleine, nog rondere hondjes uitlieten.

'Naar huis?'

'We gaan naar huis,' zei hij.

Ik bood aan iets voor hem te koken. 'Eerlijk gezegd heb ik niet zo'n honger,' zei hij. Ik ook niet. Hij pakte een grote fles drank uit zijn tas. Er kon weinig plaats voor iets anders geweest zijn. We gingen met een bak ijs aan de keukentafel zitten en dronken de fles leeg.

Ik was aangeschoten, en hij ook, maar op een prettige manier, net als op onze eerste avond samen. Toen de fles en de glazen eindelijk leeg waren, nam ik hem mee naar mijn slaapkamer. We kusten en streelden elkaar door onze kleren heen. 'Je borsten zien er geweldig uit onder die kleren,' zei hij. 'Mag ik je iets vragen?'

Wat je maar wilt, had ik bijna gezegd. 'Wat?'

'Mag ik je borsten met de zweep geven? Door je shirt heen, bedoel ik.'

Ik pakte een rubberen zweep met veel staarten voor hem. Hij begon voorzichtig. Ik lachte. 'Kun je niet harder?' zei ik. Hij kon het. Het deed pijn. Ik had weleens harder met de zweep gekregen, maar het was nog nooit zo leuk geweest. Ik kon niet ophouden met lachen. Hij zei niets, maar glimlachte ook, zo bespottelijk leek het. Toen hij klaar was, legde hij de zweep weg en stopte zijn handen onder mijn shirt.

'Je bent warm,' zei hij. Tilde het shirt op. Ik had geen beha aan. 'Ze zijn roze.' Hij duwde me tegen de muur en nam me. Toen vielen we in bed en waren bijna op slag bewusteloos.

Lundi, 21 juin

Ik werd wakker van de telefoon. Ik was slaapdronken en nam op zonder te kijken wie de beller was. 'Hallo?'

'Hallo.' Het was de Jongen. Ik huiverde. Ik had moeten ophangen. Deed het niet. 'Waar ben je?' vroeg hij.

'Thuis.' Liegen had geen zin. Geen tijd om na te denken. 'En jij?'

'Buiten.'

'O.' Ik legde de telefoon neer. Rekte me uit en porde de slapende man naast me voorzichtig wakker. 'Eh, er staat bezoek beneden,' zei ik.

Hij moet iets aan mijn stem hebben gehoord. 'Wie?'

'Mijn ex.' Zijn gezicht betrok even. Hij vroeg wat ik wilde doen. 'Hem binnenlaten, denk ik.' Hij zei dat het niet hoefde. Dat ik de politie kon bellen. Ik zei dat ik het wist. We kleedden ons aan. Hij ging naar de keuken. Ik deed de deur open.

Daar stond de Jongen. Korte broek en T-shirt. Zijn auto stond aan de overkant. Hij was alleen. Het was stil in de straat. Hij vroeg of hij binnen mocht komen. Ik liet hem binnen.

Hij knikte naar Dr. C in de keuken. Ik stelde hen aan elkaar voor. Vroeg of er iemand thee wilde, ontbijt. Ze zeiden ja. Ik zette de radio aan. Het leek allemaal veel te bedaard. Ik richtte me op het fornuis en maakte roereieren; legde brood onder de gril om het te roosteren. Keuvelde met beiden over het weer (aangenaam), wat er op de radio was (bagger) en het nieuws (deprimerend). Ik gaf ze hun ontbijt op borden van gelijke grootte.

De Jongen viel meteen aan, met zijn hoofd over het bord gebogen. Het was vreemd hem na die paar maanden aan de tafel te zien zitten.

'Neem jij geen eieren?' vroeg Dr. C.

'Alleen wat toast,' zei ik.

'Lichtgewicht brandstof,' zei hij, en begon glimlachend te eten. Ze zwegen allebei. Ik kon niet stil blijven zitten en ijsbeerde knabbelend op een korst langs het aanrecht heen en weer. De Jongen had zijn eten snel op en vroeg of hij naar de wc mocht. Ik zei ja. Hij had het nooit eerder hoeven vragen.

Toen hij de keuken uit was, keek Dr. C me aan en fluisterde: 'Waarom had je me niet over hem verteld?'

'Ik dacht niet dat er iets te vertellen was,' fluisterde ik terug. 'Ik heb hem al maanden niet meer gezien.'

De Jongen kwam terug. Hij vroeg of hij met me kon praten. Ik zei ja. We stonden zwijgend in de keuken, gadegeslagen door Dr. C. De Jongen vroeg of hij me in mijn kamer kon spreken. Ik zei ja. We liepen de trap op. Ik liet de deur open. Hij ging op het bed zitten en klopte naast zich op de matras. Ik ging zitten. Ik wist dat we binnen gehoorsafstand van de keuken waren.

'Ik moet je iets vragen, ik wil dat je eerlijk antwoord geeft,' zei hij.

Ik werd nijdig. Welk recht had hij om me ook maar iets te vragen? En wanneer had ik hem ooit geen eerlijk antwoord gegeven? 'Ja?' zei ik.

'Slaap je met die man?'

'Ja.'

'Heeft hij hier vannacht geslapen?'

'Ja,' zei ik, en begon me af te vragen hoe lang de Jongen voor mijn huis had gestaan.

'Ongelooflijk dat je me dat aandoet,' zei hij. Ik snapte het niet. Werd ik geacht een lijst van minnaars voor hem bij te houden? Werd ik nog steeds geacht verantwoording bij hem af te leggen, er iets om te geven wat hij van me dacht, wat wie dan ook van me dacht? Ik vroeg hem weg te gaan.

Hij was kalm. Vreemd kalm. De Jongen is meestal beweeglijk en spraakzaam, maar nu was hij stil en beheerst. Hij zei dat hij er zelf wel uit kwam; ik stond erop met hem mee naar beneden te lopen. Naar de deur. De deur uit. Ik liep met hem mee naar buiten en trok de deur dicht. Dr. C was nog in de keuken. Hoorde de deur achter me in het slot vallen. Ik had de sleutel niet bij me. Wat de Jongen ook van plan was, ik liet het hem niet met een onbekende doen. Hij zou het met mij moeten doen.

Het drong tot de Jongen door. Hij kreeg weer kleur op zijn wangen en keek me aan. 'Ik moet hem spreken,' zei hij, plotseling gespannen.

'Nee,' zei ik, en sloeg mijn armen over elkaar.

'Ik moet hem spreken,' herhaalde de Jongen. 'Hij mag je hebben, ik wil hem alleen vertellen wat... wat hij me heeft afgenomen.'

'Hij heeft je niets afgenomen. Hij kent je niet eens. Waarom zou hij? Je hebt me zelf laten gaan. Twee keer.' De Jongen vroeg of hij naar binnen mocht. Ik weigerde. Hij vroeg het nog een paar keer; ik hield voet bij stuk.

Ik wist dat slaan niet in zijn gedragscode paste, maar ik vertrouwde er niet op en vroeg me af waar zijn breekpunt lag. Er kwamen wat mensen door de straat, bezig met hun ochtendroutine. Ik hoopte dat dat me zou redden, mocht ik redding behoeven.

De Jongen kwam geen stap verder met vragen of hij naar binnen mocht. 'Kom nou,' drensde hij. 'Die vent is groot genoeg. Die kan heus wel voor zichzelf opkomen.'

'Blijf je van hem af?' vroeg ik.

'Ik raak hem met geen vinger aan.'

'Je liegt.' Hij hield zijn armen over elkaar, maar ik zag dat hij telkens opnieuw zijn vuisten balde. De knokkels werden wit, roze en weer wit.

Daar stonden we dan. Hij keek me aan. 'Ga naar je auto en rij weg,' zei ik. Hij bleef onbeweeglijk staan. Ik herhaalde het. Hij ging. Ik liep mee naar het tuinhek. Zag hem in de auto stappen. Hij treuzelde voordat hij de sleutel in het contact stak. Ik wachtte tot hij wegreed. Liep terug naar mijn deur en klopte. Dr. C liet me binnen. We gingen naar mijn kamer en neukten.

Mardi, 22 juin

Dr. C ging 's ochtends weg. Hij moest terug naar het zuiden. Ik maakte glimlachend het bed op terwijl hij zijn schamele bezittingen inpakte. Ik wist niet of we elkaar nog terug zouden zien; de striemen op mijn borsten trokken al weg, maar misschien zouden ze het langer volhouden dan wij samen. Ik wist het niet en het kon me niet schelen.

Er stond een auto op de hoek, zag ik door mijn raam, en hij wist het ook. De Jongen. Ik liep met Dr. C mee naar zijn auto, wuifde tot hij de hoek om was, ging weer naar binnen en draaide de deur achter me op slot. De telefoon ging. Ik nam niet op.

Een paar minuten later ging hij weer. 'Hallo,' zei ik.

'Mag ik binnenkomen?' vroeg de Jongen. Nee, zei ik, ik kom wel naar buiten. Ik sloot de deur achter me af en stopte de sleutels in mijn zak. Hield mijn mobieltje in mijn hand, voor je weet maar nooit. Hij stapte uit zijn auto en liep naar het hek. Vroeg weer of hij binnen mocht komen. Ik weigerde. Zei dat we in zijn auto konden praten of helemaal niet. Hij probeerde het nog eens, zag dat ik niet toe zou geven en liep terug naar zijn auto.

Ik ging op de passagiersstoel zitten en trok het portier halfdicht.

'Het spijt me, ik weet dat ik heel veel dingen fout heb gedaan, het spijt me heel erg,' zei hij. Zijn ogen waren rood geworden en zijn schouders hingen. Ik werd door een steek tederheid getroffen, maar zei niets. Hij bleef zijn excuses aanbieden, huilend. Ik liet hem begaan. Ik dacht aan alle keren tijdens onze relatie dat hij geen excuses had aangeboden en ik er kapot aan ging, en de zeldzame keren dat hij het wel had gedaan en ik niet wist hoe snel ik hem moest sussen en hem verzekeren dat het zijn schuld niet was.

Deze keer onderbrak ik hem niet. Ik liet hem zijn hart uitstorten.

Het was moeilijk aan te zien. Ik wist dat ik hem kon opbeuren, zijn gevoelens laten ophouden. Ik wist dat ik de komende tien minuten een stuk gemakkelijker voor ons allebei kon maken en misschien zelfs de komende tien dagen, als we geluk hadden, tot we weer ruzie kregen, door te zeggen dat ik hem terug wilde nemen. Maar ik wist dat de volgende ruzie altijd om de hoek wachtte. En wat hij ook beweerde, mensen veranderen niet zomaar. Niet dat ze het niet kunnen, maar niemand verandert van de ene dag op de andere, en ik was het zat.

En dat zei ik tegen hem. Ik fluisterde dat ik het zat was. Hij snikte, maar bleef niet smeken.

Dit is het dan echt, dacht ik. Ik dacht aan wat N in de auto had gezegd. Had ik mezelf gedoemd tot het door mij gekozen lot? Was dit niet alleen zijn laatste kans, maar ook de mijne, definitief?

'Ik hield zo veel van je,' zei hij ten slotte.

'Ik hield ook van jou,' zei ik. In het besef dat dit echt de laatste keer was. En dat hij het ook wist.

Jeudi, 24 juin

Kwam net terug van de sportschool, zwetend en moe. Zette water op, meer uit gewoonte dan uit de behoefte aan een warme dronk. Maar goed, ze zeggen dat je thee moet drinken als je het warm hebt.

De telefoon op het werkblad ging. Ik keek op het scherm. Het was de manager.

Ik dacht even na, liet bijna door de voicemail opnemen. Deed het niet. Nam op.

'Schat, ik heb een boeking voor twee uur...'

Had ik het verkeerd verstaan? 'O.' Weken stilte en nu zomaar een boeking? 'Hoe is het met je?'

'Goed, schat, goed. Heb ik je wakker gebeld?' Net terug van de sportschool, zei ik. Ze waardeerde het. 'Je moet in vorm blijven,' zei ze, en ze praatte snel door. 'Luister, die heer, hij zit in het Claridge's, en hij heeft gevraagd of je om tien uur kon komen.' Een boeking voor twee uur met reiskosten en alle diensten. Tegen de hoogste uurprijs die we vragen, los van extra's voor vreemde verzoeken.

Ik beet op mijn lip. Gegeven paard, niet in de bek en alles. Maar ik had al met A3 in het café afgesproken. En ik had me al tijden niet meer laten harsen. De schaamheg zelf snoeien zou me een uur kosten. En ik was moe, en ik had nog niet gegeten, en nog duizend andere dingen. 'Het spijt me, maar ik kan niet. Ik weet zeker dat een van de andere meisjes graag zal gaan,' zei ik zacht.

'Je beschrijving beviel hem, hij heeft speciaal naar jou gevraagd, schat. Ik kan wel een beetje liegen, maar zo'n grote leugen als een ander meisje sturen lukt me niet.'

Mijn hemel. Ongehoorde eerlijkheid voor een madam. Had ik het misschien toch bij het verkeerde eind gehad?

Mijn stem werd krachtiger. 'Ik zou heel graag willen, maar ik heb andere plannen,' zei ik. Ik had het kunnen redden – net. Het geld zou goed van pas komen. Maar ik had geen zin. A3 zou op me zitten wachten, en ik kon me geen leukere besteding van de avond voorstellen dan hem mijn bierglazen laten leegdrinken terwijl hij over zijn werk zeurde.

'Goed dan, schat,' kirde ze. 'Je bent altijd zo gezellig. Spreek ik je gauw weer?'

'Tot gauw. Prettige avond.'

Samedi, 26 juin

Aangezien het zonnig is en er een plek achter mijn huis is die in feite heel beschut is, maar de opwindende illusie van openbare naaktheid schenkt, lig ik sinds gisteren te roosteren.

Gezondheidsdeskundigen kunnen je vertellen dat alleen totale onthouding de garantie biedt dat je gezond blijft; ik geloof in het beoefenen van veilig zonnebaden. Wanneer je je tere meisjeshuid aan de straling van de zon blootstelt, is bescherming altijd noodzakelijk.

Ik begin me ook af te vragen of het tijd wordt dat ik zelf mijn afspraken ga regelen. De brutalen hebben de halve wereld, zeggen ze.

Hebben de laffen dan niet de andere helft? Misschien moet ik het op de moed der wanhoop gooien.

Dimanche, 27 juin

Ik ben schrijver, zei de klant. O ja? zei ik. Wat schrijf je? Detectives, zei hij. Hij noemde een bestseller uit de *New York Times* en een bekende titel. Aha, zei ik. Zoiets als Mickey Spillane. Inderdaad, zei hij. Ik ben dol op dat stukje aan het eind van *My gun is quick*, zei ik. Als Hammer de heldin de negligé van het lijf scheurt. Die ene nacht van gedeelde passie.

Ik ging op zijn schoot zitten en hij streelde mijn dijen. 'Dat voelt als kousen die vanzelf blijven zitten,' zei hij (dat waren het ook).

'Waar heb je zin in?' vroeg ik.

'Eenvoudig mens, eenvoudige pleziertjes,' zei hij. 'Ik wil gewoon in de mond van een naakte vrouw klaarkomen.'

Zo'n transactie lijkt misschien duur, maar als je denkt aan het geld en de moeite die je tijdens een zakenreis zou kunnen besteden aan het versieren van een vrouw, alleen maar om eventueel het stadium te bereiken dat zij naakt is en jij in haar mond klaarkomt voordat het tijd is om weer naar huis te vliegen, is het niet zo prijzig. En het resultaat is gegarandeerd.

Hij trok mijn slipje uit en we ontkleedden elkaar. Hij ging op het bed liggen. 'Je doet me denken aan een oude liefde,' zei ik. Hij keek bedenkelijk. Het was waar: hij had de hoge taille en ascetische ledematen van een veertiende-eeuwse heilige in tempera. Dezelfde bouw en hetzelfde gezicht als A2. Ik kriebelde aan zijn hoge wreef en kuste de binnenkant van zijn dijen.

Nadat ik hem een paar minuten had gepijpt, vroeg ik wat hij nog meer fijn vond. Rimmen, zei hij. Actief of passief? Passief, zei hij. Ik spreidde zijn benen wijder en voelde tussen zijn ronde billen. 'Hier, ik denk dat het beter gaat als je er een kussen onder legt.' Hij gehoorzaamde. Zijn aars was mals, roze en kaal. Hij smaakte schoon, een beetje naar zeep. Ik nam zijn lul weer in mijn mond en kietelde het gaatje met een vochtige vinger. Hij kwam snel en hard, tot achter in mijn keel.

'We zijn nog maar op de helft,' zei ik. Hij betaalde voor een uur. 'Je kunt zeker niet nog een keer?'

'Nee, sorry,' zei hij. 'Te oud. Te moe.'

'Zal ik met je blijven praten, of weggaan? Je kunt ook op je buik gaan liggen, dan mishandel ik je rug in een slechte imitatie van een massage.'

'Ga maar weg. Ik ga gewoon blij en voldaan slapen.'

'Ik wil je wel succes met je boeken wensen, maar zo te horen heb je dat niet nodig,' zei ik. 'Ik moet er eens een kopen.'

'Koop eerst maar een pocket,' zei hij. 'Eerst zien of je er iets aan vindt.'

Ik kleedde me aan en deed nieuwe lippenstift op. Het geld zat in een hotelenvelop. 'Was het niet Dashiell Hammett die ooit heeft gezegd dat je een meisje niet betaalt om te doen wat ze doet, maar om daarna weg te gaan?'

334

'Zou kunnen.' Hij glimlachte doezelig. Ik deed de deur zacht achter me dicht. Er stond maar één taxi buiten. Ik stapte achterin en zoefde in het licht en de geluiden van een avond in de stad naar huis.